U0217523

「十三五」国家重点出版物出版规划项目

国家出版基金项目
NATIONAL PUBLICATION FOUNDATION

中国中药资源大典

资源大典

广东卷

⑩

黄璐琦 / 总主编

童 毅 潘超美 夏念和 / 主 编

北京科学技术出版社

图书在版编目（CIP）数据

中国中药资源大典. 广东卷. 10 / 童毅, 潘超美,
夏念和主编. -- 北京 : 北京科学技术出版社, 2024. 6.
ISBN 978-7-5714-4012-1

Ⅰ. R281.4

中国国家版本馆CIP数据核字第2024KE0650号

责任编辑：侍　伟　李兆弟　王治华　庞璐璐　吕　慧

责任校对：贾　荣

图文制作：樊润琴

责任印制：李　茗

出 版 人：曾庆宇

出版发行：北京科学技术出版社

社　　　址：北京西直门南大街16号

邮政编码：100035

电　　　话：0086-10-66135495（总编室）　0086-10-66113227（发行部）

网　　　址：www.bkydw.cn

印　　　刷：北京博海升彩色印刷有限公司

开　　　本：889 mm×1 194 mm　1/16

字　　　数：960千字

印　　　张：43.25

版　　　次：2024年6月第1版

印　　　次：2024年6月第1次印刷

审 图 号：GS京（2023）1758号

ISBN 978-7-5714-4012-1

定　　价：490.00元

李泰辉 （广东省科学院微生物研究所）

肖凤霞 （广州中医药大学）

何春梅 （广东省林业科学研究院）

张宏伟 （南方医科大学）

陈　娟 （中国科学院华南植物园）

陈秋梅 （广州中医药大学）

林哲丽 （韶关学院）

赵万义 （中山大学）

秦新生 （华南农业大学）

夏　静 （广州白云山和记黄埔中药有限公司）

夏念和 （中国科学院华南植物园）

晁　志 （南方医科大学）

黄海波 （广州中医药大学）

梅全喜 （深圳市宝安区中医院）

彭泽通 （广州中医药大学）

童　毅 （广州中医药大学）

童家赟 （广州中医药大学）

童毅华 （中国科学院华南植物园）

曾飞燕 （中国科学院华南植物园）

楼步青 （广东省中医院）

廖文波 （中山大学）

潘超美 （广州中医药大学）

2

黄 序

　　中药资源是中医药事业传承和发展的物质基础，是关系国计民生的战略性资源。为促进中药资源保护、开发和合理利用，国家中医药管理局组织开展了第四次全国中药资源普查。广东省得天独厚的地理环境，孕育了丰富多样、具有岭南特色的中药资源。《中国中药资源大典·广东卷》对广东省中药资源现状的总结，也是广东省中药资源普查成果的集中体现。

　　本书分上、中、下篇，上篇介绍了广东省中药资源概况、中药资源普查工作及中药资源产业现状等，中篇介绍了广东省23种道地、大宗中药资源的栽培面积、分布区域、资源利用等，下篇为广东省3 514种中药资源的基本信息。本书充分反映了广东省中药资源的最新研究成果，内容丰富，体例新颖，图文并茂，为一部具有较高学术价值和实用价值的工具书。

　　相信本书的出版可为进一步开展中药品质研究与评价、推动中药产业的健康和可持续发展、为地方制定中药产业政策提供支撑，为推动区域经济社会高质量发展贡献力量。

　　欣闻本书即将付梓，乐之为序。

中国工程院院士

中国中医科学院院长

第四次全国中药资源普查技术指导专家组组长

2024 年 4 月

序　言

　　中药资源是中医药事业发展的物质基础，国家高度重视中药资源保护及其可持续利用。我国已开展了4次全国范围的中药资源普查，其中第四次全国中药资源普查工作起止时间为2011—2021年。第四次全国中药资源普查确认了我国共有18 817种药用资源，与第三次普查相比增加了6 000多种，其中，3 151种为我国特有的药用植物，464种为需要保护的物种；还发现196个新物种，其中约100种具有潜在药用价值。

　　广东省第四次中药资源普查工作于2014年开始、2021年11月结束，历时近8年，普查区域实现了对全省全部县级行政区域的覆盖。为推广中药资源普查成果，更好地服务于广东省中药产业发展，广东省第四次全国中药资源普查（试点）工作办公室（以下简称广东省普查办）、广东省中药资源普查（试点）工作技术专家指导委员会组织相关专家、学者和技术人员，从广东省中药资源概况、重点中药资源情况、中药资源监测体系建设、中药材种植生产区划、传统医药知识收集、种质资源圃建设等方面入手，进行了数据统计和细致的整理研究工作，汇总了广东省在中药资源保护、科研和产业等领域取得的一系列成果。一是基本摸清了广东省中药资源家底，为编制《中国中药资源大典·广东卷》提供了翔实的数据。本次普查共发现药用植物3 443种，其中涵盖栽培药用植物185种；发现新种8种，新分布记录属和新分布记录种共11种；对区域内水生和耐盐药用资源、菌类药用资源、瑶药资源等进行了专项调研，构建了广东省岭南中药资源信息管理系统。二是建立了广东省中药资源动态监测信息和技术服务体系，形成了区域内中药资源动态监测网络，与国家中药资源动态监测信息和技术服务体系实现了数据共享，形成了长效机制，可实时掌握广东省中药材的产量、流通量、价格和质量等的变化趋势，促进中药产业的健康发展。广东省中药资源普查过程中开展了区域内重点道地药材品种的标准化建设，开展了中药材产业扶贫行动，使中药材生产成为推进乡村振兴的重要抓手，为加快区域中药材产业的发展贡献了力量。三是建立了省级中药材种子种苗繁育基地、省中药药用植物重点物种保存圃和种质资源圃，保存广东省活体中药药用植物种质资源 2 639 份，从源头上保证了中药材的质量，促进了珍稀、濒危、道地药材的繁育和保护，凸显了中药资源保护和可持续利用工作的重要性。四是在汇总广东省中药资源相关传统知识调查成果的基础上，梳理了广东省岭南地区独特地理气候条件下的人群体质特点，形成了具有地域特色的岭南中医药学体系亮点，如广东凉茶、罗浮山百草油、沙溪凉茶、冯了性风湿跌打药酒、跌打万花油、乌鸡白凤丸等具有岭南特色的中药配伍应用；整理出岭南民间特色治疗验方 554 首，挖掘、传承、保护与中药资源相关的传统知识。五是汇编出版了《广东省中药资源志要》《梅州中草药图鉴》《乳源瑶医瑶药志要》《岭南采药录考释》等专著。

《中国中药资源大典·广东卷》是对广东省第四次中药资源普查工作成果的全面汇总，是全体普查人员经过多年努力，获得的广东省中药资源现状的第一手资料。《中国中药资源大典·广东卷》由广州中医药大学、中国科学院华南植物园、中山大学、南方医科大学、广东药科大学、华南农业大学等 17 个普查技术单位的 200 多位普查技术人员共同编撰完成。全书分为上篇、中篇、下篇，共 12 册。上篇全面介绍了广东省中药资源生态环境、分布概况，梳理了广东省中药资源和产业现状，对比广东省第三次中药资源普查结果，对广东省野生药用资源分布、人工种植（养殖）中药资源物种的变化、中药材市场流通情况、岭南民间用药特点等进行了分析，并提出了广东省中药资源区划和发展建议；中篇详细地介绍了广东省 23 种道地、大宗中药资源的资源情况、分布情况、栽培情况、采收应用等内容，为中药材产业的高质量发展提供了技术服务，为中药材生产布局提供了参考；下篇对广东省境内 3 514 种中药资源物种（药用植物、药用动物、药用矿物）做了图文并茂的介绍，展现了广东省中药资源领域的最新数据信息成果。《中国中药资源大典·广东卷》的出版客观真实地反映了广东省中药资源的整体情况，对广东省乃至全国中药资源的保护、合理利用、开发、科研、教学以及产业规划等将发挥重要的指导作用。

《中国中药资源大典·广东卷》编写委员会

2024 年 3 月

前言

　　广东省位于我国大陆最南端,北回归线横穿其中部。全省地势北高南低,山脉大多呈东北—西南走向。气候从北向南分别为中亚热带、南亚热带和热带气候,受海洋上的湿润气流影响,夏季高温多雨、多台风,冬季多干旱且有冷空气侵袭。广东省年平均气温为18.9 ~ 23.8 ℃,气温呈南高北低的特点,南端雷州半岛年平均气温最高,为23.8 ℃,粤北山区年平均气温最低,为18.9 ℃;历史极端最高气温为42.0 ℃,极端最低气温为 −7.3 ℃。

　　广东省光、热、水资源丰富,得天独厚的地理环境和气候为生物的生长创造了优越的条件,动植物种类繁多,药用植物资源非常丰富。广东省的植被类型有纬度地带性分布的北亚热带季雨林、南亚热带季风常绿阔叶林、中亚热带典型常绿阔叶林和沿海的热带红树林,还有非纬度地带性分布的常绿落叶阔叶混交林、常绿针阔叶混交林、常绿针叶林、竹林、灌丛和草坡,以及水稻、甘蔗和茶树等栽培植被。

　　2014 年,广东省启动了第四次中药资源普查工作,到 2021 年 11 月普查结束。广东省本次中药资源普查共记录调查信息 445 240 条、中药资源 4 692 种(已确认的药用植物 3 443 种),调查中药材栽培面积 14.3 万 hm²,涵盖药用植物栽培品种 185 种;记录病虫害种类 351 种,调查市场主流药材品种 852 种,记录传统医药知识信息 629 条。通过统计分析现有典籍专著和文献记载的广东省药用资源种类信息,结合广东省本次中药资源普查结果,确定广东省现有中药资源种类为 3 587 种。广东省本次中药资源普查调查代表区域 368 个，调查样地 4 056 个，调查样方套 20 273 个，记录有蕴藏量的中药资源 330 种，收集药材标本 4 977 份、中药材种质资源 2 639 份。此外，本次普查还对广东省菌类和水生、耐盐等药用植物资源进行了专项调研，收载大型药用真菌 217 种，隶属 26 科 46 属；记录水生药用植物资源 160 种、耐盐药用植物资源 269 种。

广东省是我国南药的主产区，与第三次中药资源普查相比，其道地药材和岭南特色药材的生产现状发生了很大的变化。广东省目前生产的道地药材品种主要有春砂仁、何首乌、广藿香、巴戟天、白木香、檀香、穿心莲、肉桂、广陈皮、芡实、山柰、益智等，珍稀野生药材品种有金毛狗、桫椤、青天葵、华南龙胆、蛇足石杉、金线兰等，岭南特色药材品种有莪术、红豆蔻、草豆蔻、甘葛、广山药、猴耳环、溪黄草、凉粉草、九节茶、鸡骨草、广金钱草、牛大力、千斤拔、黑老虎、铁皮石斛等。

广东省是中成药、中药配方颗粒、凉茶的生产大省，每年消耗的中药原料达数千吨，而许多中药原料主要来源于野生资源，导致野生药用资源品种数和蕴藏量均急剧减少。为了保证国家基本药物所需中药原料的可持续利用，广东省大部分制药企业建立了配套的中成药原料基地，还建立了野生中药资源转家种的药材原料基地，主要种植品种有黑老虎、吴茱萸、猴耳环、九里香、白花蛇舌草、溪黄草、紫茉莉、岗梅、毛冬青、两面针、三桠苦、草珊瑚、南板蓝根、山银花、鸡血藤、虎杖、龙脷叶、金樱子、金毛狗、钩藤、土牛膝、佩兰、千年健、山豆根、桃金娘、五指毛桃、无花果、地胆草、紫花杜鹃、裸花紫珠等稀缺原料药材，这些药材种植基地的建立对广东省中药资源的保护和可持续利用具有重要意义。

广东省第四次中药资源普查为广东省中药材产业提供了准确的资源信息，已有的成果数据信息可以更好地服务于产业发展，同时也为区域内主管部门制定相关法规政策提供了数据支撑。我们对广东省近 8 年来的普查数据进行了系统、严谨的梳理和统计，这对促进区域内中药资源的保护和可持续利用、促进地方中药资源产业和国民经济的发展具有重要意义。

《中国中药资源大典·广东卷》编写委员会

2024 年 3 月

凡 例

（1）本书分为上篇、中篇、下篇，共 12 册。上篇内容包括广东省自然地理概况、广东省第四次中药资源普查实施情况、广东省第四次中药资源普查成果、广东省中药资源发展存在的问题与建议；中篇重点介绍广东省 23 种道地、大宗中药资源；下篇是各论，共收载植物、动物、矿物等药用资源 3 514 种，以药用资源物种为单元进行介绍。本书主要参考《中国药典》《中国药材学》《中华本草》《中国植物志》《全国中草药汇编》等，以及历代本草文献等权威著作。为检索方便，本书在第 1 册正文前收录 1 ～ 12 册总目录，在页码前均标注了其所在册数（如"[1]"）。同时，还在第 12 册正文后附有 1 ～ 12 册所录中药资源的中文笔画索引、拉丁学名索引。

（2）植物分类系统。蕨类植物采用秦仁昌 1978 年分类系统。裸子植物采用郑万钧 1975 年分类系统。被子植物采用哈钦松分类系统。少数类群根据最新研究成果稍作调整；属、种按拉丁学名的字母顺序排列。

（3）本书下篇各品种按照其科名及属名、物种名、药材名、形态特征、生境分布、资源情况、采收加工、药材性状、功能主治、用法用量、凭证标本号、附注依次著述，资料不全者项目从略。

1）科名及属名。该项包括科、属的中文名和拉丁学名。

2）物种名。该项包括中文名和拉丁学名。

3）药材名。该项介绍药用部位及药材的别名。未查到药材别名的则内容从略。

4）形态特征。该项简要介绍物种的形态。

5）生境分布。该项介绍物种的生存环境及其在广东省的分布区域，栽培品种则介绍其主产地及道地产区。分布中的地级市专指其城区范围，不涵盖其管辖的县域范围，正文中采用"地级市（市区）"的形式表示，如"茂名（市区）"。

6）资源情况。该项介绍物种的蕴藏量情况，野生资源以丰富、较丰富、一般、较少、稀少表示，并说明药材来源于栽培资源还是野生资源。

7）采收加工。该项简要介绍药材的采收时间、采收方式及加工方法。

8）药材性状。该项主要介绍药材的性状特征。对于民间习用的鲜草药或冷背药材，则此项内容从略。

9）功能主治。该项介绍药材的味、性、毒性、归经、功能和主治。

10）用法用量。该项介绍药材的使用方法及用量范围。

11）凭证标本号。该项为第四次全国中药资源普查收载的物种标本号或补充收录物种的馆藏标本号。依据文献记载补充的经确认广东省已有、普查未收录的物种同时附上中国科学院华南植物园标本馆（IBSC）、深圳市中国科学院仙湖植物园植物标本馆（SZG）、广东省韩山师范学院植物标本室（CZH）等的标本号。补充收录的动物和矿物药用资源的标本号引用《广东中药志》《广东省中药材标准》《中国药用动物志》等文献的记录；菌类药用资源的标本号引用广东省科学院微生物研究所标本馆（GDGM）的标本号。

12）附注。该项简述物种的品种情况、民间使用情况、资源利用情况等内容。

目 录

被子植物 ———————————— [10] 1

　白花丹科 ———————————— [10] 2

　　补血草 ———————————— [10] 2

　　紫花丹 ———————————— [10] 4

　　白花丹 ———————————— [10] 6

　车前科 ———————————— [10] 8

　　车前 ———————————— [10] 8

　　平车前 ———————————— [10] 10

　桔梗科 ———————————— [10] 12

　　杏叶沙参 ———————————— [10] 12

　　轮叶沙参 ———————————— [10] 14

　　大花金钱豹 ———————————— [10] 16

　　长叶轮钟草 ———————————— [10] 18

　　羊乳 ———————————— [10] 20

　　桔梗 ———————————— [10] 22

　　蓝花参 ———————————— [10] 24

　半边莲科 ———————————— [10] 26

　　半边莲 ———————————— [10] 26

　　江南山梗菜 ———————————— [10] 28

　　线萼山梗菜 ———————————— [10] 30

　　卵叶半边莲 ———————————— [10] 32

　　铜锤玉带草 ———————————— [10] 34

　草海桐科 ———————————— [10] 36

　　草海桐 ———————————— [10] 36

　花柱草科 ———————————— [10] 38

　　花柱草 ———————————— [10] 38

　紫草科 ———————————— [10] 40

　　柔弱斑种草 ———————————— [10] 40

　　基及树 ———————————— [10] 42

　　破布木 ———————————— [10] 44

　　小花琉璃草 ———————————— [10] 46

　　琉璃草 ———————————— [10] 48

　　长花厚壳树 ———————————— [10] 50

　　粗糠树 ———————————— [10] 52

　　厚壳树 ———————————— [10] 54

　　大尾摇 ———————————— [10] 56

　　弯齿盾果草 ———————————— [10] 58

　　盾果草 ———————————— [10] 60

　　附地菜 ———————————— [10] 62

　茄科 ———————————— [10] 64

　　辣椒 ———————————— [10] 64

　　夜香树 ———————————— [10] 66

　　洋金花 ———————————— [10] 68

　　红丝线 ———————————— [10] 70

　　单花红丝线 ———————————— [10] 72

　　枸杞 ———————————— [10] 74

　　番茄 ———————————— [10] 76

　　假酸浆 ———————————— [10] 78

　　烟草 ———————————— [10] 80

　　酸浆 ———————————— [10] 82

　　挂金灯 ———————————— [10] 84

　　苦蘵 ———————————— [10] 86

小酸浆 .... [10] 88
灯笼果 .... [10] 90
少花龙葵 .... [10] 92
野茄 .... [10] 94
假烟叶树 .... [10] 96
刺天茄 .... [10] 98
毛茄 .... [10] 100
野海茄 .... [10] 102
白英 .... [10] 104
乳茄 .... [10] 106
茄 .... [10] 108
龙葵 .... [10] 110
海南茄 .... [10] 112
珊瑚樱 .... [10] 114
牛茄子 .... [10] 116
水茄 .... [10] 118
马铃薯 .... [10] 120
龙珠 .... [10] 122

旋花科 .... [10] 124
心萼薯 .... [10] 124
白鹤藤 .... [10] 126
硬毛白鹤藤 .... [10] 128
银背藤 .... [10] 130
月光花 .... [10] 132
打碗花 .... [10] 134
旋花 .... [10] 136
南方菟丝子 .... [10] 138
菟丝子 .... [10] 140
金灯藤 .... [10] 142
马蹄金 .... [10] 144
丁公藤 .... [10] 146
光叶丁公藤 .... [10] 148
土丁桂 .... [10] 150
蕹菜 .... [10] 152
番薯 .... [10] 154
五爪金龙 .... [10] 156

七爪龙 .... [10] 158
小心叶薯 .... [10] 160
厚藤 .... [10] 162
虎掌藤 .... [10] 164
篱栏网 .... [10] 166
尖萼山猪菜 .... [10] 168
山猪菜 .... [10] 170
掌叶鱼黄草 .... [10] 172
盒果藤 .... [10] 174
牵牛 .... [10] 176
圆叶牵牛 .... [10] 178
飞蛾藤 .... [10] 180
大果飞蛾藤 .... [10] 182
茑萝松 .... [10] 184

玄参科 .... [10] 186
毛麝香 .... [10] 186
球花毛麝香 .... [10] 188
金鱼草 .... [10] 190
假马齿苋 .... [10] 192
来江藤 .... [10] 194
黑草 .... [10] 196
胡麻草 .... [10] 198
紫苏草 .... [10] 200
中华石龙尾 .... [10] 202
抱茎石龙尾 .... [10] 204
大叶石龙尾 .... [10] 206
石龙尾 .... [10] 208
钟萼草 .... [10] 210
长蒴母草 .... [10] 212
狭叶母草 .... [10] 214
泥花草 .... [10] 216
刺齿泥花草 .... [10] 218
母草 .... [10] 220
红骨草 .... [10] 222
棱萼母草 .... [10] 224
陌上菜 .... [10] 226

旱田草	[10] 228
通泉草	[10] 230
弹刀子菜	[10] 232
黑蒴	[10] 234
白花泡桐	[10] 236
台湾泡桐	[10] 238
苦玄参	[10] 240
爆仗竹	[10] 242
野甘草	[10] 244
玄参	[10] 246
阴行草	[10] 248
腺毛阴行草	[10] 250
独脚金	[10] 252
大独脚金	[10] 254
毛叶蝴蝶草	[10] 256
单色蝴蝶草	[10] 258
黄花蝴蝶草	[10] 260
紫斑蝴蝶草	[10] 262
兰猪耳	[10] 264
光叶蝴蝶草	[10] 266
紫萼蝴蝶草	[10] 268
多枝婆婆纳	[10] 270
阿拉伯婆婆纳	[10] 272
婆婆纳	[10] 274
水苦荬	[10] 276
爬岩红	[10] 278
四方麻	[10] 280
长穗腹水草	[10] 282
腹水草	[10] 284

列当科 [10] 286
野菰	[10] 286
亨氏马先蒿	[10] 288
松蒿	[10] 290

狸藻科 [10] 292
黄花狸藻	[10] 292
挖耳草	[10] 294

苦苣苔科 [10] 296
芒毛苣苔	[10] 296
旋蒴苣苔	[10] 298
贵州半蒴苣苔	[10] 300
华南半蒴苣苔	[10] 302
降龙草	[10] 304
吊石苣苔	[10] 306
长瓣马铃苣苔	[10] 308

紫葳科 [10] 310
凌霄	[10] 310
灰楸	[10] 312
梓	[10] 314
蒜香藤	[10] 316
木蝴蝶	[10] 318
炮仗花	[10] 320
菜豆树	[10] 322

胡麻科 [10] 324
芝麻	[10] 324

爵床科 [10] 326
老鼠簕	[10] 326
穿心莲	[10] 328
宽叶十万错	[10] 330
白接骨	[10] 332
板蓝	[10] 334
假杜鹃	[10] 336
花叶假杜鹃	[10] 338
日本黄猄草	[10] 340
黄猄草	[10] 342
鳄嘴花	[10] 344
钟花草	[10] 346
狗肝菜	[10] 348
喜花草	[10] 350
水蓑衣	[10] 352
枪刀药	[10] 354
鸭嘴花	[10] 356
虾衣花	[10] 358

圆苞杜根藤 …………… [10] 360

小驳骨 …………………… [10] 362

爵床 ……………………… [10] 364

杜根藤 …………………… [10] 366

黑叶小驳骨 ……………… [10] 368

鳞花草 …………………… [10] 370

红背耳叶马蓝 …………… [10] 372

观音草 …………………… [10] 374

九头狮子草 ……………… [10] 376

海康钩粉草 ……………… [10] 378

山壳骨 …………………… [10] 380

曲枝假蓝 ………………… [10] 382

灵枝草 …………………… [10] 384

楠草 ……………………… [10] 386

孩儿草 …………………… [10] 388

黄球花 …………………… [10] 390

山一笼鸡 ………………… [10] 392

球花马蓝 ………………… [10] 394

碗花草 …………………… [10] 396

山牵牛 …………………… [10] 398

马鞭草科 ………………… [10] 400

海榄雌 …………………… [10] 400

紫珠 ……………………… [10] 402

短柄紫珠 ………………… [10] 404

白毛紫珠 ………………… [10] 406

华紫珠 …………………… [10] 408

白棠子树 ………………… [10] 410

杜虹花 …………………… [10] 412

老鸦糊 …………………… [10] 414

全缘叶紫珠 ……………… [10] 416

枇杷叶紫珠 ……………… [10] 418

广东紫珠 ………………… [10] 420

尖萼紫珠 ………………… [10] 422

长柄紫珠 ………………… [10] 424

尖尾枫 …………………… [10] 426

大叶紫珠 ………………… [10] 428

裸花紫珠 ………………… [10] 430

钩毛紫珠 ………………… [10] 432

藤紫珠 …………………… [10] 434

红紫珠 …………………… [10] 436

钝齿红紫珠 ……………… [10] 438

狭叶红紫珠 ……………… [10] 440

兰香草 …………………… [10] 442

单花莸 …………………… [10] 444

灰毛大青 ………………… [10] 446

大青 ……………………… [10] 448

白花灯笼 ………………… [10] 450

苦郎树 …………………… [10] 452

赪桐 ……………………… [10] 454

广东大青 ………………… [10] 456

尖齿臭茉莉 ……………… [10] 458

海通 ……………………… [10] 460

重瓣臭茉莉 ……………… [10] 462

龙吐珠 …………………… [10] 464

假连翘 …………………… [10] 466

云南石梓 ………………… [10] 468

石梓 ……………………… [10] 470

马缨丹 …………………… [10] 472

过江藤 …………………… [10] 474

豆腐柴 …………………… [10] 476

狐臭柴 …………………… [10] 478

塘虱角 …………………… [10] 480

假马鞭 …………………… [10] 482

柚木 ……………………… [10] 484

假紫珠 …………………… [10] 486

马鞭草 …………………… [10] 488

灰毛牡荆 ………………… [10] 490

黄荆 ……………………… [10] 492

牡荆 ……………………… [10] 494

山牡荆 …………………… [10] 496

蔓荆 ……………………… [10] 498

单叶蔓荆 ………………… [10] 500

唇形科 .... [10] 502
　藿香 .... [10] 502
　金疮小草 .... [10] 504
　紫背金盘 .... [10] 506
　排草香 .... [10] 508
　广防风 .... [10] 510
　毛药花 .... [10] 512
　肾茶 .... [10] 514
　风轮菜 .... [10] 516
　光风轮菜 .... [10] 518
　细风轮菜 .... [10] 520
　肉叶鞘蕊花 .... [10] 522
　五彩苏 .... [10] 524
　齿叶水蜡烛 .... [10] 526
　水虎尾 .... [10] 528
　紫花香薷 .... [10] 530
　香薷 .... [10] 532
　海州香薷 .... [10] 534
　小野芝麻 .... [10] 536
　活血丹 .... [10] 538
　中华锥花 .... [10] 540
　吊球草 .... [10] 542
　山香 .... [10] 544
　香茶菜 .... [10] 546
　细锥香茶菜 .... [10] 548
　线纹香茶菜 .... [10] 550
　塔花香茶菜 .... [10] 552
　纤花香茶菜 .... [10] 554
　显脉香茶菜 .... [10] 556
　溪黄草 .... [10] 558
　牛尾草 .... [10] 560
　长叶香茶菜 .... [10] 562
　大苞香简草 .... [10] 564
　宝盖草 .... [10] 566
　益母草 .... [10] 568
　蜂巢草 .... [10] 570

疏毛白绒草 .... [10] 572
蜂窝草 .... [10] 574
硬毛地瓜儿苗 .... [10] 576
蜜蜂花 .... [10] 578
薄荷 .... [10] 580
留兰香 .... [10] 582
凉粉草 .... [10] 584
冠唇花 .... [10] 586
小花荠苎 .... [10] 588
石香薷 .... [10] 590
小鱼仙草 .... [10] 592
石荠苎 .... [10] 594
心叶荆芥 .... [10] 596
龙船草 .... [10] 598
罗勒 .... [10] 600
疏柔毛罗勒 .... [10] 602
丁香罗勒 .... [10] 604
牛至 .... [10] 606
白毛假糙苏 .... [10] 608
短齿假糙苏 .... [10] 610
小叶假糙苏 .... [10] 612
紫苏 .... [10] 614
回回苏 .... [10] 618
白苏 .... [10] 620
水珍珠菜 .... [10] 622
广藿香 .... [10] 624
夏枯草 .... [10] 626
南丹参 .... [10] 628
贵州鼠尾草 .... [10] 630
华鼠尾草 .... [10] 632
朱唇 .... [10] 634
鼠尾草 .... [10] 636
荔枝草 .... [10] 638
红根草 .... [10] 640
地埂鼠尾草 .... [10] 642
硬毛地埂鼠尾草 .... [10] 644

一串红 ·················· [10] 646

四棱草 ·················· [10] 648

半枝莲 ·················· [10] 650

韩信草 ·················· [10] 652

偏花黄芩 ················ [10] 654

地蚕 ··················· [10] 656

甘露子 ·················· [10] 658

庐山香科科 ·············· [10] 660

铁轴草 ·················· [10] 662

血见愁 ·················· [10] 664

被子植物

白花丹科 Plumbaginaceae 补血草属 Limonium

补血草 *Limonium sinense* (Girard) Kuntze

药材名

补血草（药用部位：根。别名：白花玉钱香、咸水参）。

形态特征

多年生草本。高 20 ~ 60 cm。根肉质，肥厚。基生叶莲座状，叶片倒卵状长圆形或长圆状披针形。顶生花序伞房状或圆锥状；数花密集成穗状；花萼白色，边缘 5 浅裂，萼檐的白色部分不到花萼的中部，开张幅径明显小于萼的长度；花瓣 5，淡黄色；雄蕊 5；花柱 5，分离。蒴果具 5 棱，包于宿萼内。花期北方 7 ~ 11 月，南方 4 ~ 12 月。

生境分布

生于沿海潮湿的盐土或砂土上。分布于广东徐闻、廉江、雷州、遂溪、惠东、陆丰、饶平及东莞、深圳（市区）、湛江（市区）、惠州（市区）、阳江（市区）等。

资源情况

野生资源较少。药材来源于野生和栽培。

采收加工

全年均可采收，洗净，切片，鲜用。

| 功能主治 | 苦、微咸，凉。清热，利湿，止血，解毒。用于湿热便血，脱肛，血淋，月经过多，带下，痈肿疮毒。

| 用法用量 | 内服煎汤，15 ～ 30 g。外用适量，捣敷；或煎汤坐浴。

| 凭证标本号 | 陈炳辉 431（IBSC0514472）。

杨青山提供

白花丹科 Plumbaginaceae 白花丹属 Plumbago

紫花丹
Plumbago indica L.

| 药 材 名 | 紫雪花（药用部位：全草。别名：紫花藤、谢三娘）。

| 形态特征 | 多年生草本。茎直立或攀缘状。叶互生，长圆形或长圆状披针形。穗状花序顶生或腋生；花轴上无头状腺体；花萼圆筒状，红色，先端5裂，具5棱，有腺毛；花冠高脚碟状，红色或紫红色，先端5裂；雄蕊5，花药蓝色；花柱合生，下部被向上的毛，子房小。蒴果盖裂。花期11月至翌年4月。

| 生境分布 | 栽培种。广东各地均有栽培。

| 资源情况 | 栽培资源一般。药材来源于栽培。

| 采收加工 | 全年均可采收，切段，鲜用或晒干。

| 功能主治 | 辛、苦，温；有小毒。破血通经，消肿止痛，祛风杀虫。用于痛经，闭经，风湿痹痛，跌打扭伤，痈肿疮毒，疥疮湿癣。

| 用法用量 | 内服煎汤，6～12 g。外用适量，捣敷；或煎汤洗。孕妇慎服。

| 凭证标本号 | 陈少卿 7990（IBSC0514546）。

白花丹科 Plumbaginaceae 白花丹属 Plumbago

白花丹
Plumbago zeylanica L.

| 药 材 名 | 白花丹（药用部位：全草。别名：白花茶、一见消）。

| 形态特征 | 多年生蔓生亚灌木状草本。茎细弱，光滑无毛。单叶互生，叶片卵圆形至卵状椭圆形。穗状花序顶生或腋生；花轴与总花梗有具柄的腺毛；苞片短于花萼，边缘为干膜质；花萼管状，绿色；花冠白色或微带蓝色，高脚碟状；雄蕊 5，生于喉处；子房上位，1 室，花柱无毛，柱头 5 裂。蒴果膜质。花期 10 月至翌年 3 月，果期 2 月至翌年 4 月。

| 生境分布 | 生于阴湿处或半荫蔽处。分布于广东从化、翁源、乐昌、南澳、台山、徐闻、高州、怀集、封开、惠东、博罗、五华、阳春、英德、连州、梅县、紫金及东莞、中山、茂名（市区）、肇庆（市区）、江门（市

区）、惠州（市区）、深圳（市区）、阳江（市区）、清远（市区）、珠海（市区）、汕头（市区）、云浮（市区）等。

| 资源情况 | 野生资源较丰富。药材来源于野生。

| 采收加工 | 全年均可采收，切段，鲜用或晒干。

| 药材性状 | 本品主根呈细长圆柱形，略弯曲。茎圆柱形，具细纵棱。叶片皱缩、破碎，完整者展平后呈卵形或卵状长圆形，长 4～10 cm，宽 3～5 cm，淡绿色或黄绿色。花序穗状，顶生或腋生；花萼管状，有腺毛；花冠淡黄棕色。气微，味辛、辣。

| 功能主治 | 辛、苦、涩，温；有毒。祛风，散瘀，解毒，杀虫。用于风湿关节疼痛，慢性肝炎，肝区疼痛，血瘀经闭，跌打损伤，肿毒恶疮，疥癣，肛周脓肿，急性淋巴结炎，乳腺炎，蜂窝织炎，瘰疬未溃。

| 用法用量 | 内服煎汤，10～15 g。外用适量，煎汤洗；或捣敷；或涂搽。孕妇禁服；外用时间不宜过长，以免起泡。

| 凭证标本号 | 440882180512007LY、440783191006021LY、440781191104011LY。

车前科 Plantaginaceae 车前属 Plantago

车前 *Plantago asiatica* L.

| 药 材 名 | 车前草（药用部位：全草）、车前子（药用部位：种子）。

| 形态特征 | 多年生草本。连花茎高达 50 cm，具须根。叶基生，呈莲座状。花淡绿色；花萼 4，宿存；花冠小，裂片狭三角形；雄蕊 4；雌蕊 1；子房上位，卵圆形，2 室或假 4 室，花柱 1，线形，有毛。蒴果卵状圆锥形，成熟后约在下方 2/5 处周裂，下方 2/5 宿存。种子 4～8 或 9，近椭圆形，黑褐色。花期 6～9 月，果期 10 月。

| 生境分布 | 生于草地、沟边、河岸湿地、田边、路旁或村边空旷处。分布于广东从化、紫金、博罗、丰顺、五华、连州、阳山、英德、乐昌、南雄、仁化、乳源、始兴、翁源、新丰、郁南、封开及中山、深圳（市区）、

肇庆（市区）、江门（市区）、茂名（市区）等。

| 资源情况 | 野生资源丰富。药材来源于野生。

| 采收加工 | 车前草：播种第 2 年秋季采收，洗净泥沙，鲜用或晒干。

| 药材性状 | **车前草**：本品根丛生，须状。叶基生，具长柄；叶片皱缩，展平后呈卵状椭圆形或宽卵形。穗状花序数条，花茎长。蒴果盖裂，萼宿存。气微香，味微苦。

车前子：本品呈椭圆形、不规则长圆形或三角状长圆形，长约 2 mm，宽约 1 mm。表面黄棕色或黑棕色。质硬。气微，嚼之带黏性。

| 功能主治 | **车前草**：甘，寒。清热，利尿通淋，祛痰，凉血，解毒。用于热淋涩痛，水肿尿少，暑湿泄泻，痰热咳嗽，吐血衄血，痈肿疮毒。

车前子：甘，寒。清热利尿通淋，渗湿止泻，明目，祛痰。用于热淋涩痛，水肿胀满，暑湿泄泻，目赤肿痛，痰热咳嗽。

| 用法用量 | **车前草**：内服煎汤，9 ~ 30 g。

车前子：内服煎汤，9 ~ 15 g，包煎。

| 凭证标本号 | 440281190626039LY、441324190318010LY、441523190514005LY。

车前科 Plantaginaceae 车前属 Plantago

平车前 *Plantago depressa* Willd.

| 药 材 名 | 车前草（药用部位：全草）、车前子（药用部位：种子）。

| 形态特征 | 一年生或二年生草本。直根长，具多数侧根。叶基生，呈莲座状；叶片椭圆形、椭圆状披针形或卵状披针形，疏生白色短柔毛。穗状花序细圆柱状；苞片无毛；花萼无毛；花冠白色，无毛；花药干后黄褐色。蒴果卵状椭圆形至圆锥状卵形，于基部上方周裂；种子4～5，长圆形。花期5～7月，果期7～9月。

| 生境分布 | 生于草地、河滩、沟边、草甸、田间及路旁。广东各地均有栽培。

| 资源情况 | 野生资源较丰富，栽培资源丰富。药材来源于野生和栽培。

| 采收加工 | **车前草**：夏季采收，除去泥沙，晒干。
| | **车前子**：夏、秋季种子成熟时采收果穗，晒干，搓出种子，除去杂质。

| 药材性状 | **车前草**：本品主根直而长。叶片较狭，长椭圆形或椭圆状披针形，长 5 ～ 14 cm，宽 2 ～ 3 cm。
| | **车前子**：同"车前"。

| 功能主治 | **车前草**：同"车前"。
| | **车前子**：同"车前"。

| 用法用量 | **车前草**：同"车前"。
| | **车前子**：同"车前"。

| 凭证标本号 | 445222180727011LY、441827180323018LY。

桔梗科 Campanulaceae 沙参属 Adenophora

杏叶沙参

Adenophora hunanensis Nannf.

| 药 材 名 | 泡参（药用部位：根。别名：杏叶沙参）。

| 形态特征 | 直立草本。不分枝。根肥厚。基生叶心形，大而具长柄；茎生叶无柄或下部叶有极短而带翅的柄；叶片椭圆形或狭卵形，基部楔形，边缘有不整齐的锯齿。圆锥花序常大而疏散；花梗短而粗壮；花冠钟状，蓝紫色；雄蕊 5，花丝下部片状，花药细长；花盘常有毛；花柱略长于花冠，柱头 3 裂，子房下位。蒴果；种子多数，具棱。花期 7 ~ 11 月。

| 生境分布 | 生于海拔 1 900 m 以下的山坡草地或疏林下。分布于广东仁化、乳源、阳山、连州。

资源情况	野生资源较少。药材来源于野生。
采收加工	播种后 2 ～ 3 年的春、秋季采挖，除去茎叶及须根，洗净泥土，趁鲜刮去粗皮，洗净，干燥。
药材性状	本品呈圆锥形，下部分枝极少，长 9 ～ 17 cm，直径 0.7 ～ 2 cm。表面灰黄色或灰褐色，无环纹，有纵皱纹。先端芦头长 1.4 ～ 8.8 cm，盘节明显或不明显。折断面不平坦，类白色，较结实。
功能主治	甘，微寒。归肺、胃经。养阴益气，清肺化痰。用于肺热燥咳，阴虚劳嗽，干咳痰黏，气阴不足，烦热口干。
用法用量	内服煎汤，9 ～ 15 g。
凭证标本号	邓良 7170（KUN117505）。

桔梗科 Campanulaceae 沙参属 Adenophora

轮叶沙参
Adenophora tetraphylla (Thunb.) Fisch.

| 药 材 名 | 南沙参（药用部位：根。别名：四叶沙参）。

| 形态特征 | 直立高大草本。不分枝，近无毛。茎生叶 3 ~ 6 轮生，近无柄；叶片卵圆形至条状披针形，边缘具锯齿，两面疏生短柔毛。花序狭圆锥状，花序分枝多数轮生；花萼筒部倒圆锥状，裂片钻状；花冠筒状细钟形，口部稍缢缩，蓝紫色；花盘细管状。蒴果；种子黄棕色，稍扁，具 1 棱，并由棱扩展成一白色的带。花期 7 ~ 9 月。

| 生境分布 | 生于草地和灌丛中。分布于广东乳源、英德、连州。

| 资源情况 | 野生资源较少。药材来源于野生。

| 采收加工 | 春、秋季采挖，除去须根，洗净泥土，趁鲜刮去粗皮，洗净，干燥。

| 药材性状 | 本品呈圆锥形或圆柱形，略弯曲，直径 0.8 ～ 3 cm。表面黄白色或淡棕黄色，凹陷处常残留粗皮，上部多有深陷横纹，呈断续的环状，下部有纵纹和纵沟。先端具 1 ～ 2 根茎。体轻，质松，易折断，断面黄白色，多裂隙。气微，味微甘。

| 功能主治 | 甘，微寒。归肺、胃经。养阴清肺，益胃生津，化痰，益气。用于肺热燥咳，阴虚劳嗽，干咳痰黏，胃阴不足，食少呕吐，气阴不足，烦热口干。

| 用法用量 | 内服煎汤，9 ～ 15 g。

| 凭证标本号 | 罗献瑞 723（IBSC0524326）。

| 附　　注 | 本种和沙参 *Adenophora stricta* Miq. 同为《中国药典》收载的药材南沙参的来源。南沙参的近缘品种较多，单从药材和饮片很难区分。

桔梗科 Campanulaceae 金钱豹属 Campanumoea

大花金钱豹

Campanumoea javanica Bl.

| **药 材 名** | 土党参（药用部位：根。别名：奶参、土人参）。

| **形态特征** | 草质缠绕藤本。具乳汁。根胡萝卜状。茎无毛，多分枝。叶对生，极少互生，具长柄；叶片心形或心状卵形，边缘有浅锯齿。花单生于叶腋，无毛；花萼与子房分离，5 裂至近基部；花冠白色或黄绿色，内面紫色，大，直径 2 ~ 3 cm，钟状；雄蕊 5；柱头 4 ~ 5 裂。浆果球状，直径 15 ~ 20 mm；种子形状不规则，表面有网状纹饰。花期 8 ~ 11 月。

| **生境分布** | 生于海拔 1 900 m 以下的灌丛及疏林中。广东各地均有分布。

| **资源情况** | 野生资源丰富。药材来源于野生。

| **采收加工** | 秋季采挖，洗净，晒干或鲜用。

| **药材性状** | 本品呈圆柱形，少分枝，扭曲，长 10 ～ 25 cm，直径 0.5 ～ 1.5 cm，顶部有密集的点状茎痕。表面灰黄色，全体具纵皱纹。质硬而脆，易折断。断面较平坦，可见明显的形成层。木质部黄色，木化程度较高。气微，味淡而微甜。

| **功能主治** | 甘，平。归脾、肺经。健脾益气，补肺止咳，下乳。用于虚劳内伤，气虚乏力，心悸，多汗，脾虚泄泻，带下，乳汁稀少，疳积，遗尿，肺虚咳嗽。

| **用法用量** | 内服煎汤，9 ～ 15 g，鲜品 15 ～ 30 g。外用适量，鲜品捣敷。

| **凭证标本号** | 441623180911018LY、440224171229015LY。

桔梗科 Campanulaceae 金钱豹属 *Campanumoea*

长叶轮钟草

Campanumoea lancifolia (Roxb.) Merr.

| 药 材 名 |

红果参（药用部位：根。别名：山荸荠、蜘蛛果）。

| 形态特征 |

直立或蔓性草本。有乳汁，无毛。茎中空，多分枝。叶对生，偶轮生，具短柄；叶片卵形、卵状披针形至披针形，先端渐尖，边缘具齿。花常单生，偶3花组成聚伞花序，具1对丝状小苞片；花萼仅贴生至子房下部，裂片4～7，具分枝状长齿；花冠白色或淡红色，钟形；柱头4～6裂。浆果成熟时紫黑色；种子极多，呈多角形。花期7～10月。

| 生境分布 |

生于海拔1 500 m以下的林中、灌丛以及草地中。分布于广东从化、仁化、翁源、乳源、新丰、乐昌、信宜、怀集、封开、高要、龙门、梅县、大埔、和平、市区、阳春、阳山、英德、连州、连山及阳江（市区）等。

| 资源情况 |

野生资源丰富。药材来源于野生。

采收加工	夏、秋季采挖，洗净，鲜用或晒干。
功能主治	甘、微苦，平。归肺经。补虚益气，祛痰止痛。用于劳倦气虚乏力，跌打损伤，肠痉挛。
用法用量	内服煎汤，15 ~ 30 g；或浸酒。外用适量，捣敷。
凭证标本号	邓良 7896（IBSC0525187）。
附 注	本种的茎叶亦可药用。

桔梗科 Campanulaceae 党参属 Codonopsis

羊乳 *Codonopsis lanceolata* (Sieb. et Zucc.) Trautv.

| 药 材 名 |

四叶参（药用部位：根。别名：奶参）。

| 形态特征 |

缠绕藤本。具肥厚的肉质根。茎无毛，带紫色。主茎叶互生，先端常4叶簇生，椭圆形，全缘或疏具波状齿，先端急尖或钝，基部渐狭；叶柄短。花单生或对生于枝顶；花萼管贴生于子房中部，果时宿存且略增大；花冠阔钟形，裂片三角形，外面乳白色，内面具紫斑；花盘肉质；花丝钻状，基部稍扩大。蒴果；种子有翅。花果期7～9月。

| 生境分布 |

生于山地灌木林下的沟边阴湿处或阔叶林内。分布于广东曲江、始兴、仁化、乳源、乐昌、怀集、博罗、五华、兴宁、和平、阳山、连山、英德、连州、饶平及深圳（市区）、惠州（市区）等。

| 资源情况 |

野生资源一般。药材来源于野生。

| 采收加工 |

春、秋季采挖，除去须根及泥沙，晒干。

| **药材性状** | 本品略呈纺锤形或类圆柱形，有时具分枝，长 6 ~ 15 cm，直径 2 ~ 6 cm。表面灰棕色或灰黄色。芦头上常见密集的芽痕和茎痕，主根上部常有横环纹，全体有皱沟，粗糙不平。质轻，易折断，折断面灰白色，多裂隙。气微，味甜、微苦。 |

| **功能主治** | 甘，温。归肝、脾、肺、大肠经。补脾益肺，解毒排脓。用于肺虚咳嗽，肺痈，乳痈，肠痈，肿毒，瘰疬，乳蛾，体虚乳少，带下等。 |

| **用法用量** | 内服煎汤，15 ~ 30 g。外用适量，捣敷。 |

| **凭证标本号** | 441825191002039LY、440281190815011LY、441823190929026LY。 |

桔梗科 Campanulaceae 桔梗属 Platycodon

桔梗
Platycodon grandiflorus (Jacq.) A. DC.

| 药 材 名 |

桔梗（药用部位：根。别名：苦桔梗、白药）。

| 形态特征 |

多年生直立草本。具乳汁，常不分枝。根圆柱形，肉质。叶轮生、对生或互生，近无柄；叶片卵形、椭圆形至披针形，边缘具细锯齿，上面绿色，下面常有白粉。花单生或数花生于枝顶；花萼管与子房贴生，被白粉，裂片三角形；花冠钟状，蓝紫色；雄蕊 5，花丝基部片状；子房下位，花柱 5 裂。蒴果倒卵形或球形。花期 7 ～ 9 月。

| 生境分布 |

生于海拔 1 900 m 以下的向阳草丛、灌丛中或林下。分布于广东乳源、乐昌、博罗、连州及广州（市区）、东莞、深圳（市区）等。

| 资源情况 |

野生资源较少。药材来源于栽培。

| 采收加工 |

春、秋季采挖，洗净，除去须根，趁鲜剥去外皮或不去外皮，干燥。

| 药材性状 | 本品呈圆柱形或略呈纺锤形，有时具分枝，略扭曲，直径 0.7 ~ 2 cm。表面淡黄白色至黄色，具纵皱沟纹、皮孔样斑痕、支根痕和横纹。质脆，断面不平坦，形成层环棕色，皮部黄白色，有裂隙，木部淡黄色。气微，味微甜而后苦。|

| 功能主治 | 苦、辛，平。归肺经。宣肺，利咽，祛痰，排脓。用于咳嗽痰多，胸闷不畅，咽痛，肺痈吐脓。|

| 用法用量 | 内服煎汤，3 ~ 10 g。|

| 凭证标本号 | 张寿洲等 4435（SZG00021416）。|

蓝花参

Wahlenbergia marginata (Thunb.) A. DC.

| 药 材 名 | 蓝花参（药用部位：全草。别名：娃儿菜、娃儿草）。

| 形态特征 | 多年生草本。有白色乳汁。根细胡萝卜状，外面白色。茎基部多分枝。叶互生，近无柄，常在茎下部密集，上部叶条状披针形或椭圆形，边缘波状、具疏锯齿或全缘。花单朵顶生或排成稀疏聚伞花序；花梗极长，长可达 15 cm；花萼裂片三角状钻形；花冠钟状，蓝色；雄蕊 5；柱头 3 裂。蒴果，具 10 不明显的肋；种子黄棕色。花果期 2 ~ 5 月。

| 生境分布 | 生于低海拔地区的田边、路旁、荒地、山坡或沟边。分布于广东始兴、乳源、乐昌、封开、博罗、惠东、龙门、平远、连平、阳春、阳山、

连山、英德、连州、饶平及广州（市区）、深圳（市区）、清远（市区）等。

| **资源情况** | 野生资源一般。药材来源于野生。

| **采收加工** | 夏、秋季采收，除去杂质，晒干。

| **药材性状** | 本品根细长，稍扭曲，有时具分枝，直径 0.3 ~ 0.7 cm；表面棕褐色或浅棕黄色，具细纵纹，断面黄白色。茎丛生，纤细。叶互生，无柄，叶片多皱缩，展平后呈条形或倒披针状匙形，长 1 ~ 3 cm，宽 0.2 ~ 0.4 cm，灰绿色或棕绿色。花单生于枝顶，浅蓝紫色。蒴果圆锥形；种子多数，细小。气微，味微甜，嚼之有豆腥味。

| **功能主治** | 甘、微苦，微温。归脾、心经。祛风解表，宣肺化痰。用于感冒，慢性支气管炎，腹泻，痢疾，百日咳，劳倦乏力，颈淋巴结结核，急性结膜炎。

| **用法用量** | 内服煎汤，6 ~ 15 g，鲜品 30 ~ 60 g。外用适量，捣敷。

| **凭证标本号** | 441882180409006LY、441225180722065LY、441623180811021LY。

半边莲科 Lobeliaceae 半边莲属 Lobelia

半边莲 *Lobelia chinensis* Lour.

| 药 材 名 | 半边莲（药用部位：全草。别名：蛇利草、急解索）。

| 形态特征 | 多年生草本。植株无毛。节上生根。茎细弱，匍匐，分枝直立。叶互生，椭圆状披针形至条形，长 0.8 ～ 2.5 cm，宽 0.2 ～ 0.6 cm。花单生于分枝上部叶腋；花萼筒倒长锥状，基部渐细；花冠粉红色或白色，背面裂至基部，裂片全部平展于下方。蒴果倒锥状；种子椭圆状，稍扁压。花果期 5 ～ 10 月。

| 生境分布 | 生于水田边、沟边及潮湿草地上。广东各地均有分布。

| 资源情况 | 野生资源丰富。药材来源于野生。

| 采收加工 | 夏季采收，除去泥沙，洗净，晒干。

| **药材性状** | 本品根细小，侧生纤细须根。茎细长，有分枝，节明显。叶互生，无柄，叶片多皱缩，展平后呈狭披针形。花梗细长；花小，单生于叶腋；花冠基部筒状，上部 5 裂，偏向一边，浅紫红色，花冠筒内有白色茸毛。

| **功能主治** | 辛，平。归心、小肠、肺经。清热解毒，利尿消肿。用于痈肿疔疮，蛇虫咬伤，臌胀水肿，湿热黄疸，湿疹。

| **用法用量** | 内服煎汤，9 ~ 15 g。

| **凭证标本号** | 441825191001035LY、441523190918045LY、440783191006016LY。

半边莲科 Lobeliaceae 半边莲属 Lobelia

江南山梗菜
Lobelia davidii Franch.

药材名

大种半边莲（药用部位：全草或根。别名：山梗草、大半边莲）。

形态特征

多年生草本。茎直立，无毛或有极短的倒糙毛。叶螺旋状排列，叶片卵状椭圆形至长披针形，先端渐尖，基部渐狭成柄。总状花序顶生；花萼筒倒卵状，裂片条状披针形，边缘有小齿；花冠紫红色或淡红色，长1.1 ~ 2.5 cm，上唇裂片条形，下唇裂片长椭圆形，先端3裂。蒴果球状，底部常背向花序轴；种子椭圆状，稍压扁。花果期8 ~ 10月。

生境分布

生于山谷阴处。分布于广东乐昌、乳源、新丰、连州等。

资源情况

野生资源一般。药材来源于野生。

采收加工

夏、秋季采收，洗净，晒干或鲜用。

| 功能主治 | 辛、甘，平；有小毒。归肺、肾经。宣肺化痰，清热解毒，利尿消肿。用于咳嗽痰多，水肿，痈肿疮毒，下肢溃烂，蛇虫咬伤。

| 用法用量 | 内服煎汤，3~9g。外用适量，鲜品捣敷。

| 凭证标本号 | 粤 71 450（IBSC0533898）。

半边莲科 Lobeliaceae 半边莲属 Lobelia

线萼山梗菜

Lobelia melliana E. Wimm.

| 药 材 名 |

狭萼半边莲（药用部位：全草。别名：韶关大将军、东南山梗菜）。

| 形态特征 |

多年生草本。茎中空。叶螺旋状排列，镰状卵形至镰状披针形，薄纸质，光滑无毛，先端长尾状渐尖，基部宽楔形，边缘具睫毛状小齿。花单生于枝上部的叶腋或排成总状花序，生于主茎及分枝的先端；花冠淡红色，檐部近二唇形，上唇裂片较下唇裂片长。蒴果近球形；种子矩圆状，稍压扁，表面有蜂窝状纹饰。花果期 8 ~ 10 月。

| 生境分布 |

生于海拔 1 000 m 以下的沟谷、路旁、水沟边或林中潮湿地。分布于广东从化、增城、东源、连平、和平、紫金、揭西、信宜、梅县、大埔、丰顺、平远、五华、南雄、翁源、乳源、新丰、乐昌、始兴、怀集、博罗、龙门、阳山、连山、英德、佛冈、连南及潮州（市区）等。

| 资源情况 |

野生资源较丰富。药材来源于野生。

| 采收加工 | 夏、秋季采收，洗净，鲜用或晒干。

| 功能主治 | 辛，平；有小毒。归肺、肾经。宣肺化痰，清热解毒，利尿消肿。用于咳嗽痰多，水肿，乳蛾，痈肿疔疮，毒蛇咬伤，蜂螫伤。

| 用法用量 | 内服煎汤，6～9g。外用适量，鲜品捣敷；或煎汤洗。

| 凭证标本号 | 441825190926021LY、441623180809037LY。

半边莲科 Lobeliaceae 半边莲属 Lobelia

卵叶半边莲 Lobelia zeylanica L.

| 药 材 名 | 肉半边莲（药用部位：全草。别名：半边菊）。

| 形态特征 | 多汁草本。茎平卧，四棱状。叶螺旋状排列；叶片三角状阔卵形或卵形，边缘锯齿状，上面无毛，下面沿叶脉疏生短糙毛；叶柄长 0.3 ~ 1.2 cm，生短柔毛。花单生于叶腋；花萼钟状，被短柔毛，裂片披针状条形，生缘毛；花冠紫色、淡紫色或白色，二唇形，背面裂至基部。蒴果倒锥状至矩圆状，具明显的脉络；种子三棱状，红褐色。花果期全年。

| 生境分布 | 生于海拔 1 900 m 以下的水田边或山谷沟边的阴湿处。分布于广东从化、增城、紫金、龙门、惠东、博罗、信宜、丰顺、五华、英德、

仁化、翁源、新丰、始兴、乳源、郁南、高要、封开、阳春及东莞、江门（市区）、深圳（市区）、珠海（市区）等。

| **资源情况** | 野生资源较丰富。药材来源于野生。

| **采收加工** | 夏、秋季采收，洗净，晒干或鲜用。

| **功能主治** | 清热解毒，散结。用于疮疡肿毒，白喉，瘰疬，血吸虫病，毒蛇咬伤。

| **用法用量** | 内服煎汤，10 ~ 15 g。外用适量，鲜品捣敷。

| **凭证标本号** | 441523200105046LY、441825190711003LY、441324180801063LY。

半边莲科 Lobeliaceae 铜锤玉带属 *Pratia*

铜锤玉带草

Pratia nummularia (Lam.) A. Br. et Aschers.

| 药 材 名 | 铜锤玉带草（药用部位：全草。别名：红船）。

| 形态特征 | 多年生草本。有白色乳汁。茎平卧，被开展的柔毛。叶互生；叶片圆卵形、心形或卵形，基部斜心形，边缘有牙齿，叶脉掌状至掌状羽脉。花单生于叶腋；花萼筒坛状；花冠紫红色、淡紫色、绿色或黄白色，檐部二唇形，裂片5。浆果椭圆状球形，紫红色；种子多数，近圆球状，稍压扁，表面有小疣突。花果期全年。

| 生境分布 | 生于田边、路旁、丘陵、低山草坡或疏林中的潮湿处。分布于广东从化、增城、东源、和平、连平、紫金、惠东、博罗、信宜、丰顺、五华、佛冈、连南、连山、连州、英德、乐昌、南雄、仁化、乳源、

始兴、翁源、新丰、阳春、郁南、封开及东莞、深圳（市区）、中山等。

| 资源情况 | 野生资源较丰富。药材来源于野生。

| 采收加工 | 夏季采收，洗净，晒干或鲜用。

| 药材性状 | 本品茎密生柔毛，匍匐茎节上有不定根。单叶互生，完整叶片展平后呈圆卵形、心形或卵形，边缘具齿，叶脉掌状至掌状羽脉。花萼裂片条状披针形；花冠檐部二唇形，裂片5。浆果椭圆状球形或球形。气微，味淡。

| 功能主治 | 辛、苦，平。祛风除湿，活血，解毒。用于风湿疼痛，跌打损伤，月经不调，目赤肿痛，乳痈，无名肿毒。

| 用法用量 | 内服煎汤，9 ~ 15 g；或研末，0.9 ~ 1.2 g；或浸酒。外用适量，捣敷。

| 凭证标本号 | 440783200425035LY、441825190503015LY、441225180611002LY。

草海桐科 Goodeniaceae 草海桐属 Scaevola

草海桐
Scaevola sericea Vahl

| 药 材 名 | 草海桐（药用部位：叶）。

| 形态特征 | 直立或铺散灌木，或为小乔木。叶腋内密生 1 簇白色须毛，叶螺旋状排列，大部分集中于分枝先端，匙形至倒卵形，稍肉质。聚伞花序腋生；花冠白色或淡黄色，筒部后方开裂至基部，檐部开展，裂片中部以上每边有膜质的宽翅，翅常内叠，边缘疏生缘毛。核果卵球状，白色，有 2 径向沟槽，2 室，每室有 1 种子。花果期 4 ～ 12 月。

| 生境分布 | 生于海边沙地或海岸峭壁上。分布于广东南澳、惠来、陆丰、海丰、惠阳、台山、雷州、徐闻及东莞、深圳（市区）、珠海（市区）等。

| 资源情况 | 野生资源较丰富。药材来源于野生。

| **功能主治** | 用于扭伤，风湿关节痛。

| **凭证标本号** | 440923161208002LY、41581200707073LY。

花柱草科 Stylidiaceae 花柱草属 Stylidium

花柱草

Stylidium uliginosum Swartz

| 药 材 名 |

花柱草（药用部位：全草）。

| 形态特征 |

一年生小草本。茎 1～3，无叶，不分枝或二叉分枝，上部疏生短腺毛。叶全部基生，具极短的柄，卵圆形、卵形至倒卵形，全缘，无毛，叶脉不明显。穗状花序长而疏；花小，无梗；花冠白色，筒部短，前方 1 裂片极小，卵形，反折成唇片，其余 4 裂片向后开展，先端 2 裂，基部有附属物；合蕊柱伸出。蒴果细柱状。花期冬季。

| 生境分布 |

生于丘陵溪边湿草地中。分布于广东惠东、博罗、高要、四会、开平、化州、信宜、乳源及东莞、清远（市区）、深圳（市区）、广州（市区）、珠海（市区）、阳江（市区）等。

| 资源情况 |

野生资源较少。药材来源于野生。

功能主治 用于咽喉肿痛。

凭证标本号 441900181116007LY、441322170217808LY。

紫草科 Boraginaceae 斑种草属 *Bothriospermum*

柔弱斑种草

Bothriospermum tenellum (Hornem.) Fisch. et Mey.

| 药 材 名 | 鬼点灯（药用部位：全草。别名：小马耳朵、细叠子草）。

| 形态特征 | 一年生草本。茎细弱，多分枝，被向上贴伏的糙伏毛。叶椭圆形或狭椭圆形，长 1 ~ 2.5 cm，宽 0.5 ~ 1 cm，基部宽楔形，上、下两面均被向上贴伏的糙伏毛或短硬毛。花序柔弱，细长，长 10 ~ 20 cm；花梗短，长 1 ~ 2 mm；花冠蓝色或淡蓝色，基部直径约 1 mm。小坚果肾形，腹面具纵椭圆形的环状凹陷。花果期 2 ~ 10 月。

| 生境分布 | 生于海拔 300 ~ 1 900 m 的山坡路边、田间草丛、山坡草地及溪边阴湿处。分布于广东南海、始兴、翁源、乳源、新丰、乐昌、南雄、紫金、大埔、五华、博罗、惠东、鹤山、徐闻、信宜、怀集、封开、

阳山、英德及广州（市区）、深圳（市区）、梅州（市区）、东莞、中山、江门（市区）、肇庆（市区）等。

| **资源情况** | 野生资源较丰富。药材来源于野生。

| **采收加工** | 夏、秋季采收，洗净，晒干。

| **功能主治** | 苦、涩，平；有小毒。止咳，止血。

| **凭证标本号** | 441825210314018LY、441523200108012LY、440783200312012LY。

紫草科 Boraginaceae 基及树属 Carmona

基及树

Carmona microphylla (Lam.) G. Don.

药材名

福建茶（药用部位：叶）。

形态特征

灌木。多分枝。叶革质，倒卵形或匙形，长
1.5 ~ 3.5 cm，宽 1 ~ 2 cm，基部渐狭成短
柄。团伞花序开展，宽 5 ~ 15 mm；花序梗
细弱，长 1 ~ 1.5 cm，被毛；花梗极短；花
萼裂片线形，被开展的短硬毛，内有稠密的
伏毛；花冠钟状，白色。核果先端有短喙。

生境分布

生于低海拔地区的平原、丘陵及灌丛中。广
东乐昌、博罗、徐闻及广州（市区）、深
圳（市区）、阳江（市区）、肇庆（市区）
等有栽培。

资源情况

野生资源较少。药材来源于栽培。

功能主治

清热解毒。

| 凭证标本号 | 440882180126604LY、440523191002007LY、440785180710020LY。

破布木 *Cordia dichotoma* Forst. f.

| 药 材 名 | 破布木果（药用部位：成熟果实。别名：破布子、纸鹞高树）、青桐翠木（药用部位：根）。

| 形态特征 | 乔木。叶卵形、宽卵形或椭圆形，长 6 ~ 13 cm，宽 4 ~ 9 cm，边缘通常微波状，两面被短毛；叶柄细弱。聚伞花序生于具叶的侧枝先端，稀疏二叉分枝，呈伞房状；花二型，无梗；花萼钟状，5 裂，长 5 ~ 6 mm；花冠白色，通常 5 裂。核果近球形，被宿存的花萼托举。花期 2 ~ 4 月，果期 6 ~ 8 月。

| 生境分布 | 生于海拔 300 ~ 1 900 m 的山坡疏林及山谷溪边。分布于广东龙川、紫金、博罗、徐闻、英德及广州（市区）、深圳（市区）、河源（市

区）、东莞、江门（市区）、阳江（市区）、茂名（市区）、肇庆（市区）等。

| 资源情况 | 野生资源较少。药材来源于野生。

| 采收加工 | **破布木果：** 秋季果实成熟时采摘，晒干。
青桐翠木： 全年均可采挖，洗净，切片，晒干。

| 功能主治 | **破布木果：** 平。润肺止咳，宽胸化痰。
青桐翠木： 微甘、辛，平。行气止痛。

| 凭证标本号 | 441283160904015LY。

紫草科 Boraginaceae 琉璃草属 Cynoglossum

小花琉璃草 *Cynoglossum lanceolatum* Forsk.

| 药 材 名 | 琉璃草（药用部位：全草。别名：蓝布裙、牙痛草、粘娘娘）。

| 形态特征 | 多年生草本。茎直立，密生基部具基盘的硬毛。基生叶及茎下部叶具柄，长圆状披针形，长 8 ~ 14 cm，宽约 3 cm；茎中部叶无柄或具短柄，披针形，长 4 ~ 7 cm，宽约 1 cm，茎上部叶极小。花序顶生或腋生；花萼长 1 ~ 1.5 mm，裂片卵形，外面密生短伏毛；花冠淡蓝色，钟状。小坚果卵球形。花果期 4 ~ 9 月。

| 生境分布 | 生于海拔 300 ~ 2 800 m 的丘陵、山坡草地及路边。分布于广东始兴、翁源、新丰、连平、龙门、信宜、阳山及梅州（市区）等。

| 资源情况 | 野生资源较少。药材来源于野生。

| 采收加工 | 5 ～ 8 月采收，晒干或鲜用。

| 药材性状 | 本品茎呈圆柱形，表面有茸毛。叶互生，皱缩，展平后呈阔披针形，先端短尖，基部渐窄而下延，下面有粗而明显的叶脉，两面均被粗毛，全缘。花皱缩成团，淡黄色。果实卵圆形，直径 1.2 ～ 2.0 mm。

| 功能主治 | 苦，寒。清热解毒，活血散瘀，利湿。

| 凭证标本号 | 441623180626023LY。

紫草科 Boraginaceae 琉璃草属 Cynoglossum

琉璃草

Cynoglossum zeylanicum (Vahl) Thunb. ex Lehm.

| 药 材 名 |

琉璃草（药用部位：全草。别名：铁箍散、贴骨散、牛舌头草）。

| 形态特征 |

直立草本。茎单生或数茎丛生，密被黄褐色糙伏毛。基生叶及茎下部叶具柄，长圆状披针形，长 12 ~ 20 cm，宽 3 ~ 5 cm，两面密生短伏毛；茎上部叶无柄，狭小。花序顶生或腋生；花萼长 1.5 ~ 2 mm，裂片卵形，外面密被短糙毛；花冠蓝色，漏斗状，喉部有 5 梯形附属物。小坚果卵球形。花果期5 ~ 10 月。

| 生境分布 |

生于海拔 300 ~ 3 040 m 的林间草地、向阳山坡及路边。分布于广东始兴、乳源、乐昌、连平、和平、丰顺、龙门、连山、连南。

| 资源情况 |

野生资源较丰富。药材来源于野生。

| 采收加工 |

春、夏季采收，晒干。

| 功能主治 | 苦，寒。清热解毒，活血散瘀，利湿。

| 凭证标本号 | 441622200922017LY。

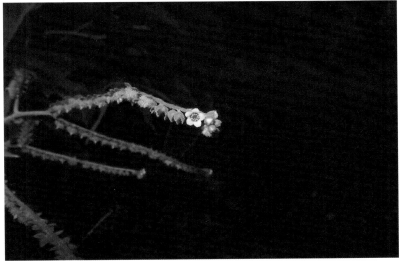

紫草科 Boraginaceae 厚壳树属 Ehretia

长花厚壳树 *Ehretia longiflora* Champ. ex Benth.

| 药 材 名 | 长花厚壳树（药用部位：根）。

| 形态特征 | 乔木。树皮呈片状剥落。枝褐色，小枝紫褐色，均无毛。叶椭圆形、长圆形或长圆状倒披针形，长 8 ~ 12 cm，宽 3.5 ~ 5 cm，全缘，无毛。聚伞花序生于侧枝先端，呈伞房状，宽 3 ~ 6 cm；花萼长 1.5 ~ 2 mm，无毛；花冠白色，筒状钟形，长 10 ~ 11 mm。核果淡黄色或红色，具棱，分裂。花期 4 月，果期 6 ~ 7 月。

| 生境分布 | 生于海拔 300 ~ 900 m 的山地路边、山坡疏林及湿润的山谷密林。分布于广东从化、增城、乐昌、乳源、南雄、翁源、仁化、始兴、新丰、紫金、和平、龙川、丰顺、兴宁、饶平、五华、龙门、惠东、

博罗、阳春、信宜、怀集、封开、德庆、连南、连山、阳山、佛冈、英德及深圳（市区）、珠海（市区）、河源（市区）、东莞、中山、江门（市区）、茂名（市区）等。

| **资源情况** | 野生资源较丰富。药材来源于野生。

| **功能主治** | 甘，温。温经止痛。

| **凭证标本号** | 441825190502015LY、440281190427001LY、440281190627058LY。

粗糠树 *Ehretia macrophylla* Wall.

| **药 材 名** | 粗糠树皮（药用部位：树皮）。

| **形态特征** | 落叶乔木。树皮纵裂。叶宽椭圆形，长 8 ~ 25 cm，宽 5 ~ 15 cm，边缘具开展的锯齿，上面密生具基盘的短硬毛，极粗糙，下面密生短柔毛。聚伞花序顶生，呈伞房状或圆锥状，宽 6 ~ 9 cm；花萼长 3.5 ~ 4.5 mm，裂至近中部，裂片卵形，具柔毛；花冠筒状钟形，白色。核果黄色。花期 3 ~ 5 月，果期 6 ~ 7 月。

| **生境分布** | 生于海拔 125 ~ 2 300 m 的山坡疏林及土壤肥沃的山脚阴湿处。分布于广东乳源、始兴、大埔、信宜及梅州（市区）、阳江（市区）、云浮（市区）等。

| 资源情况 | 野生资源较丰富。药材来源于野生。

| 采收加工 | 全年均可采收，洗净，鲜用。

| 功能主治 | 微苦、辛，凉。散瘀消肿。

| 凭证标本号 | 曾宪锋 ZXF10894 （CZH0006341）。

紫草科 Boraginaceae 厚壳树属 Ehretia

厚壳树

Ehretia thyrsiflora (Sieb. et Zucc.) Nakai

| 药 材 名 | 大岗茶（药用部位：心材）、大岗茶树皮（药用部位：树皮、枝）、大岗茶叶（药用部位：叶）。

| 形态特征 | 落叶乔木。树皮条裂。叶椭圆形、倒卵形或长圆状倒卵形，长 5 ~ 13 cm，宽 4 ~ 6 cm，边缘有整齐的锯齿，齿端向上而内弯。聚伞花序圆锥状，长 8 ~ 15 cm；花多数，密集，形小；花萼长 1.5 ~ 2 mm；花冠钟状，白色，长 3 ~ 4 mm，裂片长圆形，长 2 ~ 2.5 mm，较筒部长。核果黄色，直径 3 ~ 4 mm。

| 生境分布 | 生于海拔 100 ~ 1 700 m 的丘陵、平原疏林、山坡灌丛及山谷密林。分布于广东始兴、仁化、翁源、乐昌、南雄、龙川、和平、紫金、

博罗、惠东、台山、高州、信宜、徐闻、阳山、英德、连州、饶平及广州（市区）、深圳（市区）、韶关（市区）、惠州（市区）、东莞、中山、阳江（市区）、茂名（市区）、清远（市区）等。

| **资源情况** | 野生资源较丰富。药材来源于野生。

| **采收加工** | 大岗茶：全年均可采收，除去皮部，锯成小段，劈成小块，晒干。
大岗茶树皮：全年均可采收，切片，晒干。
大岗茶叶：夏、秋季采摘，晒干。

| **功能主治** | 大岗茶：甘、咸，平。破瘀生新，止痛生肌。
大岗茶树皮：苦、涩，平。收敛止泻。
大岗茶叶：甘、微苦，平。清热解暑。

| **凭证标本号** | 440281200710025LY、441882190615010LY、440785180506072LY。

大尾摇 *Heliotropium indicum* L.

| 药 材 名 |

大尾摇（药用部位：全草或根。别名：鱿鱼草、四角苏、墨鱼须草）。

| 形态特征 |

一年生草本。茎粗壮，直立。叶互生，卵形或椭圆形，长 3 ～ 9 cm，叶缘微波状或波状，上、下两面均被短柔毛或糙伏毛，叶脉明显，被开展的硬毛及糙伏毛。镰状聚伞花序长 5 ～ 15 cm，单一，不分枝；花密集，于花序轴的一侧排成 2 列；萼片披针形；花冠浅蓝色，高脚碟状。核果具肋棱。花果期 4 ～ 10 月。

| 生境分布 |

生于海拔 5 ～ 650 m 的丘陵、路边、河边及荒草地。分布于广东番禺、惠东、博罗、台山、鹤山、徐闻、廉江、德庆、封开、及深圳（市区）、惠州（市区）、东莞、阳江（市区）、茂名（市区）、肇庆（市区）、云浮（市区）等。

| 资源情况 |

野生资源较丰富。药材来源于野生。

| **采收加工** | 秋季采收，晒干或鲜用。 |

| **功能主治** | 苦，平。清热，利尿，消肿，解毒。 |

| **凭证标本号** | 440783191208002LY、441284190731731LY、440882180331333LY。 |

紫草科 Boraginaceae 盾果草属 Thyrocarpus

弯齿盾果草 *Thyrocarpus glochidiatus* Maxim.

| **药 材 名** | 弯齿盾果草（药用部位：全草）。

| **形态特征** | 草本。茎1或更多，细弱，斜升或外倾，有伸展的长硬毛和短糙毛。基生叶有短柄，匙形或狭倒披针形，长1.5～6.5 cm，宽3～14 mm，两面都有具基盘的硬毛；茎生叶较小，无柄。花序长可达15 cm；花萼长约3 mm，裂片狭椭圆形，先端钝，两面均有毛；花冠淡蓝色，喉部附属物线形。小坚果4。花果期4～6月。

| **生境分布** | 生山坡草地、田埂、路旁等处。分布于广东乐昌、南雄、乳源、阳山。

| **资源情况** | 野生资源较少。药材来源于野生。

| **功能主治** | 苦，凉。清热凉血，润肺止咳。

| **凭证标本号** | 441882190324019LY、441225190320011LY。

紫草科 Boraginaceae 盾果草属 Thyrocarpus

盾果草

Thyrocarpus sampsonii Hance

| 药 材 名 | 盾果草（药用部位：全草）。

| 形态特征 | 草本。茎被开展的长硬毛和短糙毛。基生叶丛生，有短柄，匙形，长 3.5 ~ 19 cm，宽 1 ~ 5 cm，全缘或疏具细锯齿，两面都有具基盘的长硬毛和短糙毛；茎生叶较小，无柄，狭长圆形。花序长 7 ~ 20 cm；花萼长约 3 mm，裂片狭椭圆形，背面和边缘有开展的长硬毛，腹面稍有短伏毛；花冠淡蓝色。小坚果 4。花果期 5 ~ 7 月。

| 生境分布 | 生于山坡草丛或灌丛下。分布于广东乐昌、南雄、仁化、连平、平远、英德、阳山及肇庆（市区）、清远（市区）等。

| 资源情况 | 野生资源较丰富。药材来源于野生。

| 采收加工 | 4 ~ 6 月采收，晒干或鲜用。

| 药材性状 | 本品有 1 或更多茎，较细，圆柱形，具灰白色糙毛。基生叶丛生，皱缩卷曲，湿润并展开后呈匙形，具柄，长 3.5 ~ 19 cm，宽 1 ~ 5 cm，两面均具灰白色粗毛；茎生叶较小，无柄，叶片稍厚。偶见蓝色或紫色小花。

| 功能主治 | 苦，凉。清热解毒，消肿。

| 凭证标本号 | 441823200710032LY、440224180403032LY、441882180412002LY。

紫草科 Boraginaceae 附地菜属 Trigonotis

附地菜 *Trigonotis peduncularis* (Trev.) Benth. ex Baker et Moore

| 药 材 名 |

附地菜（药用部位：全草。别名：地胡椒、黄瓜香）。

| 形态特征 |

一年生或二年生草本。通常多茎丛生，茎铺散，高 5 ~ 30 cm，被短糙伏毛。基生叶呈莲座状，叶片匙形，长 2 ~ 5 cm，两面被糙伏毛；茎上部叶长圆形或椭圆形。花序生于茎顶；花梗短；花冠淡蓝色，檐部直径 1.5 ~ 2.5 mm，裂片倒卵形，先端圆钝，喉部附属物 5，白色。小坚果 4。花期早春。

| 生境分布 |

生于平原、丘陵草地、林缘、田间及荒地。分布于广东从化、乐昌、仁化、乳源、始兴、新丰、南雄、丰顺、连山、阳山、英德。

| 资源情况 |

野生资源较丰富。药材来源于野生。

| 采收加工 |

初夏采收，晒干或鲜用。

| **药材性状** | 本品根细长，呈圆锥形。茎 1 或更多，被短糙伏毛。基生叶有长柄，叶片匙形，长 2 cm，两面有糙毛；茎生叶几无柄，叶片稍小。花冠淡蓝色或粉色。小坚果 4。 |

| **功能主治** | 辛、苦，平。行气止痛，解毒消肿。 |

| **凭证标本号** | 440281200706014LY、441827180423015LY。 |

茄科 Solanaceae 辣椒属 Capsicum

辣椒 *Capsicum annuum* L.

药 材 名	辣椒（药用部位：成熟果实）、辣椒头（药用部位：根）、辣椒茎（药用部位：茎）、辣椒叶（药用部位：叶。别名：辣子、牛角椒、海椒）。
形态特征	草本。高 40 ~ 80 cm。茎近无毛或具微柔毛，分枝稍呈"之"字形曲折。叶互生，全缘。花单生，俯垂；花萼杯状，具不明显 5 齿；花冠白色，裂片卵形；花药灰紫色。果柄较粗壮，俯垂；果实长指状，先端渐尖且常弯曲，未成熟时绿色，成熟后呈红色、橙色或紫红色；种子扁肾形，淡黄色。花果期 5 ~ 11 月。
生境分布	广东从化、博罗、信宜、乐昌、南雄、仁化、始兴、新丰及深圳（市区）、肇庆（市区）等有栽培。

| **资源情况** | 栽培资源丰富。药材来源于栽培。

| **采收加工** | 辣椒：夏、秋季果皮变红色时采收，除去枝梗，晒干。
辣椒头：秋季采挖，洗净，晒干。
辣椒茎：9 ~ 10 月采收，切段，晒干。
辣椒叶：夏、秋季植株生长茂盛时采摘，鲜用或晒干。

| **药材性状** | 辣椒：本品呈圆锥形或类圆锥形，略弯曲。表面橙红色、红色或深红色，光滑或稍皱缩，显油性，基部微圆，常有绿棕色且具 5 裂齿的宿萼及果柄。果肉薄，质较脆，横切面可见中轴胎座，有薄的隔膜将果实分为 2 ~ 3 室，内含多数种子。气特异，味辛、辣。

| **功能主治** | 辣椒：淡、辛，热。归心、脾经。温中散寒，开胃消食。用于胃寒气滞，脘腹胀痛，呕吐，泻痢，风湿痛，冻疮。
辣椒头：辛、甘，热。散寒除湿，活血消肿。用于手足无力，肾囊肿，冻疮。
辣椒茎：辛、甘，热。散寒除湿，活血化瘀。用于风湿冷痛，冻疮。
辣椒叶：苦，温。消肿通络，杀虫止痒。用于水肿，顽癣，疥疮，冻疮，痈肿。

| **用法用量** | 辣椒：内服煎汤，0.9 ~ 2.4 g。外用适量。
辣椒头：内服煎汤，9 ~ 15 g。外用适量，煎汤洗或热敷。
辣椒茎：外用适量，煎汤洗。
辣椒叶：外用适量，鲜品捣敷。

| **凭证标本号** | 445224190728018LY、440523190711035LY、440785180713010LY。

茄科 Solanaceae 夜香树属 Cestrum

夜香树 *Cestrum nocturnum* L.

| 药 材 名 | 夜香树（药用部位：叶、花。别名：夜香花、洋素馨、夜来香）。

| 形态特征 | 直立或近攀缘状灌木。高 2 ~ 3 m，全体无毛。叶片矩圆状卵形或矩圆状披针形，全缘，侧脉 6 ~ 7 对。伞房状聚伞花序；花绿白色至黄绿色；花萼钟状，5 浅裂；花冠高脚碟状，裂片 5，直立或稍开展，卵形，急尖；雄蕊花丝基部有 1 齿状附属物；子房具短柄。浆果矩圆状；种子 1。

| 生境分布 | 广东从化、博罗、乐昌、仁化、郁南及肇庆（市区）、深圳（市区）等有栽培。

| 资源情况 | 栽培资源一般。药材来源于栽培。

| **功能主治** | 辛、微甘，温。归胃经。行气止痛。用于胃痛。

| **用法用量** | 内服煎汤，6～10 g；或研末；或入丸、散剂。

| **凭证标本号** | 440781190826035LY、441224180717019LY。

洋金花 *Datura metel* L.

药 材 名

洋金花（药用部位：花）、曼陀罗根（药用部位：根）、曼陀罗叶（药用部位：叶）、曼陀罗子（药用部位：果实、种子。别名：曼陀罗、闹洋花、醉仙桃）。

形态特征

一年生直立草本。呈半灌木状，高 0.5 ~ 1.5 m，全体近无毛。叶卵形或广卵形，边缘有短齿、浅裂或呈波状。花单生于枝叉间或叶腋；花萼筒状，果时宿存，部分增大成浅盘状；花冠长漏斗状，裂片先端有小尖头，白色、黄色或浅紫色；雄蕊 5；子房疏生短刺毛。蒴果近球状或扁球状，疏生粗短刺，不规则 4 瓣裂；种子淡褐色。花果期 3 ~ 12 月。

生境分布

生于海拔 1 200 ~ 1 900 m 的山坡、草地或住宅附近。广东博罗、翁源、郁南及中山、珠海（市区）、佛山（市区）、广州（市区）、茂名（市区）、深圳（市区）等有栽培。

资源情况

栽培资源较少。药材来源于栽培。

| 采收加工 | 洋金花：4～11 月花初开时采收，晒干。
曼陀罗根：夏、秋季采挖，洗净，鲜用或晒干。
曼陀罗叶：7～8 月采收，鲜用、晒干或烘干。
曼陀罗子：夏、秋季果实成熟后采收，晒干，取出种子。

| 药材性状 | 洋金花：本品多皱缩成条状；花萼呈筒状，灰绿色或灰黄色，先端 5 裂，基部具 5 纵脉纹，表面微有茸毛；花冠呈喇叭状，淡黄色或黄棕色，先端 5 浅裂，短尖下有明显的 3 纵脉纹；雄蕊 5，花丝贴生于花冠筒内；雌蕊 1，柱头棒状。

曼陀罗叶：本品多皱缩卷曲，灰绿色或灰褐色，完整者展平后呈卵形或广卵形，先端渐尖，基部稍圆或近截形，不对称，全缘或具浅锯齿，侧脉 4～6 对，中脉与侧脉在下面凸起；叶柄上面中央有浅槽。气微臭，味苦。

曼陀罗子：本品蒴果近球形或扁球形，直径约 3 cm，茎具浅盘状宿萼及短果柄；表面黄绿色，疏生粗短刺；果皮木质化，成熟时不规则 4 瓣裂。种子多数，扁平，三角形，宽约 3 mm，淡褐色。气特异，味微苦。

| 功能主治 | 洋金花：辛，温；有毒。归肺、肝经。平喘止咳，解痉止痛。用于哮喘咳嗽，脘腹冷痛，风湿痹痛，慢惊风。

曼陀罗根：辛、苦，温；有毒。镇咳，止痛，拔脓。用于喘咳，风湿痹痛，疥癣，恶疮，狂犬咬伤。

曼陀罗叶：苦、辛，温；有毒。镇咳平喘，止痛拔脓。用于喘咳，痹痛，脚气，脱肛，痈疽疮疖。

曼陀罗子：辛、苦，温；有毒。归肝、脾经。平喘，祛风，止痛。用于喘咳，惊痫，风寒湿痹，脱肛，跌打损伤，疮疖。

| 用法用量 | 洋金花：内服煎汤，0.3～0.6 g；或入丸、散剂。外用适量。
曼陀罗根：内服煎汤，0.9～1.5 g。外用适量，煎汤熏洗；或研末调涂。
曼陀罗叶：内服煎汤，0.3～0.6 g；或浸酒。外用适量，煎汤洗；或捣汁涂。
曼陀罗子：内服煎汤，0.15～0.3 g；或浸酒。外用适量，煎汤洗；或浸酒涂擦。

| 凭证标本号 | 440281200709022LY、440882180512408LY。

红丝线

Lycianthes biflora (Lour.) Bitter

药材名

毛药（药用部位：全株。别名：血见愁、双花红丝线、十萼茄）。

形态特征

灌木或亚灌木。高 0.5 ~ 1.5 m。上部叶常假双生，大叶片椭圆状卵形，小叶片宽卵形，两种叶均为膜质，全缘。花序通常着生于叶腋内；花冠筒隐于花萼内，基部具深色的斑点。浆果球形，成熟果实绯红色，宿萼盘形；种子多数，淡黄色，近卵形至近三角形，水平压扁，外面具凸起的网纹。花期 5 ~ 8 月，果期 7 ~ 11 月。

生境分布

生于海拔 150 ~ 1 900 m 的荒野阴湿处、林下、路旁、水边及山谷中。分布于广东从化、增城、东源、和平、连平、紫金、博罗、惠东、龙门、高州、信宜、大浦、丰顺、蕉岭、平远、五华、兴宁、佛冈、连南、连山、连州、阳山、英德、陆丰、陆河、乐昌、南雄、仁化、乳源、始兴、翁源、新丰、阳春、罗定、郁南、德庆及佛山（市区）、深圳（市区）、中山、江门（市区）等。

| **资源情况** | 野生资源丰富。药材来源于野生。 |

| **采收加工** | 夏季采收，鲜用。 |

| **功能主治** | 苦，凉。清热解毒，祛痰止咳。用于咳嗽，哮喘，痢疾，热淋，狂犬咬伤，疔疮红肿，外伤出血。 |

| **用法用量** | 内服煎汤，15 ~ 30 g。外用适量，鲜品捣敷。 |

| **凭证标本号** | 441825190801008LY、440224180530001LY、440783200312029LY。 |

茄科 Solanaceae 红丝线属 Lycianthes

单花红丝线 *Lycianthes lysimachioides* (Wall.) Bitter

| 药 材 名 | 佛葵（药用部位：全草。别名：心叶单花红丝线）。

| 形态特征 | 多年生草本。茎基部常匍匐，节上生不定根。叶假双生，大小不等或近相等，卵形、椭圆形至卵状披针形，叶片均为膜质。单花着生于叶腋内；花梗被白色、透明、分散的单毛；花萼杯状钟形，具明显的 10 脉，萼齿 10，被毛；花冠白色至浅黄色，星状，5 深裂，裂片披针形，花冠筒隐于花萼内。

| 生境分布 | 生于海拔 1 500 ~ 1 900 m 的林下或路旁。分布于广东龙门、乳源、郁南。

| 资源情况 | 野生资源较少。药材来源于野生。

| **采收加工** | 8～9月采收，晒干或鲜用。 |

| **功能主治** | 辛，温；有小毒。解毒消肿。用于痈肿疮毒。 |

| **用法用量** | 外用适量，鲜品捣敷；或煎汤洗。 |

| **凭证标本号** | 441623180809043LY。 |

茄科 Solanaceae 枸杞属 Lycium

枸杞 *Lycium chinense* Miller

| 药 材 名 |

枸杞子（药用部位：果实。别名：地骨子）、
地骨皮（药用部位：根皮。别名：杞根）、
枸杞叶（药用部位：茎叶）。

| 形态特征 |

多分枝灌木。高 0.5 ~ 1 m。枝条淡灰色，
有纵条纹，小枝先端锐尖成棘刺状。叶纸质，
单叶互生或簇生，卵形、卵状菱形、长椭圆
形或卵状披针形。花单生于长枝上或双生于
叶腋，短枝上的叶簇生；花萼常分裂，裂片
多少有缘毛；花冠漏斗状，淡紫色，5 深裂，
边缘有缘毛，基部耳明显。浆果红色，卵状；
种子扁肾形，黄色。花果期 6 ~ 11 月。

| 生境分布 |

生于山坡、荒地、丘陵、盐碱地、路旁及村
边宅旁。分布于广东从化、博罗、信宜、英
德、乐昌、仁化、乳源、郁南及湛江（市区）、
肇庆（市区）、深圳（市区）等。

| 资源情况 |

野生资源一般。药材来源于野生。

| 采收加工 | 枸杞子：夏、秋季果实呈红色时采收，热风烘干，除去果柄，或晾至皮皱后，晒干，除去果柄。

地骨皮：春初或秋后采挖根部，洗净，剥取根皮，晒干。

枸杞叶：春季至初夏采摘，洗净，鲜用。

| 药材性状 | 枸杞子：本品呈类纺锤形或椭圆形；表面红色或暗红色，先端有小突起状的花柱痕，基部有白色的果柄痕。果皮柔韧，皱缩；果肉肉质，柔润。种子20～50，类肾形，扁而翘；表面浅黄色或棕黄色。气微，味甘。

地骨皮：本品呈筒状或槽状。外表面灰黄色至棕黄色，粗糙，有不规则纵裂纹，易呈鳞片状剥落；内表面黄白色至灰黄色，较平坦，有细纵纹。体轻，质脆，易折断，断面不平坦，外层黄棕色，内层灰白色。气微，味微甘而后苦。

枸杞叶：本品单生或数叶簇生于嫩枝上；叶片皱缩，展平后呈卵形或长椭圆形，全缘。表面深绿色。质脆，易碎。气微，味苦。

| 功能主治 | 枸杞子：甘，平。归肝、肾经。滋补肝肾，益精明目。用于虚劳精亏，腰膝酸痛，眩晕耳鸣，阳痿遗精，内热消渴，血虚萎黄，目昏不明。

地骨皮：甘，寒。归肺、肝、肾经。凉血除蒸，清肺降火。用于阴虚潮热，骨蒸盗汗，肺热咳嗽，咯血，衄血，内热消渴。

枸杞叶：苦，甘，凉。归肝、脾、肾经。补虚益精，清热明目。用于虚劳发热，烦渴，目赤肿痛，夜盲症，崩漏带下，热毒疮肿。

| 用法用量 | 枸杞子：内服煎汤，6～12 g。

地骨皮：内服煎汤，9～15 g。

枸杞叶：内服煎汤，鲜品60～240 g；或煮食；或捣汁。外用适量，煎汤洗；或捣汁点眼。

| 凭证标本号 | 441422191215450LY、441224180829017LY。

茄科 Solanaceae 番茄属 Lycopersicon

番茄
Lycopersicon esculentum Miller [*Solanum lycopersicum* L.]

| 药 材 名 | 番茄（药用部位：果实。别名：西红柿）。

| 形态特征 | 高 0.6 ~ 2 m，全体生黏质腺毛，有强烈气味。茎易倒伏。叶为羽状复叶或羽状深裂，小叶通常 5 ~ 9，形状极不规则，大小不等，呈卵形或矩圆形，边缘有不规则锯齿或裂片。花序梗常具 3 ~ 7 花；花萼辐状，裂片披针形，果时宿存；花冠辐状，黄色。浆果扁球状或近球状，肉质而多汁，橘黄色或鲜红色，光滑；种子黄色。花果期夏、秋季。

| 生境分布 | 广东从化、信宜、乐昌、仁化、郁南及肇庆（市区）、江门（市区）、深圳（市区）等有栽培。

| **资源情况** | 栽培资源丰富。药材来源于栽培。

| **采收加工** | 夏、秋季果实成熟时采收，洗净，鲜用。

| **功能主治** | 酸、甘，微寒。生津止渴，健胃消食。用于口渴，食欲不振。

| **用法用量** | 内服适量，煎汤；或生食。

| **凭证标本号** | 440605210303049LY、440608190815052LY、440802200910099LY。

茄科 Solanaceae 假酸浆属 Nicandra

假酸浆 *Nicandra physalodes* (L.) Gaertner

| 药 材 名 | 假酸浆（药用部位：全草）、假酸浆花（药用部位：花）、假酸浆子（药用部位：果实、种子。别名：鞭打绣球、冰粉、大千生）。

| 形态特征 | 茎直立，有棱条，无毛，高 0.4 ~ 1.5 m，上部交互不等的二叉分枝。叶卵形或椭圆形，草质，边缘有具圆缺的粗齿或浅裂，两面有疏毛。花单生于枝腋，与叶对生，通常具长于叶柄的花梗；花萼 5 深裂，有 2 尖锐的耳片，果时包围果实；花冠钟状，浅蓝色，檐部有折皱，5 浅裂。浆果球状，黄色；种子淡褐色。花果期夏、秋季。

| 生境分布 | 生于田边、荒地或住宅区。广东广州（市区）、汕尾（市区）、深圳（市区）、湛江（市区）等有栽培。

| 资源情况 | 栽培资源较少。药材来源于栽培。

| 采收加工 | 假酸浆：秋季采收，洗净，鲜用或晒干。

假酸浆花：夏、秋季采收，阴干。

假酸浆子：秋季采收。

| 功能主治 | 假酸浆：甘、微苦，平；有小毒。清热解毒，利尿镇静。用于感冒发热，鼻渊，热淋，痈肿疮毒，癫痫。

假酸浆花：祛风，消炎。用于鼻渊。

假酸浆子：种子，微甘，平。清热退火，利尿。果实，酸、涩，平；有小毒。祛风，消炎。用于风湿性关节炎，疮痈肿痛。

| 用法用量 | 假酸浆：内服煎汤，3 ~ 9 g，鲜品 15 ~ 30 g。

假酸浆花：内服煎汤，5 ~ 15 g。

假酸浆子：内服煎汤，5 ~ 15 g。外用适量，研末调敷。

| 凭证标本号 | 440883180329003LY、441781140716023LY。

茄科 Solanaceae 烟草属 Nicotiana

烟草
Nicotiana tabacum L.

| 药 材 名 |

烟草（药用部位：叶。别名：烟、烟叶）。

| 形态特征 |

一年生或多年生草本。全体被腺毛。根粗壮。茎高 0.7 ~ 2 m，基部稍木质化。叶矩圆状披针形、披针形、矩圆形或卵形，基部渐狭，至茎成耳状而半抱茎，柄不明显或成翅状柄。花序顶生，圆锥状；花冠漏斗状，淡红色；雄蕊中 1 明显短于其余 4，花丝基部有毛。蒴果卵状或矩圆状；种子圆形或宽矩圆形，褐色。花果期夏、秋季。

| 生境分布 |

广东博罗、信宜、佛冈、乐昌、南雄、仁化、翁源、郁南及肇庆（市区）、深圳（市区）等有栽培。

| 资源情况 |

栽培资源较丰富。药材来源于栽培。

| 采收加工 |

7 月叶由深绿色变成淡黄色且叶尖下垂时采摘，晒干或烘干，再经回潮、发酵，干燥或鲜用。

| 药材性状 | 本品完整叶片展开后呈卵形或椭圆状披针形，先端渐尖，基部稍下延成翅状柄，全缘或带微波状；上面黄棕色，下面色较淡，主脉宽而凸出，具腺毛。气特异，味苦、辣。

| 功能主治 | 辛，温；有毒。行气止痛，燥湿，消肿，解毒杀虫。用于食滞饱胀，气结疼痛，关节痹痛，痈疽，疔疮，疥癣，湿疹，毒蛇咬伤，扭伤，挫伤。

| 用法用量 | 内服煎汤，鲜品 9 ~ 15 g。外用适量，煎汤洗；或捣敷；或研末调敷。

| 凭证标本号 | 441422190814560LY、440523190801004LY、440783190812001LY。

酸浆

Physalis alkekengi L. [*Alkekenqi offcinarum* Moench]

| 药 材 名 | 酸浆（药用部位：全草。别名：灯笼草）、酸浆根（药用部位：根）、挂金灯（药用部位：带宿萼的果实。别名：灯笼果、洛神珠）。

| 形态特征 | 多年生草本。基部常匍匐生根。茎高 40 ~ 80 cm，茎节膨大，常被柔毛。叶长卵形至阔卵形、菱状卵形，全缘、呈波状或每边具少数不等大的三角形大牙齿，两面被柔毛。花梗及花萼密生柔毛；果萼网脉明显，具 10 纵肋，橙色或火红色，果实成熟后果柄及果萼的毛被不脱落。浆果球状，橙红色；种子肾形，淡黄色。花期 5 ~ 9 月，果期 6 ~ 10 月。

| 生境分布 | 生于空旷地或山坡。分布于广东始兴、郁南等。广东韶关、云浮等

有栽培。

| **资源情况** | 野生资源稀少。药材来源于野生和栽培。

| **采收加工** | **酸浆**：夏、秋季采收，鲜用或晒干。

酸浆根：夏、秋季采挖，洗净，鲜用或晒干。

挂金灯：秋季果实成熟且宿萼呈橘红色时采摘，晒干。

| **药材性状** | **酸浆**：本品茎呈圆柱形，木质化，较硬。叶互生，完整的叶片展开后呈阔卵形，先端尖，基部不对称，波状边缘有粗齿。宿萼卵形或球形，黄绿色，薄纸质。浆果球形，皱缩。气微，味苦。

酸浆根：本品根及根茎呈细长圆柱形，略扭曲，直径 1 ~ 2 mm；表面皱缩，土棕色，节明显。略有青草气，味苦而微辛。

挂金灯：本品宿萼略呈灯笼状，多皱缩或压扁；表面橘红色或淡绿色，有 5 明显的纵棱，棱间具网状细脉纹，5 浅裂，有细果柄，中空或内有类球形的浆果，浆果橘黄色或橘红色，表面皱缩，内含多数种子。种子扁圆形，黄棕色。气微，宿萼味苦，果实味甘、微酸。

| **功能主治** | **酸浆**：酸、苦，寒。归肺、脾经。清热毒，利咽喉，通利二便。用于咽喉肿痛，肺热咳嗽，黄疸，痢疾，水肿，小便淋涩，大便不通，黄水疮，湿疹，丹毒。

酸浆根：苦，寒。归肺、脾经。清热，利湿。用于黄疸，疟疾，疝气。

挂金灯：酸、甘，寒。归肺、肾经。清肺利咽，化痰利水。用于肺热咳嗽，咽喉肿痛，骨蒸劳热，小便淋涩，天疱疮。

| **用法用量** | **酸浆**：内服煎汤，9 ~ 15 g；或捣汁；或研末。外用适量，煎汤洗；或研末调敷；或捣敷。

酸浆根：内服煎汤，3 ~ 6 g，鲜品 24 ~ 30 g。

挂金灯：内服煎汤，4.5 ~ 9 g。外用适量，捣敷；或煎汤洗。

| **凭证标本号** | 441622200921062LY、440785180710065LY。

茄科 Solanaceae 酸浆属 Physalis

挂金灯

Physalis alkekengi L. var. *franchetii* (Mast.) Makino

药材名	酸浆（药用部位：全草。别名：灯笼草）、酸浆根（药用部位：根）、挂金灯（药用部位：带宿萼的果实。别名：灯笼果、洛神珠）。
形态特征	本种与酸浆的区别在于本种茎较粗壮，茎节膨大。叶仅边缘有短毛。花梗近无毛或仅有稀疏柔毛，果时无毛；花萼裂片具密毛，筒部毛被稀疏，果萼毛被脱落而光滑无毛。
生境分布	生于田野、沟边、山坡草地、林下或路旁水边。分布于广东深圳（市区）、广州（市区）等。
资源情况	野生资源稀少。药材来源于野生。
采收加工	**酸浆**：夏、秋季采收，鲜用或晒干。

酸浆根：夏、秋季采挖，洗净，鲜用或晒干。

挂金灯：秋季果实成熟且宿萼呈橘红色时采摘，晒干。

| 药材性状 |

酸浆：本品茎呈圆柱形，木质化，较硬。叶互生，完整的叶片展开后呈阔卵形，先端尖，基部不对称，波状边缘有粗齿。宿萼卵形或球形，黄绿色，薄纸质。浆果球形，皱缩。气微，味苦。

酸浆根：本品根及根茎呈细长圆柱形，略扭曲，直径 1 ~ 2 mm；表面皱缩，土棕色，节明显。略有青草气，味苦而微辛。

挂金灯：本品宿萼略呈灯笼状，多皱缩或压扁；表面橘红色或淡绿色，有 5 明显的纵棱，棱间具网状细脉纹，5 浅裂，有细果柄，中空或内有类球形的浆果，浆果橘黄色或橘红色，表面皱缩，内含多数种子。种子扁圆形，黄棕色。气微，宿萼味苦，果实味甘、微酸。

| 功能主治 |

酸浆：酸、苦，寒。归肺、脾经。清热毒，利咽喉，通利二便。用于咽喉肿痛，肺热咳嗽，黄疸，痢疾，水肿，小便淋涩，大便不通，黄水疮，湿疹，丹毒。

酸浆根：苦，寒。归肺、脾经。清热，利湿。用于黄疸，疟疾，疝气。

挂金灯：酸、甘，寒。归肺、肾经。清肺利咽，化痰利水。用于肺热咳嗽，咽喉肿痛，骨蒸劳热，小便淋涩，天疱疮。

| 用法用量 |

酸浆：内服煎汤，9 ~ 15 g；或捣汁；或研末。外用适量，煎汤洗；或研末调敷；或捣敷。

酸浆根：内服煎汤，3 ~ 6 g，鲜品 24 ~ 30 g。

挂金灯：内服煎汤，4.5 ~ 9 g。外用适量，捣敷；或煎汤洗。

| 凭证标本号 |

王瑞江 RQHN00047（CSH0124866）。

茄科 Solanaceae 酸浆属 *Physalis*

苦蘵 *Physalis angulata* L.

| 药 材 名 | 苦蘵（药用部位：全草）、苦蘵果实（药用部位：果实）、苦蘵根（药用部位：根）。

| 形态特征 | 一年生草本。茎具棱角。叶卵形，先端渐尖或急尖，基部阔楔形，全缘、有不规则的牙齿或粗齿。花单生，被柔毛；花萼被柔毛，5 中裂，裂片披针形，边缘密生睫毛；花冠淡黄色，阔钟状，不明显 5 浅裂；花药淡黄色或带紫色；果萼卵球状，薄纸质，被疏柔毛，淡黄色。浆果球状；种子圆盘形。花果期 5 ～ 12 月。

| 生境分布 | 生于海拔 500 ～ 1 500 m 的山谷林下及村边路旁。广东各地均有分布。

| 资源情况 | 野生资源丰富。药材来源于野生。

| 采收加工 | 苦蘵：夏、秋季采收，鲜用或晒干。
苦蘵果实：秋季采收成熟果实，鲜用或晒干。
苦蘵根：夏、秋季采挖，洗净，鲜用或晒干。

| 药材性状 | 苦蘵：本品茎有分枝，具细柔毛或近光滑。叶互生，多皱缩或脱落，完整者卵形，先端渐尖，全缘或有疏锯齿，厚纸质。花淡黄棕色，先端 5 裂。有的可见果实，球形，膨大的宿萼呈淡绿黄色，有 5 较深的纵棱。气微，味苦。

| 功能主治 | 苦蘵：苦、酸，寒。归肺经。清热利尿，解毒消肿。用于感冒，肺热咳嗽，咽喉肿痛，牙龈肿痛，湿热黄疸，痢疾，水肿，热淋，天疱疮，疔疮。
苦蘵果实：酸，平。解毒，利湿。用于牙痛，天疱疮，疔疮。
苦蘵根：苦，寒。利水通淋。用于水肿腹胀，黄疸，热淋。

| 用法用量 | 苦蘵：内服煎汤，15 ～ 30 g；或捣汁。外用适量，捣敷；或煎汤含漱或熏洗。
苦蘵果实：内服煎汤，6 ～ 9 g。外用适量，捣汁涂。
苦蘵根：内服煎汤，15 ～ 30 g。

| 凭证标本号 | 邓良 1616（IBSC0530284）。

茄科 Solanaceae 酸浆属 *Physalis*

小酸浆 *Physalis minima* L.

| 药 材 名 | 天泡子（药用部位：全草或果实。别名：黄姑娘、灯笼果、沙灯笼）。

| 形态特征 | 一年生草本。茎具细柔毛或近光滑。单叶互生；叶片卵圆形，先端短尖，全缘、波状或具不规则的缺刻，上面近无毛，下面毛较多；叶柄有毛。花单生于叶腋；花萼钟形，绿色，膜质，5裂；花冠钟形，5裂，淡黄绿色；雄蕊5。浆果圆柱形，黄色；种子扁圆形，绿白色。花期6月，果期7月。

| 生境分布 | 生于海拔1 000～1 300 m的荒山、草地及水库边。分布于广东始兴、仁化、乳源、乐昌、英德、台山、怀集、封开、惠东、阳春、徐闻、从化及云浮（市区）、深圳（市区）等。

| 资源情况 | 野生资源较丰富。药材来源于野生。

| 采收加工 | 6～7月采收带果实的全草，洗净，晒干或鲜用。

| 功能主治 | 苦，凉。清热利湿，祛痰止咳，软坚散结。用于湿热黄疸，小便不利，慢性咳喘，疳积，瘰疬，天疱疮，湿疹，疖肿。

| 用法用量 | 内服煎汤，15～30 g。外用适量，捣敷；或煎汤含漱；或调敷。

| 凭证标本号 | 440882180602005LY。

| 附　　注 | 本种与苦蘵 *Physalis angulata* L. 的区别在于本种植株较矮小。分枝横卧地上或稍斜升。花冠及花药黄色；花萼裂片三角形，宿萼直径 1～1.5 cm。

茄科 Solanaceae 酸浆属 Physalis

灯笼果

Physalis peruviana L.

| **药 材 名** | 灯笼草（药用部位：全草。别名：水灯笼草、苦灯笼草）。

| **形态特征** | 多年生草本。具匍匐的根茎。茎直立，密生短柔毛。叶较厚，阔卵形或心形，基部对称心形，两面密生柔毛；叶柄密生柔毛。单花腋生；花萼阔钟状，裂片披针形，与筒部近等长；花冠阔钟状，黄色而喉部有紫色斑纹，5浅裂，裂片近三角形，外面生短柔毛，边缘有睫毛；花丝及花药蓝紫色，花药长约3 mm。果萼卵球状，薄纸质，淡绿色或淡黄色，被柔毛；浆果成熟时黄色；种子黄色，圆盘状。花果期夏季。

| **生境分布** | 生于海拔1 200 ～ 1 900 m的路旁或河谷。分布于广东广州（市

区）等。

| 资源情况 | 野生资源稀少。药材来源于野生。

| 采收加工 | 夏、秋季采收，洗净，鲜用或晒干。

| 药材性状 | 本品茎略呈扁方柱形，具棱，密被短茸毛。叶皱缩卷曲，展平后呈卵圆形，近全缘或有不规则的疏粗齿，两面被白色茸毛，叶腋处具膨大似灯笼状的花萼。花萼淡黄绿色，薄纸质，被柔毛，内有暗黄绿色浆果。浆果近圆形。气微，味甘、苦。

| 功能主治 | 苦，凉。清热解毒。用于感冒，咽喉疼痛，咳嗽，疟腮，天疱疮。

| 用法用量 | 内服煎汤，9 ~ 15 g。外用适量，捣敷；或煎汤洗。

| 凭证标本号 | 440281190702003LY。

茄科 Solanaceae 茄属 Solanum

少花龙葵
Solanum americanum Miller

| 药 材 名 | 古钮菜（药用部位：全草。别名：痣草、衣钮扣、衣扣草）。

| 形态特征 | 纤弱草本。高约 1 m。叶薄，卵形至卵状长圆形，先端渐尖，基部楔形，下延至叶柄而成翅，近全缘、呈波状或有不规则的粗齿。花序近伞形，腋外生，着生 1 ~ 6 花，花小；花冠白色，有时带蓝色或紫色；花药黄色，长圆形；花柱纤细，中部以下具白色绒毛，柱头小，头状。浆果球状，幼时绿色，成熟时黑色；种子卵形。花果期全年。

| 生境分布 | 生于海拔 100 ~ 1 900 m 的荒地、路旁、田野。广东各地均有分布。

| 资源情况 | 野生资源丰富。药材来源于野生。

| **采收加工** | 春、夏、秋季采收，晒干。

| **功能主治** | 微苦，寒。归肝、肺、肾经。清热解毒，利湿消肿。用于高血压，痢疾，热淋，目赤，咽喉肿痛，疔疮疖肿等。

| **用法用量** | 内服煎汤，15 ～ 30 g，鲜品 50 ～ 100 g；或捣汁。外用适量，捣敷。

| **凭证标本号** | 440224180530009LY。

茄科 Solanaceae 茄属 Solanum

野茄

Solanum coagulans Forsk. [*Solanum undatum* Lamarck]

| 药 材 名 | 黄水茄（药用部位：根、叶、果实。别名：衫钮果、黄天茄）。

| 形态特征 | 直立草本或亚灌木。小枝、叶、花序均密被星状毛。叶卵形至卵状椭圆形，边缘浅波状圆裂，裂片 5 ~ 7，中脉在两面均具细直刺。花序蝎尾状，腋生，能育花生于花序基部，较大；萼片三角状披针形；花冠辐状，紫蓝色；花丝无毛，花药椭圆状，顶孔向上；柱头头状。浆果球状，无毛，直径 2 ~ 3 cm；种子扁圆形。花期夏季，果期冬季。

| 生境分布 | 生于海拔 180 ~ 1 100 m 的灌丛中或缓坡地带。分布于广东仁化、台山、信宜、徐闻、雷州、阳春及东莞、肇庆（市区）等。

| **资源情况** | 野生资源一般。药材来源于野生。 |

| **采收加工** | 夏、秋季采收根、叶，秋、冬季采收果实，晒干或鲜用。 |

| **功能主治** | 苦、辛，凉。止咳平喘，解毒消肿，止痛。用于咳嗽，哮喘，风湿性关节炎，热淋，睾丸炎，牙痛，痔疮溃烂。 |

| **用法用量** | 内服煎汤，9 ~ 15 g。外用适量，捣敷；或煎汤洗。 |

| **凭证标本号** | 石国良 12575（IBSC0530700）。 |

茄科 Solanaceae 茄属 Solanum

假烟叶树 *Solanum erianthum* D. Don

| **药 材 名** | 野茄树（药用部位：根、叶。别名：土烟叶）。

| **形态特征** | 小乔木。小枝密被白色的具柄头状绒毛。叶大而厚，卵状长圆形，先端短渐尖，基部阔楔形或钝，被星状毛。聚伞花序多花，形成近顶生的圆锥状平顶花序；花白色；花冠筒隐于花萼内；雄蕊 5，花药顶孔略向内；子房卵形，密被硬毛状绒毛，花柱光滑，柱头头状。浆果球状，具宿存萼，直径约 1.2 cm，黄褐色；种子扁平。花果期几乎全年。

| **生境分布** | 生于海拔 300 ~ 1 900 m 的村旁、荒山灌丛中或疏林下。广东各地均有分布。

| **资源情况** | 野生资源丰富。药材来源于野生。

| **采收加工** | 根，全年均可采挖。叶，开花前采收。

| **药材性状** | 本品根呈圆柱形，略弯曲，上部多分枝，长 32 ～ 45 cm，直径 1.2 ～ 3.2 cm；表面灰黄色至淡黄色，稍粗糙，具细纵皱纹及横长凸起的皮孔；质硬而脆，易折断，断面木部灰白色。气微，味微苦。

| **功能主治** | 辛、苦，微温；有毒。止痛，解毒，收敛。根用于胃痛，腹痛，骨折，跌打损伤，慢性粒细胞白血病；叶外用于痈疖肿毒，溃疡，外伤出血。

| **用法用量** | 根，内服煎汤，6 ～ 15 g。叶，外用适量，捣敷。

| **凭证标本号** | 黄淑美 190906（IBSC0530767）。

茄科 Solanaceae 茄属 Solanum

刺天茄

Solanum indicum L. [*Solanum violaceum* Ortega]

| **药 材 名** | 紫花茄（药用部位：全草或根。别名：巴山虎）。

| **形态特征** | 多枝灌木。小枝、叶下面、叶柄、花序均密被星状毛。小枝具淡黄色钩刺。叶卵形，长 5 ～ 15 cm，宽 2 ～ 10 cm，先端钝，基部心形、截形或不相等，边缘 5 ～ 7 深裂或波状浅圆裂。蝎尾状花序腋外生；花蓝紫色或白色；花冠辐状；花药黄色，顶孔向上；子房长圆形，花柱丝状，柱头截形。浆果球形，直径约 1 cm，宿萼反卷；种子淡黄色。花果期全年。

| **生境分布** | 生于海拔 180 ～ 1 700 m 的田边、沟边、路旁或疏林下。广东各地均有分布。

| **资源情况** | 野生资源丰富。药材来源于野生。

| **采收加工** | 全年均可采收，洗净，晒干或鲜用。

| **药材性状** | 本品根呈不规则柱形，多扭曲，有分枝，长达 30 cm，直径 0.7 ~ 5 cm；表面灰黄色或棕黄色，粗糙，可见凸起的细根痕及斑点，皮薄，有的剥落，剥落处呈淡黄色；质硬，断面淡黄色或黄白色，呈纤维性。

| **功能主治** | 苦，凉；有毒。祛风，解毒，散瘀，止痛。用于头痛，鼻渊，牙痛，咽喉肿痛，风湿关节痛，跌打损伤，疮痈肿毒。

| **用法用量** | 内服煎汤，9 ~ 15 g。外用适量，捣敷。

| **凭证标本号** | 440982140725025LY。

茄科 Solanaceae 茄属 Solanum

毛茄
Solanum ferox L. [*Solanum lasiocarpum* Dunal*]

| **药材名** | 毛茄（药用部位：全草。别名：大叶毛刺茄）。

| **形态特征** | 直立草本至亚灌木。高 1 ~ 1.5 m。小枝密被具柄星状毛，不等长分枝具星状硬毛及直刺，直刺长 2 ~ 5 mm。叶卵形，边缘有 5 ~ 11 三角形波状浅裂，裂片有时具 1 ~ 2 浅齿，多被长硬毛，分枝被无柄星状毛。蝎尾状花序腋外生；花冠白色，近辐形；雄蕊近无柄，花药顶孔向上；子房近卵形，柱头截形。浆果球状，直径 2 cm 或更长。花期夏、秋季，果熟期冬季。

| **生境分布** | 生于海拔 220 ~ 1 000 m 的沟谷湿润地、灌丛中、路旁疏林或阴处密林下。分布于广东高要、台山、阳春、信宜及珠海（市区）等。

| **资源情况** | 野生资源较少。药材来源于野生。

| **采收加工** | 夏、秋季采收，切段，晒干。

| **功能主治** | 辛、苦，平。行气，活血，止痛。用于疝气，跌打损伤。

| **用法用量** | 内服煎汤，3～12 g。外用适量，研末调敷。

| **凭证标本号** | 李泽贤 672（IBSC0530773）。

茄科 Solanaceae 茄属 *Solanum*

野海茄 *Solanum japonense* Nakai

药材名

毛风藤（药用部位：全草。别名：白毛英）。

形态特征

草质藤本。无毛或小枝被疏柔毛。叶三角状宽披针形或卵状披针形，先端长渐尖，基部圆形或楔形，边缘波状，有时 3 ~ 5 裂。聚伞花序顶生或腋外生；花萼浅杯状，萼齿三角形；花冠紫色，直径约 1 cm，冠檐基部具 5 绿色的斑点；花药顶孔略向前；子房卵形，花柱纤细，柱头头状。浆果圆形，成熟后红色；种子肾形。花期夏、秋季，果熟期秋末。

生境分布

生于海拔 600 ~ 1 800 m 的荒坡、山谷、水边、路旁及山崖疏林下。分布于广东乳源。

资源情况

野生资源稀少。药材来源于野生。

采收加工

夏、秋季采收，鲜用或晒干。

| **功能主治** | 辛、苦，平。祛风湿、活血通经。用于风湿疼痛，经闭。

| **用法用量** | 内服煎汤，15 ~ 30 g；或浸酒。

| **凭证标本号** | 邓良 5778（IBSC0530980）。

茄科 Solanaceae 茄属 Solanum

白英
Solanum lyratum Thunb.

药 材 名	白英（药用部位：全草。别名：白草、排风藤、千年不烂心）。
形态特征	草质藤本。茎及小枝均密被具节长柔毛。叶互生，多数叶呈琴形，基部常 3 ~ 5 深裂，两面均被白色的发亮长柔毛，少数在小枝上部的叶为心形。聚伞花序顶生或腋外生，花疏生；花萼杯状；花冠蓝紫色或白色；花药长圆形，顶孔略向上；子房卵形，花柱丝状，柱头头状。浆果球状，成熟时红黑色；种子近盘状。花期夏、秋季，果熟期秋末。
生境分布	生于海拔 600 ~ 1 900 m 的山谷草地或路旁、田边。分布于广东从化、增城、连平、和平、紫金、博罗、龙门、信宜、丰顺、五华、梅县、

阳山、英德、佛冈、连州、始兴、仁化、翁源、乳源、新丰、乐昌、南雄、新兴、郁南、怀集、封开、高要、阳春。

| 资源情况 | 野生资源丰富。药材来源于野生。

| 采收加工 | 夏、秋季采收，洗净，鲜用或晒干。

| 药材性状 | 本品根较细，浅黄棕色。地上部分被白色绒毛。茎呈圆柱形，表面有纵棱。叶片多破碎，完整者展开后呈长卵形，全缘或 3 ~ 5 裂。聚伞花序顶生或与叶对生；花冠 5 裂。浆果球形，绿棕色或紫红色。种子近圆形，扁平。气微，味淡。

| 功能主治 | 微苦，平。清热解毒，利湿消肿。用于风热感冒，湿热黄疸，带下，小便不利，水肿，疟疾；外用于风湿痹痛，疔疮痈疖。

| 用法用量 | 内服煎汤，9 ~ 15 g。

| 凭证标本号 | 441825190806027LY、441623180911004LY、440783200312006LY。

茄科 Solanaceae 茄属 Solanum

乳茄

Solanum mammosum L.

药 材 名

五指茄（药用部位：果实。别名：黄金果）。

形态特征

直立草本。茎被短柔毛及扁刺。小枝被具节的长柔毛。叶卵形，通常 5 裂，有时 3 裂或 7 裂，裂片浅波状，先端尖或钝，基部微凹。蝎尾状花序腋外生，通常具 3 ~ 4 花；总花梗极短；花冠紫堇色；雄蕊 5，花药顶孔向上；子房卵状渐尖，柱头 2 浅裂。浆果倒梨状，长 4.5 ~ 5.5 cm，外面土黄色，内面白色，具 5 乳头状突起；种子近圆形。花果期夏、秋季。

生境分布

广东博罗及广州（市区）、深圳（市区）等有栽培。

资源情况

栽培资源较少。药材来源于栽培。

采收加工

秋季采收，晒干。

| **功能主治** | 苦，寒；有毒。清热解毒，消肿。用于痈肿，丹毒，瘰疬。

| **用法用量** | 外用适量，鲜品切半，火烤热敷。

| **凭证标本号** | 蒋英 441（IBSC0531278）。

茄科 Solanaceae 茄属 Solanum

茄
Solanum melongena L.

| 药 材 名 | 茄根（药用部位：根）、茄叶（药用部位：叶）、茄花（药用部位：花）、茄蒂（药用部位：宿蒂）、茄子（药用部位：果实。别名：矮瓜）。 |

| 形态特征 | 直立草本至亚灌木。高可达 1 m，全株被平贴或具短柄的星状绒毛。叶大，卵形至长圆状卵形，先端钝，基部不对称，边缘浅波状。花 5 ~ 7 数，孕性花单生，不孕性花蝎尾状，与孕性花并出；花萼裂片披针形，先端锐尖；花冠辐状，裂片三角形；子房球形，先端密被星状毛，柱头浅裂。浆果基部有宿萼。花期 6 ~ 8 月。 |

| 生境分布 | 广东各地均有栽培。 |

| 资源情况 | 栽培资源丰富。药材来源于栽培。 |

| 采收加工 | 茄根：9～10月全株枯萎时连根拔起，除去干叶，洗净泥土，晒干。
茄叶：夏季采收，鲜用或晒干。
茄花：夏、秋季采收，晒干。
茄蒂：夏、秋季采收，鲜用或晒干。
茄子：夏、秋季果实成熟时采收。

| 药材性状 | 茄根：本品主根常不明显，具侧根及弯曲须根。表面浅灰黄色。质坚实，断面纤维性。气微，味微咸。
茄蒂：本品灰黑色，具不明显的5齿。
茄子：本品呈不规则圆形或长圆形，大小不等。表面棕黄色，极皱缩。果皮革质，有光泽。

| 功能主治 | 茄根：甘、辛，寒。祛风利湿，清热止血。用于风湿热痹，脚气，血痢，便血，痔疮出血，血淋，阴痒，皮肤瘙痒，冻疮。
茄叶：甘、辛，平。活血消肿。用于血淋，血痢，肠风下血，痈肿，冻伤。
茄花：甘，平。敛疮，止痛，利湿。用于创伤，牙痛，带下。
茄蒂：凉血，解毒。用于肠风下血，痈肿，项痈，牙痛。
茄子：甘，凉。清热，活血，消肿。用于肠风下血，热毒疮痈，皮肤溃疡。

| 用法用量 | 茄根：内服煎汤，9～18 g 或入散剂。外用适量，煎汤洗；或捣汁；或烧存性，研末调敷。
茄叶：内服研末，6～9 g。外用适量，煎汤浸洗；或捣敷；或烧存性，研末调敷。
茄花：内服研末，2～3 g。外用适量，研末涂敷。
茄蒂：内服煎汤，6～9 g；或研末。外用适量，研末掺；或生擦。
茄子：内服煎汤，15～30 g。外用适量，捣敷。

| 凭证标本号 | 440982160306002LY、440825150830008LY。

茄科 Solanaceae 茄属 Solanum

龙葵 *Solanum nigrum* L.

| **药 材 名** | 龙葵根（药用部位：根）、龙葵（药用部位：全草。别名：天茄子）、龙葵子（药用部位：种子）。 |

| **形态特征** | 一年生直立草本。茎近无毛或被微柔毛。叶卵形，先端短尖，基部楔形至阔楔形而下延至叶柄，全缘或每边具不规则的波状粗齿。蝎尾状聚伞花序腋外生，由 4 ~ 10 花组成；花萼浅杯状；花冠白色；花药黄色，顶孔向内；子房卵形，花柱中部以下被白色绒毛，柱头小，呈头状。浆果球形，直径约 8 mm，成熟时黑色；种子多数，直径 1.5 ~ 2 mm，两侧压扁。 |

| **生境分布** | 生于田边、路旁。分布于广东从化、紫金、博罗、惠东、连州、英 |

德、阳山、仁化、始兴、翁源、乳源、乐昌、南雄、高州、怀集、德庆、饶平、新兴及深圳（市区）等。

| 资源情况 |　野生资源较丰富。药材来源于野生。

| 采收加工 |　龙葵根：夏、秋季采收，鲜用或晒干。

龙葵：夏、秋季采收，鲜用或晒干。

龙葵子：秋季果实成熟时采收，鲜用或晒干。

| 药材性状 |　龙葵：本品茎圆柱形，多分枝；表面黄绿色，具纵纹；质硬，断面黄白色，中空。叶皱缩或破碎，完整者展开后呈卵形或椭圆形，两面光滑或疏被短柔毛。聚伞花序蝎尾状，具 4 ～ 10 花；花萼棕褐色；花冠棕黄色。浆果球形，皱缩。气微，味淡。

| 功能主治 |　龙葵根：苦，寒。清热利湿，活血解毒。用于痢疾，淋浊，尿路结石，带下，风火牙痛，跌打损伤，痈疽肿毒。

龙葵：苦，寒。清热解毒，活血消肿。用于疔疮，痈肿，丹毒，跌打扭伤，慢性支气管炎，肾炎性水肿。

龙葵子：苦，寒。清热解毒，化痰止咳。用于咽喉肿痛，疔疮，咳嗽痰喘。

| 用法用量 |　龙葵根：内服煎汤，9 ～ 15 g，鲜品加倍。外用适量，捣敷；或研末调敷。

龙葵：内服煎汤，15 ～ 30 g。外用适量，捣敷；或煎汤洗。

龙葵子：内服煎汤，6 ～ 9 g；或浸酒。外用适量，煎汤含漱；或捣敷。

| 凭证标本号 |　445224190726013LY、441622190528032LY、441622200909073LY。

茄科 Solanaceae 茄属 Solanum

海南茄 *Solanum procumbens* Lour.

| **药 材 名** | 海南茄（药用部位：根。别名：耳环草、小丁茄）。

| **形态特征** | 披散、平卧或攀缘灌木。小枝具倒钩刺。嫩枝、叶下面、叶柄及花序梗均被星状毛及小钩刺。叶卵形至长圆形，长 2 ~ 6 cm，宽 1.5 ~ 3 cm，先端钝，全缘或波状浅圆裂。蝎尾状花序顶生或腋外生；花萼 4 裂；花冠白色、浅红或浅紫色；雄蕊 4，花药先端延长；子房球形。浆果球形，宿萼向外反折；种子淡黄色。花期春、夏季，果期秋、冬季。

| **生境分布** | 生于海拔 300 m 左右的村旁、路旁、灌丛中或林下。分布于广东台山、徐闻、雷州、高州、信宜及阳江（市区）、广州（市区）等。

| 资源情况 | 野生资源一般。药材来源于野生。

| 采收加工 | 秋、冬季采挖，洗净，晒干。

| 功能主治 | 辛、微苦，凉。疏散风热，活血止痛。用于感冒，头痛，咽喉疼痛，关节肿痛，月经不调，跌打损伤。

| 用法用量 | 内服煎汤，30 ～ 60 g。

| 凭证标本号 | 440781191102005LY、440882180626639LY。

茄科 Solanaceae 茄属 Solanum

珊瑚樱 *Solanum pseudo-capsicum* L.

| 药 材 名 | 玉珊瑚根（药用部位：根。别名：珊瑚茄）。

| 形态特征 | 直立分枝小灌木。全株光滑无毛。叶狭长圆形至披针形，先端尖或钝，基部狭楔形，下延成叶柄，全缘或呈波状。花多单生，很少成蝎尾状花序，腋外生或近与叶对生；花小，白色；花冠筒隐于花萼内，裂片卵形；花药长约2 mm；子房近圆形，花柱短，柱头截形。浆果橙红色，直径 1 ~ 1.5 cm，果柄先端膨大；种子盘状，扁平。花期初夏，果期秋末。

| 生境分布 | 广东博罗、高州、丰顺、乐昌、乳源及深圳（市区）、肇庆（市区）等有栽培。

| 资源情况 | 栽培资源丰富。药材来源于栽培。 |

| 采收加工 | 秋季采挖，晒干。 |

| 功能主治 | 辛、微苦，温；有毒。活血止痛。用于腰肌劳损。 |

| 用法用量 | 内服浸酒，1.5 ~ 3 g。 |

| 凭证标本号 | 陈少卿 7489（IBSC0531616）。 |

茄科 Solanaceae 茄属 Solanum

牛茄子

Solanum surattense Burm. f. [*Solanum capsicoides* Allioni]

| 药 材 名 |

野颠茄（药用部位：茎、根。别名：癫茄、丁茄）。

| 形态特征 |

直立灌木。茎及小枝具细直刺。叶阔卵形，先端短尖至渐尖，基部心形，3 ~ 7 浅裂或中裂，叶脉两面具疏刺；叶柄疏具纤毛和直刺。聚伞花序腋外生，长不超过 2 cm，具 1 ~ 4 花；花冠白色，冠檐 5 裂，裂片披针形；雄蕊 5 ~ 6，花药近钻形，先端延长，顶孔向上；子房球形，柱头头状。浆果扁球形，成熟时橙红色；种子扁而薄。花果期 6 ~ 10 月。

| 生境分布 |

生于海拔 350 ~ 1 180 m 的路旁荒地、疏林或灌丛中。广东各地均有分布。

| 资源情况 |

野生资源丰富。药材来源于野生。

| 采收加工 |

夏、秋季采收茎，秋季采挖根，洗净，晒干或鲜用。

药材性状	本品茎呈圆柱形，淡黄绿色或灰黄色，具皮孔及斑纹，有时残留疏刺；体轻，质松，断面黄白色，髓部淡绿色，多中空。根呈不规则圆柱形；表面黄棕色，粗糙，可见凸起的须根痕。质坚硬，断面淡黄色或黄白色。味苦、辛。
功能主治	苦、辛，温；有毒。活血散瘀，消肿止痛，镇咳平喘。用于胃寒疼痛，肺寒咳喘，跌打肿痛，疮痈肿毒。
用法用量	内服煎汤，3 ~ 6 g。外用适量，煎汤洗；或捣敷；或研末调敷。
凭证标本号	441882190616004LY、441523190615005LY、440224180530012LY。

茄科 Solanaceae 茄属 Solanum

水茄 *Solanum torvum* Swartz

| 药 材 名 | 金钮扣（药用部位：茎、根。别名：山颠茄、金衫扣）。

| 形态特征 | 灌木。高 1 ~ 3 m，枝被星状毛和黄色皮刺。叶单生或双生，卵形至椭圆形，先端尖，基部心形或楔形，边缘半裂或呈波状。伞房花序腋外生；花梗被腺毛及星状毛；花白色；花萼裂片卵状长圆形，先端骤尖；花冠辐形，筒部隐于花萼内，外面被星状毛；花药顶孔向上；子房卵形，光滑，柱头截形。浆果黄色，圆球形；种子盘状。花果期全年。

| 生境分布 | 生于海拔 200 ~ 1 600 m 的沟谷、荒地、路旁、村旁的潮湿处。广东各地均有分布。

| 资源情况 | 野生资源丰富。药材来源于野生。

| 采收加工 | 全年均可采收，除去嫩枝及叶，洗净，切片或切段，晒干。

| 药材性状 | 本品茎呈圆柱形；表面淡黄绿色，有点状凸起的皮孔及皮斑，有时具稀疏的刺；断面木部淡黄色，髓部多中空。根圆柱形，多扭曲；表面灰黄色至棕黄色，可见凸起的须根痕及斑点；断面淡黄色或黄白色。气微，味微苦，略有麻舌感。

| 功能主治 | 微苦、辛，微凉；有小毒。消炎解毒，消肿散结，散瘀止痛。用于感冒发热，乳蛾，痧证，久咳，牙痛，跌打损伤。

| 用法用量 | 内服煎汤，9 ～ 15 g。外用适量，捣敷。

| 凭证标本号 | 440783190814001LY、440781190318025LY、441422190723223LY。

马铃薯 *Solanum tuberosum* L.

| 药 材 名 | 马铃薯（药用部位：块茎。别名：土豆、阳芋）。

| 形态特征 | 草本。无毛或被疏柔毛。地下茎块状，扁圆形或长圆形，直径 3 ~ 10 cm，外皮白色、淡红色或紫色。叶为奇数且不相等的羽状复叶，小叶 6 ~ 8 对，卵形至长圆形，全缘，两面均被白色疏柔毛。伞房花序顶生，后侧生；花白色或蓝紫色；花萼 5 裂，裂片披针形；花冠辐状；雄蕊长约 6 mm；子房卵圆形，花柱长约 8 mm，柱头头状。浆果圆球状。花期夏季。

| 生境分布 | 广东各地均有栽培。

| 资源情况 | 栽培资源丰富。药材来源于栽培。

采收加工	夏、秋季采收，洗净，鲜用或晒干。
药材性状	本品呈扁球形或长圆形，直径 3 ～ 10 cm。表面白色或黄色，节间短而不明显，一端有短茎基或茎痕。质硬。气微，味淡。
功能主治	甘，平。和中健胃，解毒消肿。用于胃痛，疟腮，痈肿，湿疹，烫伤。
用法用量	内服适量，煮食或煎汤。外用适量，磨汁。
凭证标本号	黄成 160778（IBSC0532088）。

茄科 Solanaceae 龙珠属 Tubocapsicum

龙珠 Tubocapsicum anomalum (Franchet et Savatier) Makino

| **药 材 名** | 龙珠（药用部位：全草。别名：赤珠）。

| **形态特征** | 多年生草本。全体无毛。茎二叉分枝，开展。叶薄纸质，卵形、椭圆形或卵状披针形，先端渐尖，基部歪斜，楔形，下延至长 0.8 ~ 3 cm 的叶柄上。（1 ~ ）2 ~ 6 花簇生；花梗细弱，先端增大；花萼盘状；花冠浅黄色，裂片卵状三角形，向外反曲；雄蕊稍伸出花冠；子房直径 2 mm，花柱与雄蕊近等长。浆果直径 8 ~ 12 mm，成熟后红色；种子淡黄色。花果期 8 ~ 10 月。

| **生境分布** | 生于山谷、水旁或山坡密林中。分布于广东和平、连平、紫金、信宜、乐昌、南雄、乳源、始兴、仁化、翁源、新丰、阳山、英德、怀集等。

| **资源情况** | 野生资源较丰富。药材来源于野生。

| **采收加工** | 7 ~ 8 月采收。

| **功能主治** | 苦，寒。清热解毒，利小便。用于小便淋痛，痢疾，疔疮。

| **用法用量** | 内服煎汤，30 ~ 60 g。外用适量，捣敷。

| **凭证标本号** | 441825191001036LY、441882180814032LY、441623180914021LY。

旋花科 Convolvulaceae 心萼薯属 Aniseia

心萼薯
Aniseia biflora (L.) Choisy [*Ipomoea biflora* (L.) Pers.]

| 药 材 名 | 心萼薯（药用部位：全草。别名：毛牵牛）。

| 形态特征 | 攀缘或缠绕草本。茎细长，有细棱，被灰白色倒向硬毛。叶互生，心形或心状三角形，全缘或不明显地3裂，两面被长硬毛。花序腋生，短于叶柄；花序梗短，有时近簇生，被毛同叶柄，通常着生2花，有时1或3花；花冠白色，狭钟状。蒴果近球形，果瓣内面光亮；种子4，卵状三棱形，有时两边被白色长绵毛。花果期7月至翌年1月。

| 生境分布 | 生于海拔150～1800 m的山坡、山谷、路旁或林下。分布于广东翁源、乳源、南澳、封开、高要、连平、和平、英德、饶平、惠来及广州（市区）、深圳（市区）等。

| **资源情况** | 野生资源较丰富。药材来源于野生。

| **采收加工** | 采收后切碎，洗净，晒干。

| **功能主治** | 甘、微苦，平。清热解毒，消疳祛积。

| **凭证标本号** | 440224181202014LY、441823210410006LY、441623180910001LY。

白鹤藤
Argyreia acuta Lour.

药 材 名	一匹绸（药用部位：茎、叶。别名：白底丝绸）、白鹤藤根（药用部位：根）。
形态特征	攀缘灌木。小枝通常圆柱形，被银白色绢毛。单叶互生，叶椭圆形或卵形，侧脉多至8对。聚伞花序腋生或顶生；花冠漏斗状，白色，外被银色绢毛，冠檐深裂，裂片长圆形；雄蕊5；子房近球形，柱头头状，2裂。果实球形，红色，为增大的萼片包围。花期6～9月，果期9～12月。
生境分布	生于温度较高及湿润的环境中。分布于广东南海、徐闻、高州、信宜、阳春、英德、新兴及广州（市区）、茂名（市区）、肇庆（市区）、阳江（市区）、清远（市区）等。

| 资源情况 | 野生资源较丰富。药材来源于野生。 |

| 采收加工 | **一匹绸：**全年或夏、秋季采收，洗净，鲜用或晒干。
白鹤藤根：全年或秋季采挖，洗净，切片，晒干。 |

| 药材性状 | **一匹绸：**本品叶卵形或微心形，上面暗棕色至紫色，下面浅灰绿色。 |

| 功能主治 | **一匹绸：**辛、苦，凉。祛风除湿，化痰止咳，散瘀止血，解毒消痈。
白鹤藤根：祛风湿，舒筋络。用于风湿疼痛，跌打损伤。 |

| 用法用量 | **一匹绸：**内服煎汤，9～15 g。外用适量，捣敷；或煎汤洗。
白鹤藤根：内服适量，浸酒。 |

| 凭证标本号 | 441284191130633LY、440882180430501LY。 |

旋花科 Convolvulaceae 银背藤属 Argyreia

硬毛白鹤藤 Argyreia capitata (Vahl) Arn. ex Choisy [Argyreia capitiformis (Poir.) Ooststr.]

| 药 材 名 | 头花银背藤（药用部位：叶。别名：毛藤花）。

| 形态特征 | 攀缘灌木。茎及分枝圆柱形，被褐色或黄色长硬毛。叶互生，卵形，侧脉 13 ～ 15 对。聚伞花序密集成头状；花冠漏斗形，淡红色至紫红色，外被长硬毛，内面基部着生的花丝之间具长毛，冠檐近全缘或浅裂。果实球形，橙红色，无毛；种子 4 或更少，卵状三角形，种脐明显，肾形。花期 9 ～ 11 月。

| 生境分布 | 生于海拔 125 ～ 1 900 m 的沟谷密林、疏林及灌丛中。分布于广东台山、高要、博罗、阳春、新兴及深圳（市区）等。

| 资源情况 | 野生资源一般。药材来源于野生。

| 采收加工 | 全年或夏、秋季采收，洗净，鲜用或晒干。

| 功能主治 | 消炎止痛，生肌愈合。

| 凭证标本号 | 刘念等 580（IBSC604173）、高蕴璋 746（IBSC525417）。

银背藤
Argyreia obtusifolia Lour. [*Argyreia mollis* (Burm. f.) Choisy]

| **药 材 名** | 银背藤（药用部位：全株。别名：黄毛白鹤藤）。

| **形态特征** | 攀缘灌木。分枝少，幼枝密被短柔毛；老枝无毛，淡褐色，具皱纹。单叶互生，叶片卵形，侧脉 7 ~ 11 对。聚伞花序有花 5 ~ 8，腋生或顶生；苞片早落；花冠紫色，漏斗状，外面疏被柔毛，瓣中带密被长柔毛，内面无毛，冠檐 5 浅裂。果实圆球形，红色，4 室，每室具 1 种子。花期 9 ~ 11 月。

| **生境分布** | 生于海拔 250 ~ 1 800 m 的沟谷密林中。分布于广东信宜、博罗及珠海（市区）、阳江（市区）、深圳（市区）等。

| **资源情况** | 野生资源一般。药材来源于野生。

| **采收加工** | 全年或夏、秋季采收，切段或片，洗净，晒干。

| **功能主治** | 苦、辛，凉。散瘀止血。

| **用法用量** | 内服煎汤，6 ~ 10 g。

| **凭证标本号** | 王国栋等 6981（SZG0027882）、深圳考察队 1672（SZG003039）。

旋花科 Convolvulaceae 月光花属 Calonyction

月光花

Calonyction aculeatum (L.) House [*Ipomea alba* L.]

| **药 材 名** | 月光花（药用部位：全草。别名：天茄儿）、月光花种子（药用部位：种子）。 |

| **形态特征** | 一年生大型缠绕草本。茎绿色，圆柱形，近平滑或多少具软刺。叶卵形，长 10 ~ 20 cm，全缘或稍有角或分裂。花大，夜间开，芳香，1 至多朵排列成总状；花冠大，白色，瓣中带淡绿色，冠檐 5 浅裂；子房长圆锥形，花柱圆柱形，白色，柱头大。蒴果卵形，具锐尖头，基部为增大的萼片所包围，果柄粗厚。花期 8 ~ 10 月，果期 9 ~ 11 月。 |

| **生境分布** | 生于日光充足的环境中。分布于广东高要及广州（市区）、阳江（市区）等。 |

| 资源情况 | 野生资源较少。药材来源于野生。

| 采收加工 | 月光花：秋季采收，鲜用或晒干。

月光花种子：秋、冬季采收成熟果实，除去果壳，晒干。

| 功能主治 | 月光花：苦、辛。解蛇毒。

月光花种子：苦、辛，平。活血散瘀，消肿止痛。

| 用法用量 | 月光花：外用适量，捣敷。

月光花种子：内服煎汤，6 ~ 10 g。

| 凭证标本号 | 张代贵 0820051（JIU16801）。

旋花科 Convolvulaceae 打碗花属 *Calystegia*

打碗花 *Calystegia hederacea* Wall. ex Roxb.

| 药 材 名 |

面根藤（药用部位：全草。别名：兔儿苗）。

| 形态特征 |

一年生草本。基部叶片长圆形，先端圆形，基部戟形，上部叶片 3 裂。花 1，腋生；花梗长于叶柄，有细棱；花冠淡紫色或淡红色，钟状，冠檐近截形或微裂；雄蕊近等长，花丝基部扩大，贴生于花冠管基部，被小鳞毛；子房无毛，柱头 2 裂，裂片长圆形，扁平。蒴果卵球形，宿存萼片近等长于或稍短于蒴果；种子黑褐色，表面有小疣。花期 6 ～ 9 月，果期 8 ～ 10 月。

| 生境分布 |

生于路旁、溪边或湖边潮湿处。分布于广东高要等。

| 资源情况 |

野生资源稀少。药材来源于野生。

| 采收加工 |

夏、秋季采收，洗净，晒干或鲜用。

药材性状	本品根茎细长，直径约 1 mm，表面灰黄色，有细纵皱纹。茎细长，常盘曲扭卷，表面灰棕色或灰褐色，有纵向棱线。完整叶片展平后呈戟形。质脆，易折断。
功能主治	甘、微苦，平。健脾，利湿，调经。
用法用量	内服煎汤，10 ～ 30 g。
凭证标本号	石国良 11917（IBSC420510）。

旋花科 Convolvulaceae 打碗花属 Calystegia

旋花
Calystegia sepium (L.) R. Br.

| 药 材 名 | 旋花（药用部位：花。别名：狗儿秧）、旋花苗（药用部位：茎叶）、旋花根（药用部位：根）。

| 形态特征 | 多年生草本。茎缠绕，有细棱。叶形多变，三角状卵形或宽卵形。花1，腋生；花梗通常稍长于叶柄，有细棱，有时具狭翅；花冠通常白色，有时淡红色或紫色，漏斗状，冠檐微裂；花丝基部扩大，被小鳞毛；子房无毛，柱头2裂。蒴果卵形，为增大宿存的苞片和萼片所包被；种子黑褐色，表面有小疣。花期6～7月，果期7～8月。

| 生境分布 | 生于山坡、平原、荒地等。分布于广东信宜及广州（市区）等。

资源情况	野生资源较少。药材来源于野生。

采收加工	旋花：6 ~ 7 月花开时采收，洗净，晒干。
	旋花苗：夏季采收，洗净，鲜用或晒干。
	旋花根：3 ~ 9 月采挖，洗净，鲜用或晒干。

功能主治	旋花：甘，温。益气养颜，涩精。
	旋花苗：甘、微苦，平。清热解毒。
	旋花根：甘、微苦，温。益气补虚，续筋接骨，解毒杀虫。

用法用量	旋花：内服煎汤，6 ~ 10 g；或入丸剂。
	旋花苗：内服煎汤，10 ~ 15 g；或绞汁。
	旋花根：内服煎汤，10 ~ 15 g；或绞汁。外用适量，捣敷。

凭证标本号	黄成 0223（PE69839）。

旋花科 Convolvulaceae 菟丝子属 Cuscuta

南方菟丝子 *Cuscuta australis* R. Br.

| 药材名 |

菟丝子（药用部位：种子。别名：菟丝实）、菟丝（药用部位：全草。别名：吐血丝）。

| 形态特征 |

一年生寄生草本。茎缠绕，金黄色，纤细，直径 1 mm。无叶。花序侧生，为小团伞花序；总花序梗近无，花梗粗壮；花萼杯状，基部连合，裂片 3 ~ 5；花冠乳白色或淡黄色，杯状，裂片卵形或长圆形；雄蕊着生于花冠裂片弯缺处；子房扁球形，花柱 2。蒴果扁球形，下半部为宿存花冠所包，成熟时不规则开裂，不周裂；种子通常 4，淡褐色，卵形。花期 7 ~ 9 月，果期 8 ~ 10 月。

| 生境分布 |

生于海拔 50 ~ 1 900 m 的田边、路边，寄生于豆科、菊科、马鞭草科等草本或小灌木上。分布于广东始兴、英德及广州（市区）、肇庆（市区）、深圳（市区）等。

| 资源情况 |

野生资源一般。药材来源于野生。

| **采收加工** | 菟丝子：9 ~ 10 月采收成熟果实，晒干，打下种子，簸去果壳，除去杂质。
菟丝：秋季采收，晒干或鲜用。

| **药材性状** | 菟丝子：本品卵圆形，腹棱线不明显，大小相差较大，长 0.7 ~ 2 mm，宽 0.5 ~ 1.2 mm。表面淡褐色至棕色，一端有喙状突出并偏向一侧。

| **功能主治** | 菟丝子：微辛、甘，平。补肾益精，养肝明目，固胎止泻。
菟丝：清热解毒，凉血止血，健脾利湿。用于痢疾，黄疸，吐血，崩中，淋浊，带下，便溏，目赤肿痛，咽喉肿痛，痈疽肿毒，痱子。

| **用法用量** | 菟丝子：内服煎汤，6 ~ 15 g；或入丸、散剂。外用适量，研末调敷。
菟丝：内服煎汤，9 ~ 15 g；或研末。外用适量，煎汤洗；或捣敷；或捣汁涂、滴。

| **凭证标本号** | 440882180626020LY、441422190723329LY、440224181201018LY。

菟丝子
Cuscuta chinensis Lam.

| **药 材 名** | 菟丝子（药用部位：种子。别名：菟丝实）、菟丝（药用部位：全草。别名：吐血丝）。 |

| **形态特征** | 一年生寄生草本。茎缠绕，黄色，纤细，直径 1 mm。无叶。花序侧生，为小团伞花序；花萼杯状，裂片三角状；花冠白色，壶形，裂片三角状卵形，先端锐尖或钝，向外反折；雄蕊着生于花冠裂片弯缺微下处；子房近球形，花柱 2，等长或不等长，柱头球形。蒴果球形，几乎全为宿存花冠所包围，成熟时整齐地周裂；种子 2 ~ 4，淡褐色，卵形，表面粗糙。花期 7 ~ 9 月，果期 8 ~ 10 月。 |

| **生境分布** | 生于海拔 200 ~ 1 900 m 的田边、山坡阳处，寄生于豆科、菊科、 |

藜科等草本上。分布于广东仁化、台山、广宁、高要、惠东、龙门、普宁及广州（市区）、深圳（市区）等。

| 资源情况 | 野生资源较丰富。药材来源于野生。

| 采收加工 | 菟丝子：9 ~ 10 月采收成熟果实，晒干，打下种子，簸去果壳，除去杂质。
菟丝：秋季采收，晒干或鲜用。

| 药材性状 | 菟丝子：本品灰棕色或黄棕色，类圆形或卵圆形，长 1.4 ~ 1.6 mm，宽 0.9 ~ 1.1 mm，微粗糙，种喙不明显。种皮质坚硬，不易破碎，用沸水浸泡表面有黏性。

| 功能主治 | 菟丝子：微辛、甘、平。补肾益精，养肝明目，固胎止泻。
菟丝：清热解毒，止血凉血，健脾利湿。用于痢疾，黄疸，吐血，崩中，淋浊，带下，便溏，目赤肿痛，咽喉肿痛，痈疽肿毒，痱子。

| 用法用量 | 菟丝子：内服煎汤，6 ~ 15 g；或入丸、散剂。外用适量，研末调敷。
菟丝：内服煎汤，9 ~ 15 g；或研末。外用适量，煎汤洗；或捣敷；或捣汁涂、滴。

| 凭证标本号 | 440281190702009LY、440281200707005LY、441823190929034LY。

旋花科 Convolvulaceae 菟丝子属 Cuscuta

金灯藤 *Cuscuta japonica* Choisy

| 药 材 名 | 菟丝子（药用部位：种子。别名：菟丝实）、菟丝（药用部位：全草。别名：吐血丝）。

| 形态特征 | 一年生寄生缠绕草本。茎肉质，黄色，多分枝。无叶。花梗无或几无；穗状花序，长达 3 cm，基部多分枝；苞片及小苞片鳞片状；花萼肉质，碗状，5 裂几达基部，裂片卵圆形，常被紫红色瘤点；花冠钟状，淡红色或绿白色，5 浅裂，鳞片 5，长圆形，边缘流苏状，长达花冠筒中部；花柱细长，与子房近等长，柱头 2 裂，裂片舌状。蒴果卵圆形，近基部周裂；种子褐色。花期 8 月，果期 9 月。

| 生境分布 | 生于草本或灌木上。分布于广东始兴、仁化、翁源、乳源、新丰、乐昌、南雄、信宜、高要、怀集、封开、博罗、连平、和平、阳春、

阳山、连州及广州（市区）等。

| **资源情况** | 野生资源较丰富。药材来源于野生。

| **采收加工** | 菟丝子：9 ~ 10月采收成熟果实，晒干，打下种子，簸去果壳，除去杂质。
菟丝：秋季采收，晒干或鲜用。

| **药材性状** | 菟丝子：本品较大，长约3 mm，宽2 ~ 3 mm，表面淡褐色或黄棕色。

| **功能主治** | 菟丝子：微辛、甘，平。补肾益精，养肝明目，固胎止泻。
菟丝：清热解毒，凉血止血，健脾利湿。用于痢疾，黄疸，吐血，崩中，淋浊，带下，便溏，目赤肿痛，咽喉肿痛，痈疽肿毒，痱子。

| **用法用量** | 菟丝子：内服煎汤，6 ~ 15 g；或入丸、散剂。外用适量，研末调敷。
菟丝：内服煎汤，9 ~ 15 g；或研末。外用适量，煎汤洗；或捣敷；或捣汁涂、滴。

| **凭证标本号** | 441825191004007LY、441823191205010LY、440224181201019LY。

旋花科 Convolvulaceae 马蹄金属 Dichondra

马蹄金 *Dichondra micrantha* Urban

| 药 材 名 | 小金钱草（药用部位：全草。别名：金挖耳）。

| 形态特征 | 多年生匍匐小草本。茎细长，被灰色短柔毛，节上生根。叶肾形至圆形。花单生于叶腋；花梗丝状；萼片倒卵状长圆形至匙形，背面及边缘被毛；花冠钟状，短于至稍长于花萼，黄色，5 深裂；雄蕊5，着生于花冠 2 裂片间弯缺处，花丝短，等长；子房被疏柔毛，花柱 2，柱头头状。蒴果近球形，膜质；种子 1 ~ 2，黄色至褐色。花期 4 月，果期 7 ~ 8 月。

| 生境分布 | 生于海拔 1 300 ~ 1 900 m 的山坡草地、路旁或沟边。分布于广东连州、乳源、惠来、普宁及广州（市区）等。

| 资源情况 | 野生资源一般。药材来源于野生和栽培。

| 采收加工 | 全年均可采收，洗净，鲜用或晒干。

| 药材性状 | 本品缠绕成团。茎细长，被灰色短柔毛，节上生根；质脆，易折断，断面有小孔。叶互生，完整者展平后呈圆形或肾形，长 0.5 ~ 2 cm，基部心形，上面微被毛，下面具短柔毛，全缘，叶柄长约 2 cm；质脆，易碎。偶见灰棕色近圆球形果实，直径约 2 mm；种子 1 ~ 2，黄色或褐色。气微，味辛。

| 功能主治 | 苦、辛，凉。清热，利湿，解毒。

| 用法用量 | 内服煎汤，6 ~ 15 g，鲜品 30 ~ 60 g。外用适量，捣敷。

| 凭证标本号 | 440281200709011LY、445224210521002LY。

旋花科 Convolvulaceae 丁公藤属 Erycibe

丁公藤 *Erycibe obtusifolia* Benth.

药材名

丁公藤（药用部位：藤茎。别名：包公藤）。

形态特征

高大木质藤本。小枝干后黄褐色，明显有棱，不被毛。叶革质，椭圆形或倒长卵形，先端钝或钝圆，基部渐狭成楔形。聚伞花序腋生和顶生；花冠白色；雄蕊不等长，花丝长达 1.5 mm，花药与花丝近等长，花丝之间有鳞片；子房圆柱形，柱头圆锥状贴着子房，二者近等长。浆果卵状椭圆形，长约 1.5 cm。

生境分布

生于山谷湿润密林、山脊或路旁灌丛。分布于广东龙门、陆丰及肇庆（市区）、惠州（市区）等。

资源情况

野生资源一般。药材来源于野生。

采收加工

全年均可采收，洗净，切段，隔水蒸 2 ~ 4 h，取出，晒干。

药材性状	本品呈片或段状，直径 2 ~ 5 cm，片者厚 1 ~ 2.5 cm，段者长 3 ~ 5 cm。外表面灰黄色、灰褐色或棕褐色，粗糙，有不规则的细密的纵裂纹，皮孔多数，黄白色，呈点状或为疣状突起。质坚硬，不易折断，切面灰黄色或淡黄色，皮部薄，木部宽广，有异形维管束排列成数个环轮或不规则的花纹，各维管束木部黄白色，微凸起，导管孔密集，髓小。气微，味淡。

功能主治	辛，温；有小毒。祛风除湿，消肿止痛。用于风湿痹痛，半身不遂，跌扑肿痛。

用法用量	内服煎汤，3 ~ 6 g；或浸酒。外用适量，浸酒擦。体虚弱者慎用；孕妇禁用。

凭证标本号	441283170606050LY、440826140723071LY。

旋花科 Convolvulaceae 丁公藤属 Erycibe

光叶丁公藤 *Erycibe schmidtii Craib*

| 药 材 名 |

丁公藤（药用部位：藤茎。别名：包公藤）。

| 形态特征 |

高大攀缘灌木。小枝圆柱形，灰褐色，有细棱。叶革质，卵状椭圆形或长圆状椭圆形，两面无毛，中脉在叶面下陷，侧脉 5 ~ 6 对，在叶面不明显。聚伞花序呈圆锥状，腋生和顶生，密被锈色短柔毛；花冠白色，芳香，长约 8 mm，5 深裂，瓣中带密被黄褐色绢毛，小裂片长圆形，边缘啮蚀状。浆果球形，干后黑褐色。

| 生境分布 |

生于海拔 250 ~ 1 200 m 的山谷密林或疏林中。分布于广东陆丰、阳春及肇庆（市区）惠州（市区）等。

| 资源情况 |

野生资源一般。药材来源于野生。

| 采收加工 |

全年均可采收，洗净，切段，隔水蒸 2 ~ 4 h，取出，晒干。

| 药材性状 | 本品圆柱形，直径达 5.5 cm。外表面灰色，稍光滑，有明显的纵向纹理及稀疏的龟裂纹。切面黄白色，皮部较薄，木部花瓣状，类白色，髓明显。质坚硬，不易折断。气清香，味淡。

| 功能主治 | 辛，温；有小毒。祛风除湿，消肿止痛。用于风湿痹痛，半身不遂，跌扑肿痛。

| 用法用量 | 内服煎汤，3 ~ 6 g；或浸酒。外用适量，浸酒擦。

| 凭证标本号 | 441781140813060LY、441426150729002LY。

旋花科 Convolvulaceae 土丁桂属 Evolvulus

土丁桂
Evolvulus alsinoides (Linn.) L.

| 药 材 名 | 土丁桂（药用部位：全草。别名：毛将军）。

| 形态特征 | 多年生草本。茎平卧或上升，细长，被平伏柔毛。单叶互生，叶长圆形、椭圆形或匙形，先端钝，具小尖头，基部圆形或渐窄，两面疏被平伏柔毛，侧脉不明显；叶柄短或近无。花单生或数花组成聚伞花序；花序梗丝状，被平伏毛；萼片披针形，被长柔毛；花冠辐状，蓝色或白色；雄蕊5，内藏，花丝丝状，贴生于花冠筒基部。蒴果球形，4瓣裂；种子4或较少，黑色，平滑。花期5～9月。

| 生境分布 | 生于海拔300～1 800 m的草坡、灌丛及路边。分布于广东始兴、乳源、乐昌、南雄、南澳、徐闻、博罗、大埔、蕉岭、海丰、和平、

英德、连州及广州（市区）、深圳（市区）、珠海（市区）、阳江（市区）、东莞等。

| **资源情况** | 野生资源较丰富。药材来源于野生。

| **采收加工** | 夏、秋季采收，洗净，鲜用或晒干。

| **药材性状** | 本品纤细，长 20 ~ 50 cm。根细长，稍弯曲，棕褐色，直径约 3 mm。茎细，圆柱形，直径约 1 mm，灰绿色或淡黄色。茎枝及叶均密被灰白色绒毛。叶互生，呈卵形或长矩圆形，长 0.4 ~ 1 cm，宽 2 ~ 4 mm，先端短尖，基部钝圆，全缘，中脉明显。质柔软。气微，味苦。

| **功能主治** | 甘、微苦，凉。清热利湿，解毒。用于黄疸，痢疾，淋浊，带下，疔疮，疥疮。

| **用法用量** | 内服煎汤，3 ~ 10 g，鲜品 30 ~ 60 g；或捣汁。外用适量，捣敷；或煎汤洗。

| **凭证标本号** | 441324181105027LY、440224180531004LY、440882180501006LY。

旋花科　Convolvulaceae　番薯属　*Ipomoea*

蕹菜
Ipomoea aquatica Forsk.

| 药 材 名 | 蕹菜（药用部位：茎、叶。别名：水蕹菜）、蕹菜根（药用部位：根。别名：瓮菜根）。

| 形态特征 | 一年生蔓生草本，匍匐于地上或漂浮于水中。茎圆，中空，无毛。单叶互生，叶片形状不一，卵形、长卵形、长卵状披针形或披针形，基部心形或戟形，全缘或波状，无毛。聚伞花序腋生；萼片卵圆形，先端钝，无毛；花冠白色、淡红色或紫色，漏斗状。蒴果卵球形或球形；种子被毛。花期 7 ～ 9 月，果期 8 ～ 11 月。

| 生境分布 | 生于温暖、土壤肥沃潮湿处或水沟、水田中。广东各地均有分布。

| 资源情况 | 栽培资源丰富。药材来源于栽培。

| 采收加工 | **蕹菜:** 夏、秋季采收,鲜用。
蕹菜根: 秋季采收,洗净,鲜用或晒干。

| 药材性状 | **蕹菜:** 本品常缠绕成把。茎扁柱形,皱缩,有纵沟,具节,表面浅黄色至淡棕色,节上或有分枝,近下端节处有少许淡棕色小须根;质韧,不易折断,断面中空。叶片展平后呈卵形、三角形或披针形,具长柄。气微,味淡。

| 功能主治 | **蕹菜:** 甘,寒。凉血清热,利湿解毒。用于鼻衄,便血,尿血,便秘,淋浊,痔疮,痈肿,蛇虫咬伤。
蕹菜根: 健脾利湿。用于带下,虚淋。

| 用法用量 | **蕹菜:** 内服煎汤,60 ~ 120 g;或捣汁。外用适量,煎汤洗;或捣敷。
蕹菜根: 内服煎汤,120 ~ 250 g。

| 凭证标本号 | 440781190829002LY、441622200910003LY。

番薯 *Ipomoea batatas* (L.) Lam.

| 药 材 名 | 番薯（药用部位：块根）。

| 形态特征 | 多年生草质藤本，具乳汁。茎生不定根，匍匐于地面。单叶互生，叶宽卵形或卵状心形，先端渐尖，基部心形或近平截，全缘或具缺裂。聚伞花序具 1 ~ 7 花，组成伞状；苞片披针形；萼片长圆形，先端骤芒尖；花冠粉红色、白色、淡紫色或紫色，钟状或漏斗状，无毛；雄蕊及花柱内藏。蒴果卵形或扁圆形；种子 2 ~ 4，无毛。花期 7 ~ 9 月，果期 9 ~ 10 月。

| 生境分布 | 生于肥沃而排水良好的砂壤土中。广东各地均有分布。

| 资源情况 | 栽培资源丰富。药材来源于栽培。

| 采收加工 | 秋、冬季采挖，洗净，切片，晒干。

| 药材性状 | 本品为类圆形斜切片，宽 2 ～ 4 cm，厚约 2 mm，偶见未去净的淡红色或灰褐色外皮。切面白色或淡黄白色，粉性，可见淡黄棕色筋脉点或线纹，近皮部可见一圈淡黄棕色环纹。质柔软，具弹性，不易折断。气清香，味甘甜。

| 功能主治 | 甘，平。补中和血，益气生津，宽肠胃，通便秘。用于脾虚水肿，疮疡肿毒，大便秘结。

| 用法用量 | 内服适量，生食或煮食。外用适量，捣敷。

| 凭证标本号 | 441622190528025LY、440224181203025LY、445224190728014LY。

旋花科 Convolvulaceae 番薯属 Ipomoea

五爪金龙 *Ipomoea cairica* (L.) Sweet

| 药 材 名 | 五叶藤（药用部位：茎叶、根。别名：五爪龙）、五爪金龙花（药用部位：花）。

| 形态特征 | 多年生缠绕草本，全体无毛。老时根上具块根。茎细长，有细棱。单叶互生，叶掌状 5 深裂或全裂，中裂片较大，两侧裂片稍小，基部 1 对裂片通常再 2 裂，具假托叶。聚伞花序腋生，具 1 ~ 3 或更多花；花冠紫红色或淡红色，偶有白色，漏斗状；雄蕊不等长，被毛；子房无毛，柱头 2，球形。蒴果近球形，4 瓣裂。花期 3 ~ 6 月，果期 7 ~ 10 月。

| 生境分布 | 生于海拔 90 ~ 610 m 的向阳平地或山地路边灌丛中。广东各地均有分布。

| **资源情况** | 野生资源丰富。药材来源于野生。

| **采收加工** | **五叶藤**：全年或秋季采收，切段或片，洗净，鲜用或晒干。
五爪金龙花：夏季采收，晒干或鲜用。

| **功能主治** | **五叶藤**：甘，寒。清热解毒，利水通淋。用于肺热咳嗽，小便不利，淋病，水肿，痈肿疔毒。
五爪金龙花：甘，寒。止咳除蒸。用于骨蒸劳热，咳嗽咯血。

| **用法用量** | **五叶藤**：内服煎汤，4.5 ~ 10 g，鲜品 15 ~ 30 g。外用适量，捣敷。虚寒者禁服。
五爪金龙花：内服煎汤，6 ~ 9 g。

| **凭证标本号** | 440882180602252LY、440783190608010LY、440781190322001LY。

旋花科 Convolvulaceae 番薯属 *Ipomoea*

七爪龙
Ipomoea digitata L. [*Ipomoea mauritiana* Jacq.]

| 药 材 名 | 藤商陆（药用部位：块根、叶。别名：牛乳薯）。

| 形态特征 | 多年生大型缠绕草本，具粗壮而稍肉质的根。茎圆柱形，有细棱，无毛。单叶互生，叶掌状 5 ~ 7 裂。聚伞花序腋生，各部分无毛；花序梗通常比叶长，具少花至多花；苞片早落；萼片不等长，外萼片长圆形，内萼片宽卵形；花冠淡红色或紫红色，漏斗状，花冠筒圆筒状，基部变狭，冠檐开展；花丝基部被毛；子房无毛。蒴果卵球形；种子 4，黑褐色，基部被长绢毛，毛比种子长约 1 倍，易脱落。花果期夏、秋季。

| 生境分布 | 生于海拔 280 ~ 1 020 m 的海滩边矮林、山地疏林或溪边灌丛中。

分布于广东南海、新会、台山、徐闻、高要、博罗、五华、阳春及广州（市区）、珠海（市区）、惠州（市区）等。

| **资源情况** | 野生资源较丰富。药材来源于野生。

| **采收加工** | 全年均可采收，洗净，块根切片后晒干，叶鲜用。

| **功能主治** | 苦；有毒。逐水消肿，解毒散结。用于水肿腹胀，痈肿疮毒，瘰疬。

| **用法用量** | 内服煎汤，3 ~ 6 g。外用适量，捣敷。

| **凭证标本号** | 440981150816002LY、441322160723233LY。

旋花科 Convolvulaceae 番薯属 Ipomoea

小心叶薯
Ipomoea obscura (L.) Ker-Gawl.

| **药 材 名** | 小心叶薯（药用部位：种子。别名：小红薯）。

| **形态特征** | 缠绕草本。茎纤细，圆柱形，有细棱，被柔毛或绵毛，有时近无毛。单叶互生，叶心状圆形或心状卵形，有时肾形。聚伞花序腋生，通常有 1 ～ 3 花；花冠漏斗状，白色或淡黄色；雄蕊及花柱内藏；花丝极不等长，基部被毛；子房无毛。蒴果圆锥状卵形或近球形，先端有锥尖状花柱基，2 室，4 瓣裂；种子 4，黑褐色，密被灰褐色短绒毛。花果期 6 ～ 12 月。

| **生境分布** | 生于海拔 100 ～ 580 m 的旷野沙地、海边疏林或灌丛中。分布于广东海丰、雷州、徐闻等。

| **资源情况** | 野生资源较少。药材来源于野生。 |

| **采收加工** | 采收后洗净，晒干。 |

| **功能主治** | 逐水，利小便。 |

| **凭证标本号** | 440882180430105LY。 |

旋花科 Convolvulaceae 番薯属 Ipomoea

厚藤
Ipomoea pes-caprae (L.) Sweet

| **药 材 名** | 马鞍藤（药用部位：全草或根。别名：沙灯心）。

| **形态特征** | 多年生草本，全体无毛。茎平卧，有时缠绕。单叶互生，叶肉质，干后厚纸质，卵形或长圆形，先端微缺或 2 裂，侧脉 8 ~ 10 对。多歧聚伞花序，腋生，有时仅 1 花发育；花序梗粗壮；苞片小，早落；萼片厚纸质，卵形；花冠紫色或深红色，漏斗状；雄蕊和花柱内藏。蒴果球形，2 室，果皮革质，4 瓣裂；种子三棱状圆形，密被褐色茸毛。花果期 5 ~ 10 月。

| **生境分布** | 生于沙滩上及路边向阳处。分布于广东南澳、新会、台山、徐闻、博罗、陆丰、阳春及深圳（市区）、汕头（市区）、湛江（市区）、

惠州（市区）、阳江（市区）等。

| **资源情况** | 野生资源较丰富。药材来源于野生。

| **采收加工** | 全年或夏、秋季采收，除去杂质，切段或片，晒干或鲜用。

| **功能主治** | 辛、苦，微寒。祛风除湿，消痈散结。用于风湿痹痛，痈肿疔毒，乳痈，痔漏。

| **用法用量** | 内服煎汤，鲜品 30 ～ 60 g。外用适量，捣敷；或烧存性，研末调敷。

| **凭证标本号** | 440882180406048LY、440781190829012LY、445224190728010LY。

旋花科 Convolvulaceae 番薯属 Ipomoea

虎掌藤
Ipomoea pes-tigridis L.

| 药 材 名 | 虎掌藤（药用部位：根。别名：生毛藤）。

| 形态特征 | 一年生缠绕草本。茎具细棱，被开展的灰白色硬毛。叶片近圆形或横向椭圆形，掌状 3 ~ 9 深裂，被毛同茎。聚伞花序有数朵花，密集成头状，腋生，具明显的总苞；花冠白色，漏斗状，瓣中带散生毛；雄蕊，花柱内藏，花丝无毛；子房无毛。蒴果卵球形，2 室；种子 4，椭圆形，表面被灰白色短绒毛。花期 6 ~ 10 月。

| 生境分布 | 生于海拔 100 ~ 400 m 的河谷灌丛、路旁或海边沙地。分布于广东深圳（市区）、湛江（市区）等。

| 资源情况 | 野生资源较少。药材来源于野生。

| **采收加工** | 采收后切碎，晒干。

| **功能主治** | 苦，寒。泻下通便。

| **用法用量** | 内服煎汤，6 ～ 15 g。

| **凭证标本号** | 440803200728025LY。

旋花科 Convolvulaceae 鱼黄草属 Merremia

篱栏网

Merremia hederacea (Burm. f.) Hall. f.

| **药 材 名** | 篱栏子（药用部位：全草或种子。别名：茉栾藤）。

| **形态特征** | 缠绕或匍匐草本。茎细长，有细棱，无毛或疏被长硬毛。单叶互生，叶心状卵形，全缘或具不规则的粗齿或裂齿，稀深裂或 3 浅裂；叶柄被小疣。聚伞花序腋生，具 3 ～ 5 或更多花，稀单花；萼片宽倒卵状匙形或近长方形；花冠黄色，钟状；雄蕊与花冠近等长，花丝疏被长柔毛。蒴果扁球形或宽圆锥形，4 瓣裂。花期 7 ～ 8 月，果期 9 ～ 10 月。

| **生境分布** | 生于海拔 130 ～ 760 m 的灌丛或路旁草丛。广东各地均有分布。

| **资源情况** | 野生资源丰富。药材来源于野生。

| **采收加工** | 全草，全年或夏、秋季采收，洗净，切碎，鲜用或晒干。种子，秋、冬季采收成熟果实，除去果壳，晒干。 |

| **药材性状** | 本品全草长 100 ～ 300 cm。茎圆柱形，稍扭曲，直径 1 ～ 3 mm；表面浅棕色至棕褐色，有细纵棱，具疣状小突起和不定根，节处常具毛；质韧，断面灰白色，中空。叶卵形，长 2 ～ 5 cm，全缘或 3 裂，灰绿色或橘红色；叶柄细长。果实扁球形或宽圆锥形，黄棕色，常开裂成 4 瓣；种子卵状三棱形，种脐处具簇毛。气微，味淡。 |

| **功能主治** | 甘、淡，凉。清热，利咽，凉血。用于风热感冒，咽喉肿痛，乳蛾，尿血，急性结膜炎，疥疮。 |

| **用法用量** | 内服煎汤，3 ～ 10 g。外用适量，全草捣敷，种子研末吹喉。 |

| **凭证标本号** | 440783191006009LY、440224181116003LY、441225181121007LY。 |

旋花科 Convolvulaceae 鱼黄草属 Merremia

尖萼山猪菜

Merremia tridentata (L.) Hall. f. subsp. *hastata* (Desr.) v. Ooststr.
[*Xenostegia tridentata* (L.) D. F. Austin & Staples]

| 药 材 名 | 过腰蛇（药用部位：全草。别名：地旋花）。

| 形态特征 | 平卧或攀缘草本。茎细长，具细棱或窄翅，近无毛。单叶互生，几无柄，叶线形、线状披针形或狭圆形，基部戟形，基部裂片具尖齿。聚伞花序具 1 ~ 3 花，基部被短柔毛；苞片钻状；萼片卵状披针形，先端渐尖，具锐尖头；花冠淡黄色或白色，漏斗状，无毛；雄蕊内藏；子房无毛。蒴果球形或卵球形；种子黑色，无毛。花期近全年。

| 生境分布 | 生于海拔 40 ~ 260 m 的旷野沙地。分布于广东海丰、高要、徐闻及汕头（市区）、深圳（市区）、阳江（市区）等。

| **资源情况** | 野生资源较少。药材来源于野生。

| **采收加工** | 全年均可采收，洗净，鲜用或晒干。

| **功能主治** | 辛，温。通络止痛。用于关节疼痛。

| **用法用量** | 外用适量，捣敷。

| **凭证标本号** | 440781191105001LY、440781190826020LY、440882180430116LY。

旋花科 Convolvulaceae 鱼黄草属 *Merremia*

山猪菜 *Merremia umbellata* (L.) Hall. f. subsp. *orientalis* (H. Hallier) van Ooststroom [*Camonea pilosa* (Houtt.) A. R. Simões & Staples]

| **药 材 名** | 土瓜藤（药用部位：全草或根。别名：山猪菜藤）。

| **形态特征** | 缠绕或平卧草本，平卧者下部节上生须根。茎圆柱形，有细条纹，密被或疏被短柔毛，有时无毛。叶对生，心状卵形或长圆状披针形，侧脉 6 ~ 9 对。伞状聚伞花序腋生，被毛；苞片小，早落；萼片稍不等大；花冠白色、黄色或淡红色，漏斗状，瓣中带先端被白色柔毛，冠檐 5 浅裂。蒴果圆锥状，4 裂；种子密被开展的淡褐色长硬毛。

| **生境分布** | 生于海拔 55 ~ 1 600 m 的路旁、山谷疏林或杂草灌丛中。分布于广东惠东、宝安、博罗、高要、新兴、阳春、台山、徐闻及汕头（市区）、广州（市区）、云浮（市区）、珠海（市区）等。

| **资源情况** | 野生资源较少。药材来源于野生。

| **采收加工** | 全年或夏、秋季采收，洗净，切碎，鲜用或晒干。

| **功能主治** | 全草，催乳。根，消痈解毒。

| **凭证标本号** | 441284191124634LY、440882180602415LY。

旋花科 Convolvulaceae 鱼黄草属 Merremia

掌叶鱼黄草

Merremia vitifolia (Burm. f.) Hall. F.

| 药 材 名 | 掌叶山猪菜（药用部位：全草。别名：毛五爪龙）。

| 形态特征 | 缠绕或平卧草本，全体被开展的微硬毛。茎带紫色。叶对生，近圆形，掌状 3 ~ 7 裂，裂片宽三角形或卵状披针形，边缘具粗齿或近全缘。聚伞花序腋生，比叶长或与叶近等长，具 1 至数花；苞片钻状；萼片果期增大，内面多窝点；花冠黄色，漏斗状，无毛。蒴果近球形；种子无毛，三棱状卵形。花期 7 ~ 11 月，果期 8 ~ 11 月。

| 生境分布 | 生于海拔 90 ~ 1 600 m 的路旁、灌丛中或林中。分布于广东徐闻等。

| 资源情况 | 野生资源较少。药材来源于野生。

| 采收加工 | 全年均可采收，晒干。

| 功能主治 | 利尿止痛。

| 凭证标本号 | 440882180406037LY。

旋花科 Convolvulaceae 盒果藤属 Operculina

盒果藤
Operculina turpethum (L.) S. Manso

| **药 材 名** | 盒果藤（药用部位：全草或根皮。别名：紫翅藤）。

| **形态特征** | 多年生缠绕草本。根肉质，多分枝。茎圆柱形，具 3 ~ 5 翅。单叶互生，叶形不一，心状圆形、卵形、卵状披针形或披针形；叶柄有狭翅，密被短柔毛，有时近无毛。聚伞花序生于叶腋，通常有 2 花；苞片显著，纸质，长圆形；花冠白色、粉红色或紫色，宽漏斗状，无毛，外面具黄色小腺点，冠檐 5 裂，裂片圆形；花药纵向扭曲；花柱内藏。蒴果扁球形；种子 4，卵圆状三棱形，直径约 6 mm，黑色，无毛。

| **生境分布** | 生于海拔约 500 m 的山谷路旁、溪边或灌丛向阳处。分布于广东宝安、博罗及广州（市区）、肇庆（市区）等。

| **资源情况** | 野生资源较少。药材来源于野生。

| **采收加工** | 全年或秋季采收，洗净，切片或段，晒干。

| **药材性状** | 本品多缠绕成团。茎细长，圆柱形，表面淡紫棕色，具明显的棱角或狭翅。叶枯绿色，互生，多卷缩，完整者展平后呈卵状三角形，先端渐尖，基部近平截，全缘，具短柄。花淡黄白色，钟状，先端5浅裂。质脆。气微香，味淡。

| **功能主治** | 甘、微辛，平。利尿消肿，舒筋活络。用于水肿，大便秘结；外用于久伤筋硬。

| **用法用量** | 内服煎汤，6 ~ 10 g。外用适量，煎汤洗。

| **凭证标本号** | 440403201121040LY、440404210514015LY、440402210515013LY。

牵牛

Pharbitis nil (L.) Choisy [*Ipomoea nil* (L.) Roth]

| 药 材 名 | 牵牛子（药用部位：种子。别名：二丑）。

| 形态特征 | 一年生缠绕草本。茎左旋，被倒向的短柔毛及倒向或开展的长硬毛。叶宽卵形或近圆形，互生，长 4 ~ 15 cm，宽 4.5 ~ 14 cm，3 ~ 5 裂，先端渐尖，基部心形。花序腋生，具 1 至少花；苞片线形或丝状，小苞片线形；萼片披针状线形，密被开展的刚毛；花冠蓝紫色或紫红色，花冠筒色淡，无毛；雄蕊及花柱内藏；子房 3 室。蒴果近球形；种子卵状三棱形，长约 6 mm，黑褐色或米黄色，被褐色短绒毛。花期 6 ~ 10 月，果期 7 ~ 10 月。

| 生境分布 | 生于海拔 100 ~ 1 600 m 的山坡灌丛、干燥河谷路边、园边宅旁、

山地路边。分布于广东乐昌、乳源、阳山、翁源、连平、南澳、博罗、高要、台山、阳春及清远（市区）、深圳（市区）、广州（市区）等。

| 资源情况 |　野生资源较丰富。药材来源于野生。

| 采收加工 |　秋季果实成熟未开裂时采割藤，晒干，种子自然脱落，除去果壳及杂质。

| 药材性状 |　本品似橘瓣状，具 3 棱，宽 3 ~ 5 mm。表面灰黑色或淡黄白色，背面有 1 浅纵沟，腹面棱线下端有 1 点状种脐，微凹。质硬，横切面可见淡黄色或黄绿色皱缩折叠的子叶，微显油性。水浸后种皮呈龟裂状，有明显的黏液。气微，味辛、苦，嚼之有麻舌感。

| 功能主治 |　苦、辛，寒；有小毒。利水通便，祛痰逐饮，消积杀虫。用于水肿，腹水，脚气，痰壅喘咳，大便秘结，食滞虫积，腰痛，阴囊肿胀，痈疽肿毒，痔漏等。

| 用法用量 |　内服煎汤，3 ~ 10 g；或入丸、散剂，每次 0.5 ~ 1 g，每日 2 ~ 3 次。

| 凭证标本号 |　441823200903001LY、440523190714027LY、441622200909066LY。

旋花科 Convolvulaceae 牵牛属 *Pharbitis*

圆叶牵牛
Pharbitis purpurea (L.) Voigt [*Ipomoea purpurea* (L.) Roth]

| 药 材 名 | 牵牛子（药用部位：种子。别名：二丑）。

| 形态特征 | 一年生缠绕草本。茎左旋，被倒向短柔毛，杂有倒向或开展的长硬毛。叶互生，圆心形或宽卵状心形，通常全缘，稀3裂，长4～18 cm，宽3.5 cm。花腋生，单一或2～5排列成聚伞花序；萼片卵状披针形；花冠漏斗状，紫红色、红色或白色，花冠筒通常白色；雄蕊与花柱内藏；雄蕊不等长，花丝基部被柔毛；子房无毛，3室，每室具2胚珠，柱头头状。蒴果近球形，3瓣裂；种子卵状三棱形，长约5 mm，黑褐色或米黄色，被极短的糠秕状毛。花期7～8月，果期9～10月。

| **生境分布** | 生于海拔 1 900 m 以下的田边、路边、宅旁或山谷林内。广东各地均有分布。 |

| **资源情况** | 野生资源较少。药材来源于野生。 |

| **采收加工** | 秋季果实成熟未开裂时采割藤，晒干，种子自然脱落，除去果壳及杂质。 |

| **药材性状** | 本品似橘瓣状，具 3 棱，宽 3 ～ 5 mm。表面灰黑色或淡黄白色，背面弓状隆起，两侧面稍平坦，略具皱纹，背面正中有 1 浅纵沟，腹面棱线下端为类圆形浅色种脐。质坚硬，横切面可见淡黄色或黄绿色皱缩折叠的子叶 2。水浸后种皮呈龟裂状，有明显的黏液。气微，味辛、苦，嚼之有麻舌感。 |

| **功能主治** | 辛、苦，寒；有毒。利水通便，祛痰逐饮，消积杀虫。用于水肿，腹水，脚气，痰壅咳喘，大便秘结，食滞虫积，腰痛，阴囊肿胀，痈疽肿毒，痔漏等。 |

| **用法用量** | 内服煎汤，3 ～ 10 g；或入丸、散剂，每次 0.3 ～ 1 g，每日 2 ～ 3 次。 |

| **凭证标本号** | 丘兴华 568（IBSC684222）、石国良 14480（IBSC535967）。 |

旋花科 Convolvulaceae 马尾藤属 *Porana*

飞蛾藤
Porana racemosa Wall. [*Dinetus racemosus* (Wall.) Buch.-Ham. ex Sweet]

| 药 材 名 | 打米花（药用部位：全株或根。别名：小元宝）。

| 形态特征 | 多年生攀缘灌木，长达 10 m，幼时多少被黄色硬毛，后具小瘤或无毛。茎缠绕，草质，圆柱形。单叶互生；叶片卵形，两面疏被紧贴的柔毛；掌状脉基生。圆锥花序腋生；萼片 5，线状披针形，果时增大；花冠漏斗形，白色，花冠筒带黄色，5 裂至中部；雄蕊 5，内藏，花丝短于花药；子房无毛，花柱 1，柱头棒状，2 裂。蒴果卵形，具小短尖头，无毛；种子 1，卵形，暗褐色或黑色，平滑。花期 9 月。

| 生境分布 | 生于海拔 850 ～ 1 900 m 的灌丛中。分布于广东翁源、乳源、乐昌、阳山、连山、连州等。

资源情况	野生资源较少。药材来源于野生。

采收加工	夏、秋季采收，除去杂质，切碎，洗净，鲜用或晒干。

药材性状	本品多缠绕成团。茎细长，圆柱形，黄绿色，被疏柔毛；质脆，易碎。叶枯绿色，互生，多皱缩，完整者展平后呈卵形或宽卵形，长 3 ~ 9 cm，先端渐尖，基部心形，全缘，两面被柔毛；质脆，易碎。有时可见圆锥花序；花条状，淡黄白色，湿润展开后呈漏斗状，先端 5 裂，裂片椭圆形。气微，味淡。

功能主治	辛，温。解表，行气，活血，解毒。用于风寒感冒，食滞腹胀，无名肿毒。

用法用量	内服煎汤，9 ~ 15 g。外用适量，捣敷。

凭证标本号	高锡朋 53400（IBSC57852）、石国良 15103（536383）。

旋花科 Convolvulaceae 马尾藤属 *Porana*

大果飞蛾藤

Porana sinensis Hemsl. [*Tridynamia sinensis* (Hemsl.) Staples]

| 药 材 名 | 大果飞蛾藤（药用部位：茎。别名：异萼飞蛾藤）。

| 形态特征 | 木质藤本。叶对生，宽卵形，纸质，掌状基出脉5。花淡蓝色或紫色，2～3花沿花序轴簇生，组成腋生单一的总状花序；无苞片；花梗密被污黄色绒毛；花冠宽漏斗形，冠檐浅裂，外面被短柔毛；雄蕊近等长，无毛，较花冠短；子房中部以上疏被长柔毛，1室，4胚珠，花柱下半部疏被柔毛，柱头2浅裂。蒴果球形，成熟时2外萼片极增大成长圆形；种子1，黄褐色，压扁，近圆形。

| 生境分布 | 生于海拔1 160～1 900 m的石灰岩地区。分布于广东阳春、英德、乳源、乐昌、始兴、阳山等。

| **资源情况** | 野生资源一般。药材来源于野生。

| **采收加工** | 夏、秋季采收，除去杂质，切碎，洗净，鲜用或晒干。

| **功能主治** | 舒筋活络，消肿，止痛。

| **凭证标本号** | 441623180810002LY。

旋花科 Convolvulaceae 茑萝属 Quamoclit

茑萝松

Quamoclit pennata (Desr.) Boj. [*Ipomoea quamoclit* L.]

| 药 材 名 | 茑萝松（药用部位：全草或根。别名：锦屏封）。

| 形态特征 | 一年生柔弱缠绕草本，长达 4 m，全体无毛。叶互生，卵形或长圆形，长 2 ~ 10 cm，宽 1 ~ 6 cm，羽状深裂至中脉，具 10 ~ 18 对线形细裂片；叶柄基部具 1 对小型羽裂叶。少数花组成聚伞花序；萼片绿色，椭圆形，先端钝，具小凸尖，无毛；花冠深红色，高脚碟状；雄蕊及柱头伸出。蒴果卵形；种子 4，卵状长圆形，长 5 ~ 6 mm，黑褐色。花期 7 ~ 9 月，果熟期 9 ~ 11 月。

| 生境分布 | 生于湿润、肥沃的砂壤土中。广东各地均有分布。

| 资源情况 | 栽培资源丰富。药材来源于栽培。

| 采收加工 | 夏、秋季采收，晒干或鲜用。

| 药材性状 | 本品多缠绕成团。茎纤细，黄绿色，光滑无毛。叶枯绿色，互生，多皱缩，完整者展平后长 3 ~ 6 cm，羽状分裂，裂片条状，有的基部再 2 裂；质脆，易碎。有的可见聚伞花序；花条形，湿润展开后花冠筒较长，外表面淡红色，先端膨大，5 浅裂，呈五角星状，深红色。气微，味淡。

| 功能主治 | 甘，寒。清热解毒，凉血止血。用于耳疔，痔漏，蛇咬伤。

| 用法用量 | 内服煎汤，6 ~ 9 g。外用适量，鲜品捣敷；或煎汤洗。

| 凭证标本号 | 440783201004008LY。

毛麝香 *Adenosma glutinosum* (L.) Druce

| 药 材 名 |

毛麝香（药用部位：全草。别名：五凉草、辣蓟、辣鸡）。

| 形态特征 |

直立草本。密被多细胞长柔毛和腺毛。茎圆柱形，上部四方形，中空。叶对生，披针状卵形至宽卵形，长 2 ~ 10 cm，宽 1 ~ 5 cm，边缘具不整齐的齿，下面有稠密的黄色腺点。花单生于叶腋或在茎、枝先端聚集成较密的总状花序；花冠紫红色或蓝紫色，二唇形，下唇 3 裂，裂片全缘或微凹。蒴果卵形，先端具喙。花果期 7 ~ 10 月。

| 生境分布 |

生于山野草丛中。分布于广东从化、翁源、新丰、乐昌、宝安、台山、徐闻、信宜、怀集、封开、高要、博罗、大埔、海丰、紫金、和平、阳春、连山、英德、新兴及珠海（市区）、东莞等。

| 资源情况 |

野生资源较丰富。药材来源于野生。

| 采收加工 | 夏、秋季采收，切段，晒干，鲜用。

| 药材性状 | 本品长 20 ~ 30 cm。根残存。茎直径 2 ~ 4 mm，有分枝，外表黑褐色，有浅纵纹，被疏长毛；质坚，易折断，中空，稍呈纤维性。叶极皱缩，上面黑褐色，下面浅棕褐色，被柔毛，密具下凹的腺点。

| 功能主治 | 辛，温。归肝、脾经。祛风除湿，行气止痛，活血消肿。用于小儿麻痹症初期，腹痛，风湿骨痛；外用于跌打损伤，肿痛，痈疖肿毒，黄蜂螫伤，湿疹，荨麻疹。

| 用法用量 | 内服煎汤，10 ~ 15 g。

| 凭证标本号 | 440785181001051LY、441523190615001LY、441825190712020LY。

玄参科 Scrophulariaceae 毛麝香属 Adenosma

球花毛麝香 *Adenosma indianum* (Lour.) Merr.

| 药 材 名 |

大头陈（药用部位：全草。别名：千捶草、乌头风、土夏枯草）。

| 形态特征 |

一年生草本。密被白色多细胞长毛。茎直立。叶对生，卵形至长椭圆形，长 15 ～ 45 mm，宽 5 ～ 12 mm，具钝头，边缘具锯齿，下面密被腺点。花无梗，密集成顶生的头状或圆柱状的穗状花序；花冠淡蓝紫色至深蓝色，喉部有柔毛。蒴果长卵珠形，有 2 纵沟；种子多数，黄色，有网纹。花果期 9 ～ 11 月。

| 生境分布 |

生于海拔 200 ～ 600 m 的山坡、旷野、草丛中。分布于广东翁源、乐昌、大埔、阳春及广州（市区）等。

| 资源情况 |

野生资源较少。药材来源于野生。

| 采收加工 |

10 月开花时采收，切段，晒干或鲜用。

| **药材性状** | 本品根呈须状，地上部分被毛。茎类方柱形，有分枝，长 15 ～ 60 cm，直径 0.1 ～ 0.3 cm；表面棕褐色或黑褐色，具细纵纹，节稍膨大；质稍韧，断面黄白色，中空。叶对生，有柄，完整叶片展平后呈卵形或长卵形，叶缘具圆齿。穗状花序呈球状或长圆状。

| **功能主治** | 辛、微苦，微温。疏风解表，化痰消积。用于感冒，发热头痛，消化不良，肠炎，腹痛。

| **用法用量** | 内服煎汤，15 ～ 30 g。

| **凭证标本号** | 441825190927006LY、440783191006029LY。

玄参科 Scrophulariaceae 金鱼草属 Antirrhinum

金鱼草

Antirrhinum majus L.

药 材 名	金鱼草（药用部位：全草。别名：香彩雀、龙头菜、洋彩雀）。
形态特征	多年生直立草本。高可达 80 cm。茎基部无毛，中上部被腺毛，基部有时分枝。下部的叶对生，上部的叶常互生，具短柄，叶片无毛，披针形至矩圆状披针形，长 2 ~ 6 cm，全缘。总状花序顶生，密被腺毛；花萼与花梗近等长，5 深裂，裂片卵形；花冠基部在前面下延成兜状；雄蕊 4，二强。蒴果卵形，被腺毛，先端孔裂。
生境分布	栽培于庭院。广东各地均有栽培。
资源情况	栽培资源一般。药材来源于栽培。
采收加工	夏、秋季采收，切段，晒干或鲜用。

| **功能主治** | 苦，凉。清热解毒，活血消肿。用于跌打扭伤，疮疡肿毒。

| **用法用量** | 内服煎汤，15 ~ 30 g。

| **凭证标本号** | 曾春晓 20030214（SZG00022663）。

玄参科 Scrophulariaceae 假马齿苋属 Bacopa

假马齿苋 *Bacopa monnieri* (L.) Wettst.

| 药 材 名 | 白花猪母菜（药用部位：全草。别名：蛇鳞菜、白线草）。

| 形态特征 | 匍匐草本。节上生根，无毛。叶无柄，矩圆状倒披针形，先端圆钝，极少有齿。花单生于叶腋；花萼下有 1 对条形小苞片；萼片极不等大；花冠蓝色，紫色或白色，不明显二唇形，上唇 2 裂；雄蕊 4；柱头头状。蒴果长卵状，先端急尖，包于宿存的花萼内，4 裂；种子椭圆状，一端平截，黄棕色，表面具纵条棱。花期 5 ~ 10 月。

| 生境分布 | 生于水边、湿地及沙滩。分布于广东徐闻、海丰及广州（市区）、汕头（市区）、阳江（市区）等。

| 资源情况 | 野生资源较少。药材来源于野生。

| 采收加工 | 夏、秋季采收，切段，晒干。

| 功能主治 | 微甘、淡，寒。清热凉血，解毒消肿。用于痢疾，目赤肿痛，丹毒，痔疮肿痛；外用于象皮肿。

| 用法用量 | 内服煎汤，15 ~ 30 g。

| 凭证标本号 | 445222190903017LY、440882180602085LY。

来江藤 *Brandisia hancei* Hook. f.

| 药 材 名 | 蜜桶花（药用部位：全株。别名：猫花、蜂糖花、蜂糖罐）。

| 形态特征 | 灌木。全体密被锈黄色的星状绒毛，枝及叶上面逐渐变无毛。叶片卵状披针形，先端具锐尖头，基部近心形，全缘；叶柄短，有锈色绒毛。花单生于叶腋；花梗中上部有 1 对披针形小苞片，均有毛；花萼宽钟形，外面密生锈黄色的星状绒毛，内面密生绢毛，具 10 脉；花冠橙红色。蒴果卵圆形，具星状毛。花期 11 月至翌年 2 月，果期 3 ~ 4 月。

| 生境分布 | 生于海拔 500 ~ 1 900 m 的林中及林缘。分布于广东阳春。

| 资源情况 | 野生资源稀少。药材来源于野生。

| **采收加工** | 全年均可采收，切段，晒干或鲜用。

| **功能主治** | 微苦，凉。祛风利湿，清热解毒。用于骨髓炎，骨膜炎，黄疸性肝炎，跌打损伤，风湿筋骨痛；外用于疮疖。

| **用法用量** | 内服煎汤，10 ~ 20 g。

| **凭证标本号** | 麦鹤云 21132（PEYPEY0058843）。

玄参科 Scrophulariaceae 黑草属 Brandisia

黑草
Buchnera cruciata Hamilt.

药材名

鬼羽箭（药用部位：全草。别名：羽箭草、黑骨草、克草）。

形态特征

直立草本。全体被弯曲短毛。基生叶排成莲座状，倒卵形，基部渐狭；茎生叶条形或条状矩圆形。穗状花序圆柱状而略呈四棱形，着生于茎或分枝的先端；花萼管状钟形，主脉不明显；花冠蓝紫色，高脚碟状，筒部伸直，多少具棱，整个筒部的内面及伸出花萼外的部分均被柔毛，外面无毛。蒴果。花果期 4 月至翌年 1 月。

生境分布

生于旷野、山坡及疏林中。分布于广东南雄、博罗及云浮（市区）、广州（市区）等。

资源情况

野生资源稀少。药材来源于野生。

采收加工

秋季采收，去净杂质，晒至半干，用麻布包覆盖，焖两天后，晒干。

| **药材性状** | 本品呈黑色或黑褐色，稍被白毛。茎中空。根生叶卵形或倒卵形；茎生叶线形。先端多具花序或果序。

| **功能主治** | 淡、微苦，凉。清热解毒，凉血止血。用于流行性感冒，中暑腹痛，蛛网膜下腔出血，荨麻疹。

| **用法用量** | 内服煎汤，9 ~ 15 g。

| **凭证标本号** | 陈少卿 6772（IBSC0555639）、邓良 6147（IBSC0555644）、梁向日 61324（IBSC0555645）。

玄参科 Scrophulariaceae 胡麻草属 Centranthera

胡麻草

Centranthera cochinchinensis (Lour.) Merr.

| **药 材 名** | 胡麻草（药用部位：全草。别名：皮虎怀、蓝胡麻草、兰胡麻草）。 |

| **形态特征** | 直立草本。茎粗壮，全体密被硬毛，自中、上部分枝，分枝伸直。叶狭，宽不超过 6 mm，下面只有一凸起的中脉，全缘。花具极短的梗，单生于上部苞腋；花冠长 15 ~ 40 mm，通常呈黄色，裂片均为宽椭圆形；花丝均被绵毛；子房无毛，柱头条状椭圆形，被柔毛。蒴果卵形，顶部具短尖头；种子小，黄色，具螺旋状条纹。花果期 6 ~ 10 月。 |

| **生境分布** | 生于海拔 500 ~ 1 400 m 的路旁草地的干燥或湿润处。分布于广东翁源、乳源、新丰、德庆、英德、新兴及广州（市区）等。 |

| **资源情况** | 野生资源较少。药材来源于野生。 |

| **采收加工** | 夏、秋季采收，鲜用或晒干。 |

| **药材性状** | 本品被刚毛。须根锈黄色。茎刚硬，分枝。叶对生，无柄，长圆形或条形，全缘。花腋生；花萼佛焰苞状；苞片叶状；花冠管状，棕黄色。 |

| **功能主治** | 酸、微辛，温。散瘀止血，消肿止痛。用于咯血，吐血，跌打损伤，瘀血，风湿性关节炎。 |

| **用法用量** | 内服煎汤，15 ~ 30 g。 |

| **凭证标本号** | 陈焕镛 10940（PE01373469）、陈少卿 2154（PE01373433）、邓良 7941（IBSC0555757）。 |

玄参科 Scrophulariaceae 石龙尾属 Limnophila

紫苏草

Limnophila aromatica (Lam.) Merr.

| 药 材 名 | 水芙蓉（药用部位：全草。别名：水薄荷、软骨倒水莲、水管筒）。

| 形态特征 | 一年生或多年生草本。叶全部为气生叶，具羽状脉，或仅主脉明显。花具梗，排列成顶生或腋生的总状花序，或单生于叶腋；花梗长 5 ~ 20 mm，无毛或被腺毛；小苞片条形至条状披针形；花萼在果实成熟时具多数凸起的条纹；花冠白色、蓝紫色或粉红色。蒴果卵珠形，果实成熟时果柄不反折。花果期 3 ~ 9 月。

| 生境分布 | 生于旷野、塘边水湿处。分布于广东台山、博罗及广州（市区）等。

| 资源情况 | 野生资源较少。药材来源于野生。

| 采收加工 | 全年均可采收，鲜用或晒干。

| **功能主治** | 辛，凉。清肺止咳，消肿解毒。用于感冒咳嗽，百日咳，毒蛇咬伤，疮痈肿毒，疥癣，皮肤瘙痒。 |

| **用法用量** | 内服煎汤，9 ~ 15 g。 |

| **凭证标本号** | 441224181011025LY、440224181202011LY。 |

玄参科 Scrophulariaceae 石龙尾属 Limnophila

中华石龙尾 *Limnophila chinensis* (Osb.) Merr.

药 材 名	中华石龙尾（药用部位：全草。别名：蛤蟆草、华石龙尾、过塘草）。
形态特征	草本。叶全部为气生叶，脉羽状，不明显。花单生于叶腋或排列成顶生的圆锥花序；花梗被多细胞长柔毛；花萼在果实成熟时具多数凸起的条纹；花冠紫红色、蓝色，稀白色。蒴果宽椭圆形，果实成熟时果柄不反折。花果期 10 月至翌年 5 月。
生境分布	生于水旁或田边湿地。分布于广东徐闻、德庆、阳春及珠海（市区）等。
资源情况	野生资源较少。药材来源于野生。
采收加工	夏、秋季采收，切段，晒干或鲜用。

| **功能主治** | 苦，凉。清热利尿，凉血解毒。用于水肿，结膜炎，风疹，天疱疮，毒蛇咬伤、蜈蚣蜇伤。 |

| **用法用量** | 内服煎汤，5 ～ 10 g。 |

| **凭证标本号** | 441721210121004LY、440703201120021LY、445221211002023LY。 |

玄参科 Scrophulariaceae 石龙尾属 Limnophila

抱茎石龙尾

Limnophila connata (Buch.-Ham. ex D. Don) Hand.-Mazz.

| **药 材 名** | 抱茎石龙尾（药用部位：全草）。

| **形态特征** | 陆生草本。叶全部为气生叶，无柄，对生，叶脉 3 ~ 7，并行。花无梗或几无梗，在茎或分枝的先端排列成疏的穗状花序；小苞片 2，条形，基部与萼筒合生；花萼筒状，在果实成熟时不具凸起的条纹；花冠蓝色至紫色。蒴果近球形，具 2 凸起的棱，自顶部开裂。花果期 9 ~ 11 月。

| **生境分布** | 生于溪旁、草地、水湿处。分布于广东翁源、乳源、英德等。

| **资源情况** | 野生资源较少。药材来源于野生。

曾佑派提供

| **功能主治** | 清热解毒，利湿消肿。

| **凭证标本号** | 440224181202024LY。

玄参科 Scrophulariaceae 石龙尾属 Limnophila

大叶石龙尾 Limnophila rugosa (Roth) Merr.

| 药 材 名 | 水茴香（药用部位：全草。别名：田根草、水薄荷、水八角）。

| 形态特征 | 多年生草本。叶全部为气生叶，对生，脉羽状，每侧约具 10 脉，直达边缘，在叶的下面的脉隆起。花无梗，无小苞片，花通常聚集成头状；总花梗长 2 ~ 30 mm；花萼长 6 ~ 8 mm，在果实成熟时不具凸起的条纹或仅具 5 凸起的纵脉；花冠紫红色或蓝色。蒴果卵珠形，长约 5 mm，浅褐色。花果期 8 ~ 11 月。

| 生境分布 | 生于水旁、山谷、草地。分布于广东翁源、大埔及云浮（市区）、广州（市区）等。

| 资源情况 | 野生资源较少。药材来源于野生。

采收加工	夏、秋季采收，鲜用或晒干。
药材性状	本品茎黄棕色，略呈四方形，节膨大；质脆，易折断，断面中央有髓。叶多脱落或皱缩卷曲，灰棕色，揉之有香气。
功能主治	辛、甘，温。归肺、脾、胃经。健脾利湿，理气化痰。
用法用量	内服煎汤，10 ~ 15 g。
凭证标本号	441324180804011LY、441224181011011LY。

玄参科 Scrophulariaceae 石龙尾属 Limnophila

石龙尾 *Limnophila sessiliflora* (Vahl) Blume

| 药 材 名 | 虱婆草（药用部位：全草）。

| 形态特征 | 多年生两栖草本。茎被多细胞短柔毛。气生叶全部轮生，开裂的叶占多数，脉 1 ～ 3。花无梗，稀具长达 1.5 mm 的梗，单生于茎的叶腋；无小苞片，稀有 1 对长不超过 1.5 mm 的鳞片状小苞片；花冠紫蓝色或粉红色。蒴果近球形，两侧扁。花果期 7 月至翌年 1 月。

| 生境分布 | 生于水塘、沼泽、水田或路旁、沟边湿处。分布于广东翁源、乳源、新丰、阳春、英德及广州（市区）等。

| 资源情况 | 野生资源较少。药材来源于野生。

| 采收加工 | 春、夏季采收，晒干或鲜用。

| 功能主治 | 苦，寒。消肿解毒，杀虫灭虱。用于烫火伤，疮疖肿毒，头虱病。

| 用法用量 | 内服煎汤，6 ~ 9 g。

| 凭证标本号 | 440825150131011LY、440402191008034LY。

玄参科 Scrophulariaceae 钟萼草属 Lindenbergia

钟萼草

Lindenbergia philippensis (Cham.) Benth.

| 药 材 名 | 茸草（药用部位：叶。别名：菱登草）。

| 形态特征 | 多年生草本。叶片卵形至卵状披针形，纸质，先端急尖或渐尖，基部狭楔形，边缘具尖锯齿。花近无梗，集成顶生的稠密穗状花序或总状花序，仅基部间断；苞片狭披针形，较花萼稍短；花萼具 5 主脉，脉明显；花冠黄色，外面带紫斑；子房先端及花柱基部被毛。蒴果长卵形，密被棕色硬毛。花果期 11 月至翌年 3 月。

| 生境分布 | 生于海拔 1 200 ～ 1 900 m 的干山坡、岩缝及墙缝中。分布于广东封开及云浮（市区）、广州（市区）等。

| 资源情况 | 野生资源较少。药材来源于野生。

| **采收加工** | 春、夏、秋季采收，晒干。

| **功能主治** | 苦，平。祛风除湿，解毒敛疮。用于风湿痹痛，咽喉肿痛，骨髓炎，湿疮，疔疮肿毒，顽癣。

| **用法用量** | 外用适量。

| **凭证标本号** | 441882190324013LY、441225180315001LY、440224190315035LY。

玄参科 Scrophulariaceae 母草属 Lindernia

长蒴母草

Lindernia anagallis (Burm. f.) Pennell

| 药 材 名 | 鸭嘴癀（药用部位：全草。别名：水辣椒、长果母草）。

| 形态特征 | 一年生草本。根须状。茎无毛。叶对生，仅下部叶有短柄，叶片阔卵形至长卵形，基部截形或近心形，边缘有不明显的浅圆齿，两面无毛。花单生于叶腋；花萼仅基部联合；花冠白色或淡紫色，二唇形；雄蕊 4，能育，前面 2 雄蕊的花丝在颈部有短棒状附属物；柱头 2 裂。蒴果条状披针形，长约为花萼的 3 倍；种子有疣状突起。花果期 4 ～ 11 月。

| 生境分布 | 生于海拔 1500 m 以下的林边、溪旁及田野的较湿润处。广东各地均有分布。

| **资源情况** | 野生资源丰富。药材来源于野生。 |

| **采收加工** | 夏、秋季采收，鲜用或切段晒干。 |

| **药材性状** | 本品多皱缩。根须状。茎方形，有棱。叶质脆，易破碎，完整叶片展平后呈三角状卵形，边缘有不明显浅圆齿，叶基部楔形或截形。花单生于叶腋，二唇形；花萼仅基部联合。果实条状披针形。种子细小，卵圆形，浅褐色，有疣状突起。 |

| **功能主治** | 甘、微苦，凉。清热解毒，活血消肿，利尿。用于风热咳嗽，扁桃体炎，肠炎，月经不调，痈疽，毒蛇咬伤，跌打损伤，伤暑，小便不利等。 |

| **用法用量** | 内服煎汤，10 ~ 15 g，鲜品 30 ~ 60 g。外用适量，鲜品捣敷；或捣汁涂。 |

| **凭证标本号** | 441523190404011LY、440781190320022LY、445224190511107LY。 |

玄参科 Scrophulariaceae 母草属 Lindernia

狭叶母草

Lindernia angustifolia (Benth.) Wettst.[*Lindernia micrantha* D. Don]

| 药 材 名 | 羊角草（药用部位：全草。别名：陌上番椒）。

| 形态特征 | 一年生草本。根须状而多；茎枝有条纹而无毛。叶几无柄；叶片条状披针形至披针形或条形，长 1 ~ 4 cm，宽 2 ~ 8 mm，基部楔形，形成极短的狭翅，两面无毛。花单生于叶腋；萼齿 5，仅基部联合；花冠二唇形；雄蕊 4，能育，前面 2 花丝的附属物丝状。蒴果条形，长约为宿萼的 3 倍；种子有蜂窝状孔纹。花期 5 ~ 10 月，果期 7 ~ 11 月。

| 生境分布 | 生于海拔 1 500 m 以下的水田、河流旁的低湿处。分布于广东博罗、惠东、阳山、英德、海丰、陆丰、翁源、乐昌、南雄、乳源、始兴、

封开、怀集、阳春、郁南及潮州（市区）、东莞、深圳（市区）等。

| 资源情况 | 野生资源较丰富。药材来源于野生。

| 采收加工 | 夏、秋季采收，鲜用或切段后晒干。

| 药材性状 | 本品茎方形，有条纹而无毛。叶片多皱缩，黄绿色，叶片展平后呈条状披针形，全缘或有细圆齿，基部楔形，成极短的狭翅。花单生于叶腋；花冠二唇形；花萼仅基部联合，宿存。果实条形。种子多数，细小，矩圆形，浅褐色。

| 功能主治 | 辛、苦，平。清热利湿，解毒凉血，消肿。用于湿热黄疸，泄泻，痢疾，咽喉肿痛，跌打损伤，痈疽肿毒。

| 用法用量 | 内服煎汤，15 ～ 30 g；或研末。外用适量，鲜品捣敷。

| 凭证标本号 | 深圳考察队 003274（SZG00046284）。

玄参科 Scrophulariaceae 母草属 Lindernia

泥花草
Lindernia antipoda (L.) Alston

| 药 材 名 | 水虾子草（药用部位：全草。别名：鸭腳草）。

| 形态特征 | 一年生草本。根须状，成丛。枝基部匍匐，无毛。叶片长圆形、狭椭圆形或线状倒披针形，具细锯齿或近全缘。多花排成顶生总状花序；花萼仅基部联合；花冠二唇形，紫色、紫白色或白色；仅后方1对雄蕊能育，前方1对雄蕊退化，不裂。蒴果柱形，长约为宿萼的2倍；种子呈不规则的三棱状卵形，有网状孔纹。花果期春季至秋季。

| 生境分布 | 生于田边湿地、田中和草地。广东各地均有分布。

| 资源情况 | 野生资源丰富。药材来源于野生。

| 采收加工 | 夏、秋季采收，鲜用或切段晒干。

| 药材性状 | 本品茎有纵纹，断面实心。叶对生，展平后呈长圆形、狭椭圆形或线状倒针形，先端圆或急尖，基部楔形，下延成柄，具细锯齿或近全缘，两面无毛。花略呈二唇形。蒴果柱形，长约 2 mm，先端渐尖。气微，味淡。

| 功能主治 | 甘、微苦，寒。清热解毒，利尿通淋，活血消肿。用于肺热咳嗽，咽喉肿痛，泄泻，热淋，目赤肿痛，痈疽疔毒，跌打损伤，毒蛇咬伤。

| 用法用量 | 内服煎汤，10 ～ 15 g，鲜品 30 ～ 60 g；或捣汁；或浸酒。外用适量，鲜品捣敷。

| 凭证标本号 | 440781190709008LY、441825190801023LY。

玄参科 Scrophulariaceae 母草属 Lindernia

刺齿泥花草

Lindernia ciliata (Colsm.) Pennell

| 药 材 名 | 锯齿草（药用部位：全草。别名：地下茶）。

| 形态特征 | 一年生草本。直立或铺散，全体无毛。叶无柄或几无柄，有时基部下延成柄而抱茎；叶片矩圆形至披针状矩圆形，边缘具芒状锯齿，两面均近无毛。花排成顶生总状花序；花萼仅基部联合；花冠二唇形，浅紫色或白色；后方 2 雄蕊能育，前方 2 雄蕊退化。蒴果柱形，先端有短尖头，长约为宿萼的 3 倍；种子为不整齐的三棱形。花果期夏季至冬季。

| 生境分布 | 生于海拔 1 300 m 左右的稻田、草地、荒地和路旁的低湿处。分布于广东增城、连平、博罗、佛冈、英德、南雄、仁化、翁源、徐闻、

封开及东莞、茂名（市区）、深圳（市区）、阳江（市区）等。

| 资源情况 | 野生资源丰富。药材来源于野生。

| 采收加工 | 夏、秋季采收，鲜用或切段后晒干。

| 药材性状 | 本品茎呈圆柱形，长 5 ~ 10 cm；表面浅绿色，有明显的纵条纹；质韧，不易折断。叶对生，皱缩，浅绿色，展平后呈矩圆形，长 1 ~ 2 cm，宽 0.3 ~ 0.8 cm，先端钝或短尖，边缘有密的锐锯齿，无柄。花皱缩，对生，具短柄；总状花序顶生。蒴果小，扁椭圆形。味淡。

| 功能主治 | 淡，平。清热解毒，祛瘀消肿。用于毒蛇咬伤，疮疖肿毒，跌打损伤，产后腹痛。

| 用法用量 | 内服煎汤，30 ~ 60 g；或鲜品捣汁。外用适量，鲜品捣敷。

| 凭证标本号 | 440781190712007LY、445224190725001LY、441827180812008LY。

玄参科 Scrophulariaceae 母草属 Lindernia

母草

Lindernia crustacea (L.) F. Muell

| 药 材 名 | 母草（药用部位：全草。别名：四方拳草、蛇通管）。

| 形态特征 | 草本。根须状，常铺散成密丛，无毛。叶片三角状卵形或宽卵形。花单生于叶腋或在枝顶形成极短的总状花序；花梗细弱，长5～22 mm，有沟纹，近无毛；花萼浅裂至中裂，齿三角状卵形；花冠二唇形，紫色，长5～8 mm；雄蕊二强，能育。蒴果椭圆形，与宿萼近等长；种子近球形，有明显的蜂窝状瘤突。花果期全年。

| 生境分布 | 生于田边、旱田、草地或疏林下阴湿处。广东各地均有分布。

| 资源情况 | 野生资源丰富。药材来源于野生。

| 采收加工 | 夏、秋季采收，鲜用或晒干。

| **药材性状** | 本品无毛或嫩枝被毛。茎四棱形，断面中空。叶对生，具短柄，叶片展平后呈阔卵形或三角卵形，先端钝或短尖，基部宽楔形或圆形，边缘有浅齿。花淡紫色或浅蓝色，二唇形。蒴果椭圆形或倒卵形。气微，味淡。 |

| **功能主治** | 微苦、淡，凉。清热利湿，活血止痛。用于风热感冒，湿热泻痢，肾炎性水肿，带下，月经不调，疔疮肿毒，毒蛇咬伤，跌打损伤。 |

| **用法用量** | 内服煎汤，10 ~ 15 g，鲜品 30 ~ 60 g；或研末；或浸酒。外用适量，鲜品捣敷。 |

| **凭证标本号** | 440781190319015LY、441825190807032LY、445224190330106LY。 |

玄参科 Scrophulariaceae 母草属 Lindernia

红骨草

Lindernia mollis (Bentham) Wettstein

| **药 材 名** | 狗毛草（药用部位：全草。别名：粘毛母草）。

| **形态特征** | 一年生匍匐草本。除花冠外全体均被白色的闪光细刺毛。根须状。茎多少弯曲。叶片边缘有不规则锯齿或浅圆齿。数花排成顶生的短总状花序或花单生于叶腋，有时仅有腋生花；花萼仅基部联合；花冠二唇形，紫色或黄白色；雄蕊4，能育，前方1对雄蕊花丝基部具齿状附属物。蒴果长卵圆形，比宿萼短；种子有格状瘤点。花果期7～11月。

| **生境分布** | 生于海拔900～1400 m的田野、山坡阳处、山谷灌丛、林边、水边。分布于广东从化、连平、龙门、恩平、高州、化州、信宜、平远、

连南、连州、始兴、新丰、阳春、罗定、新兴、怀集及深圳（市区）等。

| 资源情况 |　野生资源较丰富。药材来源于野生。

| 采收加工 |　春、夏季采收，鲜用或晒干。

| 功能主治 |　苦，寒。清热解毒，活血消肿。用于乳痈，疮肿，跌打损伤。

| 用法用量 |　内服煎汤，10 ～ 15 g。外用适量，鲜品捣敷。

| 凭证标本号 |　440781190319008LY、441825190804027LY、440783200328010LY。

玄参科 Scrophulariaceae 母草属 Lindernia

棱萼母草

Lindernia oblonga (Benth.) Merr. et Chun

| 药材名 | 公母草（药用部位：全草）。

| 形态特征 | 一年生草本。高可达 18 cm。茎枝多少呈四角形，无毛或近无毛。叶无柄或具短柄；叶片菱状卵形至菱状披针形，两面无毛。花组成稀疏的长总状花序；苞片披针形；花萼狭钟状，仅有 1/4 开裂，裂片三角状卵形，有明显的中肋；花冠二唇形，紫色或蓝紫色；雄蕊 4，能育；柱头宽片状。蒴果椭圆形，比宿萼短；种子多数。花期 5 ～ 7月，果期 8 ～ 10 月。

| 生境分布 | 生于海边沙地或田中。分布于广东惠东、陆丰、始兴、廉江及深圳（市区）、广州（市区）等。

| **资源情况** | 野生资源一般。药材来源于野生。

| **采收加工** | 春、夏季采收，鲜用或晒干。

| **药材性状** | 本品多皱缩。茎类圆形，有 4 棱角，表面具纵皱纹；质脆，断面中空。叶多卷曲破碎，完整叶片展开后呈长圆形至卵状长圆形，长 1 ~ 3 cm，宽 0.6 ~ 1.8 cm，先端急尖，基部宽楔形，叶缘具细锯齿，灰绿色，无毛或被疏毛。气微，味甘。

| **功能主治** | 苦、涩，平。清热利湿，解毒消肿。用于痢疾，腹泻，乳痈，肠痈，疮疖肿毒。

| **用法用量** | 内服煎汤，10 ~ 15 g，鲜品 30 ~ 60 g。外用适量，鲜品捣敷。

| **凭证标本号** | 441523190918061LY。

曾佑派提供

玄参科 Scrophulariaceae 母草属 Lindernia

陌上菜 *Lindernia procumbens* (Krock.) Borbas

药 材 名	白猪母菜（药用部位：全草。别名：三脉母草）。
形态特征	直立草本。根细密，成丛。茎基部多分枝，无毛。叶无柄；叶片椭圆形至矩圆形，多少带菱形，全缘或有不明显的钝齿，叶脉并行，自叶基发出 3 ~ 5 脉。花单生于叶腋；花萼仅基部联合；花冠粉红色或紫色，二唇形；雄蕊 4，能育，前方 2 雄蕊的附属物呈腺体状而短小。蒴果球形或卵球形，与花萼近等长；种子多数，有格纹。花果期 7 ~ 11 月。
生境分布	生于田边、塘边和河边的阳处湿地。分布于广东紫金、五华、英德、始兴、新丰、德庆及潮州（市区）、东莞、广州（市区）、揭阳（市

区）、深圳（市区）、中山等。

| **资源情况** | 野生资源较丰富。药材来源于野生。

| **采收加工** | 夏、秋季采收，晒干。

| **药材性状** | 本品根须状。茎枝方形，具棱，无毛。叶皱缩卷曲，质脆，易破碎，完整叶片展开后呈矩圆形，先端钝，全缘或有不明显的钝齿。花单生于叶腋；花冠二唇形，喉部被短柔毛；花萼仅基部联合，宿存。果实卵球形。种子长椭圆形。

| **功能主治** | 淡、微甘，寒。清热解毒，凉血止血。用于湿热泻痢，目赤肿痛，尿血，痔疮肿痛。

| **用法用量** | 内服煎汤，10 ~ 15 g。外用适量，煎汤洗。

| **凭证标本号** | 440523190730008LY、441882180509028LY。

玄参科 Scrophulariaceae 母草属 Lindernia

旱田草

Lindernia ruellioides (Colsm.) Pennell

| **药 材 名** | 旱田草（药用部位：全草。别名：剪席草）。 |

| **形态特征** | 一年生草本。高 10 ~ 15 cm，主茎直立，近无毛。叶柄长 3 ~ 20 mm，基部多少抱茎；叶片矩圆形、椭圆形、卵状矩圆形或圆形，边缘除基部外密生整齐而急尖的细锯齿，但无芒刺。花组成顶生的总状花序；花萼仅基部联合；花冠紫红色，二唇形；前方 2 雄蕊不育，后方 2 雄蕊能育。蒴果圆柱形，长约为宿萼的 2 倍；种子椭圆形。花果期 6 ~ 11 月。 |

| **生境分布** | 生于田边、山地疏林或草丛中。广东各地均有分布。 |

| **资源情况** | 野生资源丰富。药材来源于野生。 |

| **采收加工** | 夏、秋季采收，鲜用或晒干。

| **药材性状** | 本品须根细长，黄白色。茎纤细，有细纵皱纹；质脆，易折断，断面中空。叶对生；叶柄长；叶片皱缩卷曲，边缘有细锯齿，两面均有粗短毛。总状花序顶生。蒴果圆柱形，长约为宿萼的2倍。味甘、淡。

| **功能主治** | 甘、淡，平。理气活血，解毒消肿。用于月经不调，痛经，闭经，乳痈，瘰疬，跌打损伤，蛇犬咬伤。

| **用法用量** | 内服煎汤，15～30 g；或炖服。外用适量，捣敷。

| **凭证标本号** | 441825190710001LY、441225180611007LY、440783200102031LY。

玄参科　Scrophulariaceae　通泉草属　Mazus

通泉草

Mazus japonicus (Thunb.) O. Kuntze [*Mazus pumilus* (N. L. Burm.) Steenis]

| 药 材 名 | 绿兰花（药用部位：全草。别名：猫脚迹、五星草）。

| 形态特征 | 一年生草本。高 3 ～ 30 cm。茎 1 ～ 5 或更多，直立，上升或倾卧状上升，通常着地部分节上能生出不定根。基生叶先端全缘或有不明显的疏齿，边缘具不规则的粗齿或基部 1 ～ 2 浅羽裂。总状花序生于茎、枝先端，花疏稀；花萼钟状，萼片与萼筒近等长；花冠二唇形；柱头 2 裂，片状，子房无毛。蒴果球形。花果期 4 ～ 10 月。

| 生境分布 | 生于海拔 1 900 m 以下的湿润的草坡、沟边、路旁及林缘。分布于广东翁源、乳源及广州（市区）、深圳（市区）等。

| 资源情况 | 野生资源较丰富。药材来源于野生。

| 采收加工 | 春、夏、秋季采收，洗净，鲜用或晒干。

| 功能主治 | 苦、甘，微寒。清热解毒，利湿通淋，健脾消积。用于热毒痈肿，脓疱疮，疔疮，烫火伤，尿路感染，腹水，黄疸性肝炎，消化不良，疳积。

| 用法用量 | 内服煎汤，9 ~ 15 g。

| 凭证标本号 | 440783200312013LY、440781190320020LY、441324181104043LY。

玄参科 Scrophulariaceae 通泉草属 Mazus

弹刀子菜 *Mazus stachydifolius* (Turcz.) Maxim.

| 药 材 名 | 弹刀子菜（药用部位：全草。别名：水苏叶通泉草、四叶细辛）。

| 形态特征 | 多年生草本。全体被多细胞白色长柔毛。根茎短。基生叶匙形，有短柄，常早枯；茎生叶对生，上部的叶常互生，无柄，长椭圆形至倒卵状披针形，纸质，茎中部的叶较大，边缘具不规则锯齿。总状花序顶生，花稀疏；苞片三角状卵形；花萼漏斗状；花冠蓝紫色，二唇形。蒴果扁卵球形。花期 4 ~ 6 月，果期 7 ~ 9 月。

| 生境分布 | 生于海拔 1 500 m 以下较湿润的路旁、草坡及林缘。分布于广东乳源。

| 资源情况 | 野生资源稀少。药材来源于野生。

| **采收加工** | 开花结果时采收，鲜用或晒干。 |

| **功能主治** | 微辛，凉。清热解毒，凉血散瘀。用于便秘下血，疮疖肿毒，毒蛇咬伤，跌打损伤。 |

| **用法用量** | 内服煎汤，15 ～ 30 g。 |

| **凭证标本号** | 陈少卿 213（IBSC0572836）。 |

玄参科 Scrophulariaceae 黑蒴属 Melasma

黑蒴 *Melasma arvense* (Benth.) Hand.-Mazz. [*Alectra arvensis* (Benth.) Merr.]

| 药 材 名 | 化血胆（药用部位：全草。别名：红根草）。

| 形态特征 | 一年生直立草本。主根较明显。茎上部有少数分枝，干时常呈黑色，被柔毛，高 10 ～ 50 cm。叶对生或上部叶互生，卵形或卵状披针形，边缘具疏锯齿，叶面粗糙，被短硬毛，脉上常有刺毛，近无柄。花单生于叶腋，组成总状花序；花萼钟状，外部被毛，顶部 5 浅裂；花冠阔钟状，黄色。蒴果圆球形，平滑无毛；种子多数，柱形。花果期 8 ～ 11 月。

| 生境分布 | 生于海拔 700 ～ 1 200 m 的山顶、山坡草地阳处或疏林中。分布于广东怀集及茂名（市区）等。广东茂名（市区）、惠州（市区）等

有栽培。

| **资源情况** | 野生资源较少。药材来源于野生和栽培。

| **采收加工** | 秋、冬季采收，鲜用或晒干。

| **功能主治** | 微苦，凉。归肝经。祛湿平肝，活血化瘀。用于黄疸性肝炎，跌打损伤，痛经等。

| **用法用量** | 内服煎汤，10 ~ 15 g。外用适量，鲜品捣敷。

| **凭证标本号** | 曾宪锋 11719（CZH0006956）。

玄参科 Scrophulariaceae 泡桐属 Paulownia

白花泡桐
Paulownia fortunei (Seem.) Hemsl.

药 材 名	桐皮（药用部位：根皮）、通心条（药用部位：根）、泡桐花（药用部位：花）、泡桐叶（药用部位：叶）、泡桐子（药用部位：果实、种子）。
形态特征	落叶乔木。高达 30 m，嫩枝密被星状茸毛。叶对生，有时 3 叶轮生，卵状心形，长 20 cm。聚伞花序具 3 ~ 8 花；花萼钟状，长达 2.5 cm，密被星状茸毛；花冠管状漏斗形，白色或浅紫色，内部有紫色斑点，裂片近圆形。蒴果木质，长圆形，两端尖，外被黄色的星状茸毛；种子多数，扁且具膜质翅，翅上密具辐射状线条。花期 3 ~ 5 月，果期 8 ~ 10 月。
生境分布	生于海拔 200 ~ 1 000 m 的山坡灌丛、疏林下及荒地。分布于广东

仁化、乳源、新丰、乐昌、怀集、封开、大埔、平远、蕉岭、和平、连山、英德及广州（市区）、汕头（市区）等。

| 资源情况 | 野生资源较丰富。药材来源于野生。

| 采收加工 | **通心条**：秋季采挖。
泡桐子：夏季采收。

| 药材性状 | **泡桐花**：本品多皱缩破碎，仅存花冠。花冠管状，长约 4 cm，棕色或暗棕色，上部膨大，色较浅，下部弯曲，色深而有皱纹；花萼钟形，革质，先端 5 裂，裂片三角形；花冠呈漏斗状，先端 5 裂；雄蕊 4，着生于花冠上，二强，花药呈"个"字形着生；子房上位，花柱细长。气微，味淡。以身干、花完整、无杂质者为佳。

| 功能主治 | **桐皮**：祛风除湿，消肿解毒。
通心条：祛风止痛，解毒活血。
泡桐花：清肺利咽，解毒消肿。
泡桐叶：清热解毒，止血消肿。用于疮痈肿毒，手痛脚痛。
泡桐子：化痰，止咳，平喘。

| 用法用量 | **桐皮、通心条**：内服煎汤，15 ~ 30 g。外用适量，鲜品捣敷。
泡桐花：内服煎汤，10 ~ 25 g。外用适量，鲜品捣敷。
泡桐叶：外用适量，捣敷或捣汁涂。
泡桐子：内服煎汤，15 ~ 30 g。

| 凭证标本号 | 440224180401014LY。

玄参科 Scrophulariaceae 泡桐属 Paulownia

台湾泡桐 Paulownia kawakamii Ito

| **药 材 名** | 台湾泡桐（药用部位：树皮、叶。别名：华东泡桐、水桐木、黄毛泡桐）。

| **形态特征** | 小乔木。高达 13 m。小枝深棕色，有明显皮孔。叶心形，被较粗的黏腺毛。花序呈圆锥花序状分枝，侧枝发达；小聚伞花序具极短花梗；花萼 5 深裂，外面密被茸毛，棕色，萼齿狭卵形；花冠近钟形，紫色，长 3 ~ 5 cm；花柱与雄蕊近等长。蒴果卵形，长 2.5 ~ 4 cm，宿萼反卷；种子多数，具膜质翅。花期 3 ~ 5 月，果期 4 ~ 9 月。

| **生境分布** | 生于海拔 200 ~ 1 000 m 的山坡灌丛、疏林及荒地。分布于广东从化、乐昌、龙门、平远、蕉岭、阳山、连山、连州。

| **资源情况** | 野生资源一般。药材来源于野生。 |

| **采收加工** | 全年均可采收，鲜用或晒干。 |

| **功能主治** | 苦、涩，寒。树皮，祛风解毒，接骨消肿。叶，解毒消肿，止血。 |

| **用法用量** | 内服煎汤，15 ~ 30 g。外用适量，鲜品捣敷。 |

| **凭证标本号** | 441623180626039LY。 |

苦玄参 *Picria felterrae* Lour.

| 药 材 名 | 苦玄参（药用部位：全草。别名：落地小金钱）。

| 形态特征 | 草本。基部匍匐或倾卧，节常膨大。叶对生，有柄；叶片卵形，边缘有圆钝锯齿。花序总状排列；花萼裂片 4，分生；花冠白色或红褐色，二唇形；雄蕊 4，前方 1 对雄蕊退化，花丝自喉部至下唇中部完全贴生于花冠，后方 1 对雄蕊着生处较低，花丝游离。蒴果卵形，长 5 ~ 6 mm，室间 2 裂，包于宿存的萼片内；种子多数。

| 生境分布 | 生于海拔 750 ~ 1 400 m 的疏林及荒田中。分布于广东惠阳、紫金及深圳（市区）等。

| 资源情况 | 野生资源稀少。药材来源于野生。

采收加工	秋季采收，除去杂质，晒干。

药材性状	本品茎略呈方柱形，节稍膨大，折断面髓部中空。单叶对生，叶片展平后呈卵形或卵圆形，先端锐尖，基部楔形，边缘有圆钝锯齿，全体被短糙毛。总状花序顶生或腋生；花萼裂片 4；花冠唇形。蒴果扁卵形。种子细小。气微，味苦。

功能主治	苦，寒。归肺、胃、肝经。清热解毒，消肿止痛。用于风热感冒，咽喉肿痛，喉痹，痄腮，脘腹疼痛，痢疾，跌打损伤，疖肿，毒蛇咬伤。

用法用量	内服煎汤，9 ~ 15 g。外用适量。

凭证标本号	邢福武等 11743（IBSC0659753）。

爆仗竹

Russelia equisetiformis Schltr. et Cham.

| 药 材 名 |

爆仗竹（药用部位：地上部分。别名：吉祥草、炮仗竹、观音柳）。

| 形态特征 |

常绿直立灌木。高可达 1 m，几乎无叶，全株无毛。茎四棱形；枝纤细，轮生，先端下垂。叶小，散生；叶片长圆形至长圆状卵形，长不足 1.5 cm，在枝上的叶多数退化为鳞片。聚伞圆锥花序狭长，小聚伞花序有 1 ~ 3 花；花冠鲜红色，具长筒，不明显二唇形，上唇 2 裂，裂片卵形或长卵形，长约 3 mm。蒴果球形，室间开裂。花期 4 ~ 7 月。

| 生境分布 |

广东从化、博罗、仁化及深圳（市区）、肇庆（市区）等有栽培。

| 资源情况 |

栽培资源较丰富。药材来源于栽培。

| 采收加工 |

夏季采收，鲜用或晒干。

| **功能主治** | 甘，平。续筋接骨，活血祛瘀。用于跌扑闪挫，刀伤金疮，骨折筋伤。

| **用法用量** | 内服煎汤，10 ~ 15 g。外用适量，鲜品捣敷。

| **凭证标本号** | 陈文 3482（IBSC0575516）。

野甘草 *Scoparia dulcis* L.

| 药 材 名 |

冰糖草（药用部位：全草。别名：假甘草、土甘草）。

| 形态特征 |

直立草本或呈亚灌木状。高可达 1 m。茎多分枝，枝有棱角及狭翅，无毛。叶对生或轮生，近无柄；叶片菱状披针形，先端钝，基部长渐狭，全缘或前半部有齿，两面无毛。花单生或对生于叶腋；无小苞片；花冠小，白色，喉部有密毛；花瓣具钝头，边缘有细齿。蒴果卵圆形，直径 2 ~ 3 mm，室间及室背均开裂，中轴胎座宿存。花期 5 ~ 7 月。

| 生境分布 |

生于路旁、荒地及林边湿地。广东各地均有分布。

| 资源情况 |

野生资源丰富。药材来源于野生。

| 采收加工 |

全年均可采收，鲜用或晒干。

| **药材性状** | 本品干燥茎黄绿色；小枝有细条纹，光滑无毛。叶多卷缩。蒴果小，球形，多开裂，散生极小的粉状种子。主根圆柱形，长 10 ~ 15 cm；表面淡黄色，有纵皱纹。质坚脆，断面破裂状，淡黄绿色，皮部薄，木部髓线较清晰。 |

| **功能主治** | 甘，凉。清热利湿，疏风止咳。用于感冒发热，肺热咳嗽，咽喉肿痛，肠炎，痢疾，小便不利，脚气水肿，湿疹，痱子。 |

| **用法用量** | 内服煎汤，鲜品 100 ~ 150 g。外用适量，捣敷。 |

| **凭证标本号** | 441523190402014LY。 |

玄参科 Scrophulariaceae 玄参属 Scrophularia

玄参
Scrophularia ningpoensis Hemsl.

| 药 材 名 |

玄参（药用部位：根。别名：元参、乌元参、黑参）。

| 形态特征 |

多年生草本。根外皮灰黄褐色。茎光滑无毛或有腺状柔毛。叶对生；叶片卵状椭圆形，边缘具钝锯齿，下面散生稀疏的细毛。聚伞花序疏散开展，呈圆锥状；花序和花梗都有明显的腺毛；花冠暗紫色，有5裂片，上面2裂片长而大，侧面2裂片短于上面2裂片，下面的裂片最小；子房上位，花柱细长。蒴果卵圆形，暗绿色。花期7～8月，果期8～9月。

| 生境分布 |

生于山坡林下的湿润土壤中。栽培于海拔1700 m以下的平原、丘陵及低山坡。分布于广东连州、英德、翁源、连平、和平、高要、阳春及茂名（市区）、广州（市区）等。

| 资源情况 |

野生资源较少。药材来源于野生和栽培。

| **采收加工** | 冬季茎叶枯萎时采挖，除去根茎、幼芽、须根及泥沙，晒或烘至半干，堆放 3 ~ 6 天，反复数次至全干。 |

| **药材性状** | 本品呈圆柱形，有的弯曲似羊角，中部肥满，两头略细。表面灰黄色或棕褐色，有顺纹及纵沟，间有横向裂隙及须根痕。质坚实，不易折断，断面黑色，微有光泽，无裂隙。无臭或微有焦糊气，味甘，微苦、咸。 |

| **功能主治** | 甘、苦、咸，微寒。清热凉血，滋阴降火，解毒散结。用于热病伤阴，烦渴发斑，骨蒸劳热，自汗盗汗，津伤便秘，吐血衄血，咽喉肿痛等。 |

| **用法用量** | 内服煎汤，9 ~ 15 g。 |

| **凭证标本号** | 440233150722327LY。 |

玄参科 Scrophulariaceae 阴行草属 Siphonostegia

阴行草 *Siphonostegia chinensis* Benth.

药材名

北刘寄奴（药用部位：全草。别名：金钟茵陈、土茵陈、灵茵陈）。

形态特征

一年生草本。高 25 ～ 70 cm。茎常被白色柔毛。叶对生，羽状分裂，裂片 3 ～ 4 对，边缘有齿状缺刻，基部狭窄，下延成叶状柄。单花腋生或顶生，排列成总状花序；花萼筒状，长约 2 cm，有短粗毛，先端 5 裂，外表有 10 绿色纵棱；花冠唇形，黄色。蒴果椭圆形，先端尖锐，胞背开裂；种子多数，黑色。花期 8 ～ 9 月，果期 11 ～ 12 月。

生境分布

生于海拔 170 ～ 1 300 m 的干山坡及草地中。分布于广东仁化、乐昌、大埔、阳山、连州及汕头（市区）、阳江（市区）等。

资源情况

野生资源一般。药材来源于野生。

采收加工

8 ～ 9 月采收，晒干。

| **药材性状** | 本品长 30 ~ 60 cm。枝表面紫褐色，被黄白色短柔毛；质坚实而硬，折断面黄白色，中央有髓。残留的叶片呈黑褐色，质脆而易脱落。花冠多数已脱落；花萼黄褐色，宿存，花萼内通常藏有多数棕褐色的种子。 |

| **功能主治** | 苦，微寒。归脾、胃、肝、胆经。清热利湿，凉血止血，祛瘀止痛。用于湿热黄疸，淋浊，尿血，便血。 |

| **用法用量** | 内服煎汤，9 ~ 15 g，鲜品 30 ~ 60 g；或研末。外用适量，研末调敷。 |

| **凭证标本号** | 441882190617029LY。 |

玄参科 Scrophulariaceae 阴行草属 Siphonostegia

腺毛阴行草
Siphonostegia laeta S. Moore

| 药 材 名 | 腺毛阴行草（药用部位：地上部分）。

| 形态特征 | 一年生草本。干后变黑色，全体密被腺毛。茎中空，上部有明显棱角。叶对生；叶片三角状长卵形，近掌状 3 深裂，裂片不等大。总状花序生于茎枝先端，较稀疏，花对生；花梗极短；小苞片长卵形；花萼筒状钟形，有较细的 10 主脉，萼齿 5；花冠黄色，背部微带紫色，内面有短毛；花丝密生短柔毛。蒴果黑褐色，卵状长椭圆形；种子黄褐色。花期 7 ~ 9 月，果期 9 ~ 10 月。

| 生境分布 | 生于海拔 250 ~ 900 m 的草丛或灌木林的较阴湿处。分布于广东乐昌、乳源、始兴、翁源、新丰、连州、英德、连平、怀集及梅州（市

区）等。广东梅州（市区）等有栽培。

| 资源情况 | 野生资源一般。药材来源于野生和栽培。

| 采收加工 | 夏、秋季采收，鲜用或晒干。

| 功能主治 | 苦，微寒。归肝、胆经。清热利湿，凉血止血，祛瘀止痛。用于湿热黄疸。

| 凭证标本号 | 441882180814017LY。

玄参科 Scrophulariaceae 独脚金属 Striga

独脚金 *Striga asiatica* (L.) O. Kuntze

| 药 材 名 | 独脚金（药用部位：全草。别名：独脚柑、疳积草、黄花草）。

| 形态特征 | 一年生寄生草本。高 8 ～ 20 cm。茎直立，纤细，干时暗黄色，粗糙或被毛。叶互生，条形；茎下部叶常对生，较短小，披针形，全缘，两面均粗糙。顶生穗状花序，花无梗；花萼管状，先端 5 裂，渐尖；花冠高脚碟状，黄色、淡黄色或红色，花冠管先端弯曲。蒴果卵形；花柱宿存。花期 9 ～ 11 月。

| 生境分布 | 生于丘陵、庄稼地和荒草地。分布于广东英德、翁源、新丰、和平、连平、龙门、平远、大埔、新会、台山、新兴、高要、封开、德庆、高州及广州（市区）、深圳（市区）、珠海（市区）、阳江（市区）、

茂名（市区）等。

| **资源情况** | 野生资源一般。药材来源于野生。

| **采收加工** | 夏、秋季采收，洗净，晒干，扎把或鲜用。

| **功能主治** | 甘、微苦，凉。归肝、脾、胃经。健脾消积，清热杀虫。用于疳积，黄疸性肝炎。

| **用法用量** | 内服煎汤，10 ～ 15 g。

| **凭证标本号** | 445224190330010LY。

玄参科 Scrophulariaceae 独脚金属 Striga

大独脚金

Striga masuria (Ham.ex Benth.) Benth.

| 药 材 名 | 大独脚金（药用部位：全草。别名：小白花苏、干草）。

| 形态特征 | 一年生寄生草本。高 40 ~ 60 cm。茎近四方形，表面灰棕色，被白色短粗毛，散生白色斑点。叶条形，较少，下部叶近对生，上部叶互生。稀疏的穗状花序顶生，枝端花渐密集，小花蓝紫色或白色；花萼管状，5 齿裂；花柱先端棒状，全缘。蒴果瓶形，先端残留扭曲的花柱；花萼宿存；种子多数。

| 生境分布 | 生于干燥向阳的山坡草丛。分布于广东乐昌、连州、惠阳。

| 资源情况 | 野生资源较少。药材来源于野生。

| 采收加工 | 夏、秋季采收，洗净，切碎，晒干。

| **药材性状** | 本品茎近四方形，少分枝；表面灰棕色，被灰白色刚毛，粗糙。叶小，贴茎，下部的叶近对生，上部的叶互生，多已折断，完整叶片展开后呈条形，灰棕色，两面均被灰白色刚毛，粗糙，全缘，侧脉不明显。叶腋常可见单花，多数仅存花萼筒；表面灰白色，粗糙，具明显的 15 纵棱。质坚脆，易折断，断面纤维性，中空。气微，味微苦。 |

| **功能主治** | 甘、淡，凉。健脾消积，清热利湿。 |

| **用法用量** | 内服煎汤，15 ～ 30 g。 |

| **凭证标本号** | 罗献瑞 612（IBSC0576197）。 |

玄参科 Scrophulariaceae 蝴蝶草属 Torenia

毛叶蝴蝶草

Torenia benthamiana Hance

| 药 材 名 |　毛叶蝴蝶草（药用部位：全草。别名：粗毛蝴蝶草）。

| 形态特征 |　全体密被白色硬毛，节上生根；枝多数。叶具长约 1 cm 的柄；叶片卵形或卵状心形，两面密被硬毛。通常 3 花排成伞形花序，稀花单生于叶腋或 5 花排成总状花序；萼筒狭长，具 5 棱，萼齿略呈二唇形；花冠紫红色、淡蓝紫色或淡红色；前方 1 对花丝各具一长 1.5 ～ 2 mm 的丝状附属物。蒴果长椭圆形。花果期 8 月至翌年 5 月。

| 生境分布 |　生于平原荒地、路旁、田边和山地林下。分布于广东紫金、丰顺、大埔、仁化、始兴、高要、徐闻及东莞、广州（市区）、茂名（市区）、深圳（市区）等。

| **资源情况** | 野生资源一般。药材来源于野生。

| **功能主治** | 活血消肿。用于疔疮，鹅口疮，腰腿痛。

| **凭证标本号** | 441422201213707LY、441224180718015LY、441284190722652LY。

玄参科 Scrophulariaceae 蝴蝶草属 Torenia

单色蝴蝶草

Torenia concolor Lindl.

| **药材名** | 蓝猪耳（药用部位：全草。别名：单色翼萼）。

| **形态特征** | 匍匐草本。茎具 4 棱，节上生根；分枝上升或直立。叶具柄；叶片三角状卵形或长卵形，花稀卵圆形，边缘具粗锯齿。单花腋生或顶生，稀排成伞形花序；花萼具 5 略宽于 1 mm 的翅，基部下延；花冠长 2.5 ~ 3.9 cm，超出萼齿的部分长 11 ~ 21 mm，蓝色或蓝紫色；前方 1 对花丝各具一长 2 ~ 4 mm 的线状附属物。花果期 5 ~ 11 月。

| **生境分布** | 生于田边、河旁、草地、路旁灌丛中。广东各地均有分布。

| **资源情况** | 野生资源较丰富。药材来源于野生。

| **采收加工** | 夏、秋季采收，晒干。

药材性状	本品体轻，质脆。根纤细。茎四棱形，浅棕红色或绿色，断面中空。叶皱缩，纸质，展开后呈卵形，先端渐尖，叶基部渐狭，腹面棕黄色或绿色，背面灰黄色或灰绿色，近无毛，叶缘有锯齿。花紫色。气微，味苦。
功能主治	苦，凉。清热利湿，止咳止呕，活血解毒。用于黄疸，血淋，呕吐，腹泻，风热咳嗽，跌打损伤，蛇咬伤，疔毒。
用法用量	内服煎汤，6～9 g。外用适量，鲜品捣敷。
凭证标本号	441825190707029LY、440783200103021LY、440281190625016LY。

黄花蝴蝶草 *Torenia flava* Buch.-Ham. ex Benth.

| 药 材 名 |

黄花蝴蝶草（药用部位：全草）。

| 形态特征 |

直立草本。全体疏被柔毛。叶片卵形或椭圆形，边缘具带短尖的圆齿，上面疏被柔毛，下面除叶脉外几无毛。总状花序顶生；花萼狭筒状，伸直或稍弯曲，具 5 凸起的棱；花冠筒长约 1.2 cm，上端红紫色，下端暗黄色，花冠裂片 4，黄色；前方 1 对花丝各具一长约 1 mm 的丝状附属物。蒴果狭长椭圆形。花果期 6 ～ 11 月。

| 生境分布 |

生于田边、路旁、水边、山地的山坡阳处或疏林下。分布于广东增城、花都、紫金、惠东、博罗、鹤山、高州、信宜、大埔、丰顺、佛冈、英德、乳源、南雄、始兴、翁源、新丰、阳春、郁南、封开、高要及潮州（市区）、东莞、深圳（市区）等。

| 资源情况 |

野生资源丰富。药材来源于野生。

| **功能主治** | 用于阴囊肿胀。

| **凭证标本号** | 441284191001185LY、441622200920010LY。

玄参科 Scrophulariaceae 蝴蝶草属 Torenia

紫斑蝴蝶草

Torenia fordii Hook. f.

| 药 材 名 | 紫色异萼（药用部位：全草）。

| 形态特征 | 直立粗壮草本。全体被柔毛。叶片宽卵形至卵状三角形，上面疏被白色柔毛，下面脉上毛较多。总状花序顶生；花萼倒卵状纺锤形，具 5 翅，翅宽不等，其中 2 翅较宽，翅上被缘毛；花冠黄色；下唇两侧裂片具紫斑；前方 1 对花丝各具 1 齿状附属物。蒴果圆柱状，两侧扁，具 4 槽。花果期 7 ~ 10 月。

| 生境分布 | 生于山地路旁、溪边和疏林下。分布于广东从化、紫金、博罗、台山、信宜、丰顺、平远、五华、英德、始兴、乐昌、南雄、仁化、乳源、新丰、阳春、新兴、郁南、德庆、封开、电白。

| **资源情况** | 野生资源丰富。药材来源于野生。

| **功能主治** | 用于疮毒。

| **凭证标本号** | 441825190801010LY、441284190726310LY。

玄参科 Scrophulariaceae 蝴蝶草属 Torenia

兰猪耳

Torenia fournieri Linden. ex Fourn.

| 药 材 名 | 兰猪耳（药用部位：全草）。

| 形态特征 | 直立草本。茎几无毛，具 4 窄棱。叶长卵形或卵形，边缘具带短尖的粗锯齿。花通常在枝的先端排列成总状花序；花萼椭圆形，具多少下延的翅；花冠长 2.5 ～ 4 cm；上唇直立，浅蓝色，下唇紫蓝色，中裂片的中下部有 1 黄色斑块；花丝不具附属物。蒴果长椭圆形；种子黄色，表面有细小的凹窝。花果期 6 ～ 12 月。

| 生境分布 | 栽培于路旁、墙边或草地。广东各地均有栽培。

| 资源情况 | 栽培资源一般。药材来源于栽培。

| **功能主治** | 用于泄泻，痢疾，肠炎等。

| **凭证标本号** | 441827180716009LY。

玄参科 Scrophulariaceae 蝴蝶草属 Torenia

光叶蝴蝶草

Torenia glabra Osbeck [Torenia asiatica L.]

药 材 名	水韩信草（药用部位：全草）。
形态特征	一年生草本。铺散或倾卧而后上升。茎具棱或狭翅。叶具柄；叶片卵形或卵状披针形，边缘具带短尖的锯齿或圆锯齿。花单生于分枝顶部的叶腋或顶生，或于近顶部的叶腋排成伞形花序；花萼具翅，果期常裂成 3 ～ 4 小齿；花冠长 3 ～ 3.5 cm，暗紫色；前方 1 对花丝具 1 附属物。蒴果长椭圆形；种子矩圆形或近球形。花果期 5 ～ 11 月。
生境分布	生于海拔 1 100 ～ 1 800 m 的沟边湿润处。分布于广东从化、和平、连平、紫金、丰顺、五华、平远、大埔、连州、连南、连山、阳山、

英德、乐昌、始兴、乳源、仁化、新丰、龙门、惠阳、博罗、台山、阳春、封开及深圳（市区）、珠海（市区）、云浮（市区）等。

| **资源情况** | 野生资源较丰富。药材来源于野生。

| **采收加工** | 夏、秋季采收，鲜用或晒干。

| **功能主治** | 甘、苦，凉。清热利湿，解毒，散瘀。用于热咳，黄疸，泻痢，血淋，疔毒，蛇咬伤，跌打损伤。

| **用法用量** | 内服煎汤，15 ~ 30 g。外用适量，鲜品捣敷。

| **凭证标本号** | 441622190530034LY、441882180814051LY。

玄参科 Scrophulariaceae 蝴蝶草属 *Torenia*

紫萼蝴蝶草

Torenia violacea (Azaola) Pennell

| 药 材 名 | 紫色翼萼（药用部位：全草。别名：方形草）。

| 形态特征 | 叶片卵形或长卵形，边缘具略带短尖的锯齿，两面疏被柔毛。花在分枝顶部排成伞形花序或单生于叶腋，稀可排成总状花序；花萼矩圆状纺锤形，翅宽达 2.5 mm，略带紫红色；花冠超出萼齿部分长 2 ～ 7 mm，淡黄色或白色；下唇 3 等裂，具紫斑，中裂片中央有 1 黄色斑块；花丝不具附属物。果实纺锤形。花果期 8 ～ 11 月。

| 生境分布 | 生于海拔 200 ～ 1 900 m 的山坡草地、林下、田边及路旁潮湿处。分布于广东和平、连平、紫金、惠东、连州、阳山、英德、乐昌、仁化、始兴、乳源、翁源、新丰、郁南、怀集、梅县、蕉岭及深圳（市

区）等。

| **资源情况** | 野生资源较丰富。药材来源于野生。

| **采收加工** | 夏、秋季采收，洗净，晒干。

| **功能主治** | 微苦，凉。消食化积，解暑，清肝。用于疳积，中暑呕吐，腹泻，目赤肿痛。

| **用法用量** | 内服煎汤，10 ~ 15 g。

| **凭证标本号** | 441825190710011LY、441523190918040LY、4402241811116012LY。

多枝婆婆纳 *Veronica javanica* Bl.

| 药 材 名 |

小败火草（药用部位：全草）。

| 形态特征 |

草本。无根茎。茎基部多分枝。叶片卵形至卵状三角形，先端钝，基部浅心形或平截，边缘具钝齿。总状花序；苞片条形或倒披针形；花梗短于苞片；花萼裂片条状长椭圆形；花冠白色、粉色或紫红色；雄蕊2；花柱宿存。蒴果倒心形，先端凹口深。花期2～4月。

| 生境分布 |

生于山坡、路边、溪边的湿草丛中。分布于广东乐昌、高要、紫金。

| 资源情况 |

野生资源较少。药材来源于野生。

| 采收加工 |

6～8月采收，鲜用或晒干。

| 功能主治 |

辛、苦，凉。祛风散热，解毒消肿。用于疮疖肿毒，乳痈，痢疾，跌打损伤。

| **用法用量** | 内服煎汤，15 ～ 30 g。外用适量，鲜品捣敷。 |

| **凭证标本号** | 441827180423022LY。 |

玄参科 Scrophulariaceae 婆婆纳属 Veronica

阿拉伯婆婆纳 *Veronica persica* Poir.

| **药 材 名** | 肾子草（药用部位：全草。别名：波斯婆婆纳）。

| **形态特征** | 铺散多分枝草本。茎密生 2 列多细胞柔毛。叶 2 ～ 4 对，具短柄，卵形或圆形，基部浅心形、平截或浑圆，边缘具钝齿。总状花序很长；苞片互生；花梗较苞片长；花萼裂片卵状披针形；花冠蓝色、紫色或蓝紫色；雄蕊短于花冠。蒴果肾形，网脉明显，凹口角度超过 90°，裂片钝；宿存花柱长约 2.5 mm，超出凹口；种子背面具深横纹。花期 3 ～ 5 月。

| **生境分布** | 生于草地上。分布于广东蕉岭、连州、乐昌、南雄、翁源、饶平及广州（市区）、惠州（市区）、东莞、深圳（市区）、中山等。

| **资源情况** | 野生资源较丰富。药材来源于野生。

| **采收加工** | 6 ~ 8 月采收，晒干或鲜用。

| **功能主治** | 辛、苦，平。解毒消肿。用于肾虚，风湿病，疟疾。

| **用法用量** | 内服煎汤，15 ~ 30 g。外用适量，煎汤熏洗。

| **凭证标本号** | 440224190315005LY。

婆婆纳
Veronica polita Fries

| 药 材 名 | 婆婆纳（药用部位：全草。别名：狗卵草）。

| 形态特征 | 铺散多分枝草本。叶 2 ~ 4 对，具短柄；叶片心形至卵形。苞片叶状，下部的苞片对生或全部苞片互生；花梗比苞片略短；花萼裂片卵形；花冠淡紫色、蓝色、粉色或白色。蒴果近肾形，被腺毛，略短于花萼，宽 4 ~ 5 mm，凹口约成 90°，裂片先端圆，脉不明显；宿存的花柱与凹口平齐或略高；种子背面具横纹。花期 3 ~ 10 月。

| 生境分布 | 生于荒地。分布于广东仁化、乐昌、南雄、乳源、龙门、从化、紫金、英德。

| 资源情况 | 野生资源一般。药材来源于野生。

| 采收加工 | 3 ~ 4 月采收，鲜用或晒干。

| 功能主治 | 甘、淡，凉。归肝、肾经。补肾强腰，解毒消肿。用于吐血，疝气，睾丸炎，带下。

| 用法用量 | 内服煎汤，25 ~ 50 g，鲜品 100 ~ 150 g；或捣汁。

| 凭证标本号 | 曾怀德 26087（IBSC0576991）。

玄参科 Scrophulariaceae 婆婆纳属 Veronica

水苦荬 *Veronica undulata* Wall.

| 药 材 名 |

水苦荬（药用部位：全草。别名：接骨仙桃）。

| 形态特征 |

多年生草本。茎直立，肉质，无毛，不分枝。叶对生，无柄，长圆状线形或线状披针形，全缘或具细锯齿，光滑无毛。总状花序腋生；花梗在果期直立，横叉开，与花序轴近成直角；苞片线形；花萼钟形，裂片 4，长圆形；花冠短于花萼，呈辐状，白色、粉红色或紫色，裂片卵形；雄蕊短于花冠；花柱宿存，较短。蒴果球形，先端具宿存花柱。花果期 2 ~ 9 月。

| 生境分布 |

生于河边、田边、路边湿地及沼泽地。分布于广东平远、英德、翁源、乐昌、南雄及广州（市区）、深圳（市区）、潮州（市区）、东莞、肇庆（市区）等。

| 资源情况 |

野生资源一般。药材来源于野生。

| 采收加工 |

夏季采收，洗净，切碎，鲜用或晒干。

| 功能主治 | 苦，平。清热利湿，活血止血，解毒消肿。用于感冒，咽痛，劳伤咯血，痢疾，血淋，月经不调，疝气，疔疮，跌打损伤。

| 用法用量 | 内服煎汤，9 ~ 15 g；或研末。外用适量，捣敷或研末吹喉。

| 凭证标本号 | 441827180423018LY。

玄参科 Scrophulariaceae 腹水草属 Veronicastrum

爬岩红
Veronicastrum axillare (Sieb. et Zucc.) Yamazaki

| **药 材 名** | 腹水草（药用部位：全草。别名：两头爬、钓鱼竿）。

| **形态特征** | 倾卧草本。根茎短而横走。茎常弯垂，圆柱形，具棱，无毛或有疏弯毛。叶互生，卵形至卵状披针形，先端渐尖，边缘具偏斜的三角状锯齿；叶柄两侧下延成茎的狭棱。穗状花序腋生；苞片和花萼裂片条状披针形至钻形，无毛或有疏睫毛；花冠紫色或紫红色，裂片长为花冠的1/3，狭三角形。蒴果球形；种子矩圆状，有不甚明显的网纹。花期7～9月。

| **生境分布** | 生于林下、林缘、草地及山谷阴湿处。分布于广东乳源、乐昌、翁源、英德、紫金、龙川。

| **资源情况** | 野生资源较少。药材来源于野生。 |

| **采收加工** | 7 ~ 8 月采收，除去杂质，晒干。 |

| **药材性状** | 本品茎细长，圆柱形，外表棕黑色，无毛或被疏短毛。叶互生，多皱缩破碎，展平后呈长卵形或长椭圆形，上面淡绿褐色，下面淡褐色，边缘具锯齿，先端渐尖，基部圆形或圆楔形；叶柄短。穗状花序腋生。气微，味苦。 |

| **功能主治** | 苦、辛，凉；有小毒。逐水消肿，清热解毒。用于水肿，腹水，疮疡肿痛。 |

| **用法用量** | 内服煎汤，4.5 ~ 9 g。外用适量，捣敷。 |

| **凭证标本号** | 谭沛祥 59544（IBSC0592669）。 |

玄参科 Scrophulariaceae 腹水草属 Veronicastrum

四方麻

Veronicastrum caulopterum (Hance) Yamazaki

| 药 材 名 |

四方麻（药用部位：全草。别名：四角草）。

| 形态特征 |

直立草本。茎多分枝，具翅，略呈四方柱形。叶互生，叶片矩圆形、卵形或长圆状披针形。花序顶生于主茎及侧枝上，长尾状；花梗长不足 1 mm；花萼裂片钻状披针形；花冠血红色、紫红色或暗紫色，长 4 ~ 5 mm，筒部约占 1/2，裂片不等大，卵状披针形。蒴果卵形，黑色，先端具宿存长花柱。花果期 1 ~ 10 月。

| 生境分布 |

生于山谷草丛、疏林下。分布于广东乳源、乐昌、始兴及清远（市区）、云浮（市区）等。

| 资源情况 |

野生资源较少。药材来源于野生。

| 采收加工 |

9 ~ 10 月采收，鲜用或晒干。

| 功能主治 |

苦，寒。清热解毒，消肿止痛。用于赤白痢，咽痛，目赤，水肿，淋病等。

| **用法用量** | 内服煎汤，10 ~ 15 g。外用适量，研末调敷；或鲜品捣敷；或捣汁涂。

| **凭证标本号** | 南植地 357（IBSC0592713）。

玄参科 Scrophulariaceae 腹水草属 Veronicastrum

长穗腹水草

Veronicastrum longispicatum (Merr.) Yamazaki

| **药 材 名** | 长穗腹水草（药用部位：叶）。

| **形态特征** | 亚灌木或蔓生灌木。茎圆柱状，上部有狭棱。叶具短柄；叶片卵形至卵状披针形，基部通常圆钝或呈浅心形，先端渐尖至尾状渐尖，边缘具三角形锯齿。花序腋生；花序轴散生头状短腺毛；花冠白色或紫色；雄蕊 2，外伸；子房先端密被白色短毛。蒴果卵形；种子卵球形，具不明显的网纹。花期 7 ~ 9 月。

| **生境分布** | 生于山地河边、林下和灌丛中。分布于广东仁化、乐昌、南雄、阳山、连山。

| **资源情况** | 野生资源较少。药材来源于野生。

| **功能主治** | 苦，微寒。行水消肿，散瘀解毒。

| **凭证标本号** | 440224181115004LY。

玄参科 Scrophulariaceae 腹水草属 Veronicastrum

腹水草

Veronicastrum stenostachyum (Hemsl.) Yamazaki subsp. *Plukenetii* (Yamaz.) Hong

| 药 材 名 | 腹水草（药用部位：茎叶。别名：见毒消）。

| 形态特征 | 直立或蔓生草本。茎圆柱形。叶卵形或卵状披针形，先端尾状渐尖，基部圆形或楔形，边缘具锯齿，两面无毛或具短弯毛。穗状花序腋生；苞片钻形；花冠紫色或白色，管状；雄蕊 2，外伸；子房先端无毛。蒴果卵形；种子球形，具网纹。花期 6 ~ 10 月。

| 生境分布 | 生于林下及林缘草地。分布于广东始兴、乐昌、和平、大埔、阳山。

| 资源情况 | 野生资源较少。药材来源于野生。

| 功能主治 | 微苦，凉。清热解毒，利水消肿，散瘀止痛。

| 凭证标本号 | 邓良 6636（IBSC0592936）。

列当科 Orobanchaceae 野菰属 Aeginetia

野菰 *Aeginetia indica* L.

药材名

野菰（药用部位：全草或茎、花。别名：马口含珠）。

形态特征

一年生寄生草本，高 15 ~ 50 cm。茎短，单一或分枝。叶鳞片状，肉质，红色，卵状披针形，基部抱茎。花单生于苞腋；花梗花葶状，长 10 ~ 50 cm；花萼一侧开裂至下部或近基部，呈佛焰苞状；花冠带紫色或紫蓝色；花柱常外露。蒴果长约 2 mm；种子多数。花果期 8 ~ 10 月。

生境分布

生于土层深厚、湿润及腐殖质多的地方。分布于广东始兴、仁化、翁源、乳源、新丰、乐昌、南澳、信宜、广宁、博罗、惠东、龙门、大埔、和平、阳山、连山、英德及云浮（市区）、深圳（市区）、惠州（市区）、阳江（市区）等。

资源情况

野生资源较少。药材来源于野生。

| 采收加工 | 春、夏季采收，鲜用或晒干。

| 功能主治 | 苦，凉；有小毒。解毒消肿，清热凉血。用于咽喉肿痛，咳嗽，小儿高热，尿路感染，骨髓炎，毒蛇咬伤，疔疮。

| 用法用量 | 内服煎汤，9 ~ 15 g，大剂量可用至 30 g；或研末。外用适量，捣敷；或捣汁漱口。

| 凭证标本号 | 441825190803002LY、441523190918050LY、441823191001001LY。

列当科 Orobanchaceae 马先蒿属 Pedicularis

亨氏马先蒿 *Pedicularis henryi* Maxim.

| 药 材 名 | 凤尾参（药用部位：根。别名：江南马先蒿、全省马先蒿、羊肚参）。

| 形态特征 | 多年生草本。高 16 ~ 36 cm，密披锈褐色毛。茎中空，基部倾卧。叶互生，具短柄；叶片纸质，长圆状披针形，长 1.5 ~ 3.5 cm，羽状深裂或全裂，每边具 6 ~ 12 裂片。总状花序；花萼稍圆筒状，基部细，先端圆形膨大，具反卷小齿。花冠紫红色，略向右扭转。蒴果斜披针状卵形，从宿萼裂口伸出；种子卵形而尖。花期 5 ~ 9 月，果期 8 ~ 11 月。

| 生境分布 | 生于海拔 400 ~ 1 400 m 的空旷处、草丛及林缘。分布于广东乳源、乐昌、饶平等。

| 资源情况 | 野生资源稀少。药材来源于野生。

| 采收加工 | 秋季采挖，洗净，晒干。

| 药材性状 | 本品簇生，少数肉质，膨大成纺锤形，先端有残存的根茎，表面棕黑色，有纵皱纹，质柔韧。

| 功能主治 | 甘、苦，微温。补气血，强筋骨，健脾胃。用于头晕耳鸣，心慌气短，筋骨疼痛，支气管炎。

| 用法用量 | 内服煎汤，15 ~ 30 g。

| 凭证标本号 | 粤 73 00571（IBSC0574206）。

赵万义提供

列当科 Orobanchaceae 松蒿属 Phtheirospermum

松蒿

Phtheirospermum japonicum (Thunb.) Kanitz

| 药 材 名 |

松蒿（药用部位：全草。别名：细绒蒿、糯蒿、土茵陈）。

| 形态特征 |

一年生直立草本。高可达 100 cm。全体被腺毛，有黏性。茎直立，多分枝。叶对生，有具狭翅的柄；叶片长三角卵形，下部羽状全裂，上半部深裂至浅裂，边缘具细齿。总状花序；花萼 5 深裂，裂片边缘有齿；花冠粉红色至紫红色，外面被柔毛。蒴果卵形，先端渐尖，具宿存花柱；种子卵形，长约1 mm。花期 7 ~ 8 月，果期 8 ~ 10 月。

| 生境分布 |

生于海拔 1 000 m 左右的沙地、山坡灌丛阴处、路边草地和溪旁疏林下。分布于广东乳源、英德等。

| 资源情况 |

野生资源较少。药材来源于野生。

| 采收加工 |

夏、秋季采收，晒干。

| **药材性状** | 本品长 30 ~ 60 cm，茎直立，上部多分枝，具腺毛。叶对生，多皱缩而破碎，完整叶片展开后呈三角卵形，长 3 ~ 5 cm，宽 2 ~ 3.5 cm，羽状深裂，两侧裂片长圆形，先端裂片较大，卵圆形，边缘具细锯齿，叶两面均有腺毛。穗状花序顶生；花萼钟状，长约 6 mm，5 裂；花冠淡红紫色。味微辛。 |

| **功能主治** | 微辛，凉。清热利湿，解毒。用于湿热黄疸，水肿，疮痈。 |

| **用法用量** | 内服煎汤，25 ~ 50 g。外用适量，煎汤洗；或研末敷。 |

| **凭证标本号** | 440281200711023LY。 |

狸藻科 Lentibulariaceae 狸藻属 Utricularia

黄花狸藻 *Utricularia aurea* Lour.

| **药 材 名** | 黄花狸藻（药用部位：全草。别名：金鱼茜、水上一枝黄花）。

| **形态特征** | 水生草本。匍匐枝圆柱形，具分枝。叶多数，具细刚毛；捕虫囊通常多数，侧生于叶的裂片上。花序直立，中上部具 3 ~ 8 多少疏离

的花；花梗丝状；花冠黄色，喉部有时具橙红色条纹，无毛或疏生短柔毛；花萼 2 裂至基部；子房球形，密生腺点，无毛。蒴果先端具喙状的宿存花柱；种子多数，压扁，具 5 ~ 6 角和不明显的细网状突起。花期 6 ~ 11 月，果期 7 ~ 12 月。

| **生境分布** | 生于海拔 50 ~ 1 900 m 的湖泊、池塘和稻田中。广东各地均有分布。

| **资源情况** | 野生资源丰富。药材来源于野生。

| **功能主治** | 消炎止痛。

| **凭证标本号** | 441322151005990LY。

狸藻科 Lentibulariaceae 狸藻属 Utricularia

挖耳草
Utricularia bifida L.

| 药 材 名 | 挖耳草（药用部位：全草。别名：割鸡芒、金耳挖、耳挖草）。

| 形态特征 | 陆生小草本。假根少数，呈丝状，基部增厚，具多数乳头状分枝。匍匐枝少数，丝状，具分枝。叶生于匍匐枝上，圆形，膜质，全缘，无毛，具 1 脉；捕虫囊生于叶及匍匐枝上，球形。花序梗圆柱状，下部具细小腺体；花萼 2 裂至基部；花冠黄色，喉部隆起，呈浅囊状。蒴果宽椭圆形；种子多数，卵球形。花期 6 ～ 12 月，果期 7 月至翌年 1 月。

| 生境分布 | 生于海拔 40 ～ 1 350 m 的沼泽地、稻田或沟边湿地。广东各地均有分布。

| **资源情况** | 野生资源丰富。药材来源于野生。

| **采收加工** | 夏、秋季采收，除去杂质，鲜用或晒干。

| **功能主治** | 苦、辛，寒。清热解毒，消肿止痛。用于感冒发热，咽喉肿痛，牙痛，急性肠炎，痢疾，尿路感染，淋巴结结核；外用于疮疖肿毒，乳腺炎，腮腺炎，带状疱疹，毒蛇咬伤。

| **用法用量** | 内服煎汤，6～15 g。外用适量，鲜品捣敷。

| **凭证标本号** | 441823190929003LY、441422190813451LY、440224181116013LY。

苦苣苔科 Gesneriaceae 芒毛苣苔属 Aeschynanthus

芒毛苣苔
Aeschynanthus acuminatus Wall. ex A. DC.

| 药 材 名 | 芒毛苣苔（药用部位：全株。别名：石榕、大叶榕藤）。

| 形态特征 | 附生小灌木。茎无毛，多分枝。枝条对生，灰色或灰白色。叶对生，无毛；叶片薄纸质，长圆形、椭圆形或狭倒披针形，先端渐尖或短渐尖，基部楔形或宽楔形，全缘。花序生于茎顶部叶腋；花序无毛；苞片对生，宽卵形，先端钝或圆形，无毛；花冠红色，外面无毛，内面在口部及下唇基部有短柔毛。

| 生境分布 | 生于海拔 300 ～ 1300 m 的山谷林中树上或溪边石上。分布于广东翁源、新丰、信宜、怀集、高要、博罗、新兴及深圳（市区）等。

| 资源情况 | 野生资源一般。药材来源于野生。

| 采收加工 | 全年均可采收，鲜用或阴干。

| 功能主治 | 甘、淡，平。宁心养肝，止咳止痛。用于神经衰弱，慢性肝炎，咳嗽，风湿骨痛，跌打损伤。

| 用法用量 | 内服煎汤，15 ~ 30 g；或浸酒。外用适量，捣敷。

| 凭证标本号 | 440783201213003LY。

苦苣苔科 Gesneriaceae 旋蒴苣苔属 Boea

旋蒴苣苔
Boea hygrometrica (Bunge) R. Br.

| 药 材 名 | 旋蒴苣苔（药用部位：全草。别名：猫耳朵、牛耳草、石花子）。

| 形态特征 | 多年生草本。叶基生，广椭圆形至近圆形，先端钝，基部阔楔形，边缘具不规则钝圆齿，上面绿色，被绿色长茸毛，下面色浅，被棕色茸毛，叶脉凸出。花茎被棕色茸毛；小花数朵，聚伞状排列；花梗密被茸毛；萼片 5，基部联合，裂片披针形，被毛；子房无柄，线形，心皮 2，柱头小。蒴果长圆形，外面被短柔毛，螺旋状卷曲。花期春、夏季。

| 生境分布 | 生于海拔 200 ～ 1320 m 的山坡、山谷及山沟边、林下岩石上。分布于广东龙川。

资源情况	野生资源稀少。药材来源于野生。
采收加工	全年均可采收，鲜用或晒干。
功能主治	苦，平。散瘀止血，清热解毒，化痰止咳。用于创伤出血，跌打损伤，肠炎，中耳炎。
用法用量	内服煎汤，9 ~ 15 g；或研末，3 g；或浸酒。外用适量，研末撒；或鲜品捣敷。
凭证标本号	李鹏伟 LPW2015033（PE02088162）。

苦苣苔科 Gesneriaceae 半蒴苣苔属 Hemiboea

贵州半蒴苣苔 Hemiboea cavaleriei H. Lév.

| 药 材 名 | 秤杆草（药用部位：全草。别名：水松萝）。

| 形态特征 | 多年生草本。茎上升，具4～15节，无毛，散生紫斑。叶对生，长圆状披针形、卵状披针形或椭圆形，具蠕虫状石细胞，侧脉每侧具6～14侧脉。聚伞花序假顶生，具3～12花；总苞球形，无毛；萼片5，无毛；花冠白色、淡黄色或粉红色，外面散生腺状短柔毛；退化雄蕊2或3。蒴果线状披针形，无毛；种子细小，多数。花期8～10月，果期10～12月。

| 生境分布 | 生于海拔250～1 500 m的山谷林下石上。分布于广东英德、连平、新丰、从化、高要、怀集、郁南、罗定、阳春、信宜。

资源情况	野生资源一般。药材来源于野生。
采收加工	夏、秋季采收，鲜用或晒干。
功能主治	微酸、涩，凉。清热解毒。用于痈肿疔毒，烫火伤，跌打损伤。
用法用量	外用适量，捣敷；或研末，麻油调敷。
凭证标本号	441825191004016LY、441224181012009LY。

华南半蒴苣苔
Hemiboea follicularis Clarke

| 药 材 名 | 大降龙草（药用部位：全草。别名：山竭、水桐）。

| 形态特征 | 多年生草本。茎上升，不分枝，具 4 ~ 8 节，散生紫斑。叶对生，卵状披针形、卵形或椭圆形，无石细胞，每侧具 5 ~ 9 脉。聚伞花序假顶生，具 7 ~ 20 花；总苞球形，无毛；萼片合生，具萼筒，白色，无毛；花冠藏于总苞中，白色，长 1.1 ~ 1.2 cm，无毛；退化雄蕊 2，分离；花柱短于子房。蒴果长椭圆状披针形，无毛。花期 6 ~ 8 月，果期 9 ~ 11 月。

| 生境分布 | 生于海拔 240 ~ 1 500 m 的林下阴湿石上或沟边石缝中。分布于广东乳源、仁化、始兴、新丰、连州、阳山、英德、高要、封开、阳春、

信宜及云浮（市区）等。

| **资源情况** | 野生资源一般。药材来源于野生。

| **功能主治** | 淡，平。化痰止咳，解毒活血。用于咳嗽，肺炎，骨折。

| **凭证标本号** | 441823190723010LY。

苦苣苔科 Gesneriaceae 半蒴苣苔属 Hemiboea

降龙草
Hemiboea subcapitata Clarke

| 药 材 名 | 降龙草（药用部位：全草。别名：马拐）。

| 形态特征 | 多年生草本。茎肉质，不分枝，散生紫斑。叶对生，椭圆形、卵状披针形或倒卵状披针形，全缘或中部以上具浅钝齿，基部稍不对称，具蠕虫状石细胞。聚伞花序腋生或假顶生，具 3 ~ 10 花；总苞球形，无毛；萼片离生，长 6 ~ 9 mm，无毛；花冠白色，带紫斑，外面疏生腺状短柔毛；花盘环状。蒴果线状披针形，无毛。花期 9 ~ 10 月，果期 10 ~ 12 月。

| 生境分布 | 生于海拔 100 ~ 1 900 m 的山谷林下石上或沟边阴湿处。分布于广东乐昌、新丰、从化、阳山、连州、英德、阳春、信宜及云浮（市

区）等。

| **资源情况** | 野生资源一般。药材来源于野生。

| **采收加工** | 秋季采收，鲜用或晒干。

| **功能主治** | 甘，寒。消暑利湿，解毒。用于外感暑湿，痈肿疮疖，毒蛇咬伤。

| **用法用量** | 内服煎汤，9 ～ 15 g。外用适量，鲜品捣敷。

| **凭证标本号** | 441226141220005LY。

苦苣苔科 Gesneriaceae 吊石苣苔属 Lysionotus

吊石苣苔 Lysionotus pauciflorus Maxim.

| 药 材 名 | 石吊兰（药用部位：全草。别名：石豇豆）。

| 形态特征 | 小灌木。茎无毛或被短毛。3 叶轮生或对生，革质，楔状线形、楔状长圆形或线形，有少数牙齿或全缘，侧脉不明显。聚伞花序；苞片披针状线形；花萼长 3 ~ 4 mm，5 裂至近基部；花冠白色或淡紫色；雄蕊 2，花药药隔背面凸起；花盘杯状。蒴果线形；种子纺锤形，先端毛长于种子。花期 6 ~ 12 月，果期 8 月至翌年 1 月。

| 生境分布 | 生于海拔 300 ~ 1900 m 的丘陵、山地林中、阴处石崖上或树上。分布于广东乐昌、乳源、翁源、新丰、阳山、英德、连山、连州、紫金、阳春、封开、信宜、高州、五华及深圳（市区）等。

| 资源情况 | 野生资源较丰富。药材来源于野生。

| 采收加工 | 8 ～ 9 月采收，鲜用或晒干。

| 药材性状 | 本品呈茎圆柱形；表面淡棕色或灰褐色，具纵皱纹，节膨大，常有不定根；质脆，易折断，断面黄绿色或黄棕色，中心有空隙。叶轮生或对生，多脱落；叶柄痕明显；叶片披针形至狭卵形，边缘反卷，上部有齿，两面灰绿色至灰棕色。气微，味苦。

| 功能主治 | 苦，温。化痰止咳，软坚散结。用于咳嗽痰多，瘰疬痰核。

| 用法用量 | 内服煎汤，9 ～ 15 g。外用适量，捣敷；或煎汤洗。

| 凭证标本号 | 石国良 14948（IBSC0550226）。

苦苣苔科 Gesneriaceae 马铃苣苔属 Oreocharis

长瓣马铃苣苔

Oreocharis auricula (S. Moore) Clarke

| 药 材 名 | 长瓣马铃苣苔（药用部位：全草。别名：皱皮草）。

| 形态特征 | 多年生草本。叶基生，具柄，长圆状椭圆形，具钝齿或近全缘，两面被毛。聚伞花序，具 4 ~ 11 花；花序梗及花梗疏被绢状绵毛；花萼 5 裂至近基部；花冠细筒状，喉部缢缩，近基部稍膨大，蓝紫色；雄蕊分生，花丝无毛；雌蕊无毛，子房线状长圆形。蒴果。花期 6 ~ 7月，果期 8 月。

| 生境分布 | 生于海拔 400 ~ 1600 m 的山谷、沟边及林下潮湿岩石上。分布于广东乐昌、仁化、乳源、始兴、南雄、佛冈、连州、阳山、连南、英德、连平、和平、惠阳、惠东、大埔、广宁、阳春、信宜及广州（市区）等。

| **资源情况** | 野生资源较丰富。药材来源于野生。 |

| **采收加工** | 全年均可采收，鲜用或晒干。 |

| **功能主治** | 苦，凉。凉血止血，清热解毒。用于跌打损伤，痈疽疮疖，各种出血。 |

| **用法用量** | 内服煎汤，9 ~ 15 g。外用适量，捣敷。 |

| **凭证标本号** | 440281190627063LY。 |

紫葳科 Bignoniaceae 凌霄属 Campsis

凌霄
Campsis grandiflora (Thunb.) Schum.

药 材 名	凌霄花（药用部位：花。别名：红花倒水莲、上树龙）、凌霄根（药用部位：根）。
形态特征	攀缘藤本。茎木质，表皮脱落，呈枯褐色。叶对生，为奇数羽状复叶；小叶卵形至卵状披针形，先端尾状渐尖，基部阔楔形，两面无毛，边缘有粗锯齿。疏散的短圆锥花序顶生；花萼钟状，分裂至中部，裂片披针形；花冠内面鲜红色，外面橙黄色，裂片半圆形。蒴果先端钝。花期 5 ~ 8 月。
生境分布	生于山地、山谷、疏林、灌丛中。栽培于庭园中。分布于广东和平、紫金、丰顺、平远、五华、连山、连州、英德、乐昌、南雄、仁化、

始兴、翁源、乳源及中山、深圳（市区）、广州（市区）、梅州（市区）、清远（市区）等。广东翁源及深圳（市区）等有栽培。

| 资源情况 | 野生资源较丰富。药材来源于野生和栽培。

| 采收加工 | 凌霄花：夏、秋季花盛开时采摘，晒干或鲜用。
凌霄根：全年均可采挖，洗净，晒干。

| 药材性状 | 凌霄花：本品多皱缩卷曲，黄褐色至棕褐色；花萼钟状，裂片5，裂至中部，裂片三角状披针形，萼筒基部至萼齿尖有5纵棱；花冠先端5裂，裂片半圆形，下部联合，呈漏斗状。气清香，味微苦、酸。
凌霄根：本品呈长圆柱形，常扭曲或弯曲，直径1～3 cm。外表土黄色或土红色，有纵皱纹，疏具支根与支根的断痕。断面纤维性，有丝状物，外围呈棕色，中心呈淡黄色。气微，味淡。

| 功能主治 | 凌霄花：甘、酸，寒。归肝、心包经。活血通经，凉血祛风。用于月经不调，经闭癥瘕，产后乳肿，风疹，皮肤瘙痒，痤疮。
凌霄根：甘、辛，寒。凉血祛风，活血通络。用于血热生风，身痒，腰脚不遂，痛风。

| 用法用量 | 凌霄花：内服煎汤，10～15 g。外用适量，鲜品捣敷。
凌霄根：内服煎汤，6～9 g；或入丸、散剂；或浸酒。

| 凭证标本号 | 441882180814100LY。

紫葳科 Bignoniaceae 梓属 Catalpa

灰楸 *Catalpa fargesii* Bur.

| 药 材 名 | 泡桐木皮（药用部位：树皮。别名：川楸、楸树）。

| 形态特征 | 乔木。叶厚纸质，卵形或三角状心形，先端渐尖，基部截形或微心形。伞房状总状花序顶生；花萼 2 裂至近基部，裂片卵圆形；花冠淡红色至淡紫色，内面具紫色斑点，钟状；雄蕊 2，退化雄蕊 3；花柱丝状，细长，柱头 2 裂，子房 2 室，胚珠多数。蒴果细圆柱形，2 裂；种子椭圆状线形，薄膜质，两端具丝状种毛。花期 3 ~ 5 月，果期 6 ~ 11 月。

| 生境分布 | 生于海拔 700 ~ 1 900 m 的村边、山谷。分布于广东信宜、乳源。广东南雄有栽培。

| **资源情况** | 野生资源稀少。药材来源于野生和栽培。 |

| **采收加工** | 全年均可采剥，鲜用或晒干。 |

| **功能主治** | 苦，平。清热除痹，利湿解毒。用于风湿痹痛，潮热，肢体疼痛，浮肿，热毒疮疥。 |

| **用法用量** | 内服煎汤，9 ~ 15 g。外用适量，捣敷。 |

| **凭证标本号** | 高锡朋 54305（IBSC0562657）。 |

紫葳科 Bignoniaceae 梓属 Catalpa

梓

Catalpa ovata G. Don

| 药 材 名 | 梓白皮（药用部位：根皮、树皮。别名：梓皮、梓木白皮、梓树皮）。

| 形态特征 | 乔木。叶对生、近对生或轮生，阔卵形，先端渐尖，基部心形，全缘或浅波状，常3浅裂；叶片上面及下面均粗糙，被微柔毛或近无毛。圆锥花序顶生；花冠钟状，淡黄色，内面具2黄色条纹及紫色斑点；能育雄蕊2，退化雄蕊3。蒴果线形；种子长椭圆形，两端具平展的长毛。花期5～6月，果期8～10月。

| 生境分布 | 生于低山河谷。栽培于村庄附近及公路旁。广东乐昌、连州及广州（市区）等有栽培。

| 资源情况 | 栽培资源较少。药材来源于栽培。

| 采收加工 | 5～7月采挖，将皮剥下，晒干。

| 药材性状 | 本品根皮呈块片状或卷曲状，大小不等，长20～30 cm，厚3～5 mm。外表面栓皮易脱落，棕褐色，皱缩，有细小支根痕；内表面黄白色，平滑，具细网状纹理。折断面不平整，呈纤维性。气微，味淡。

| 功能主治 | 苦，寒。归胆、胃经。清热利湿，降逆止呕，杀虫止痒。用于湿热黄疸，反胃呕吐，疮疥，湿疹，皮肤瘙痒。

| 用法用量 | 内服煎汤，5～9 g。外用适量，研末调敷；或煎汤洗。

| 凭证标本号 | 南岭队4164（IBSC0562716）。

紫葳科 Bignoniaceae 蒜香藤属 Mansoa

蒜香藤 *Mansoa alliacea* (Lam.) A. H. Gentry

| **药 材 名** | 蒜香藤（药用部位：根、茎、叶。别名：紫铃藤、张氏紫葳）。

| **形态特征** | 常绿木质藤本。小枝圆柱形，黄褐色，具皮孔，无毛。掌状小叶3，对生，顶生小叶常变为3叉的卷须或脱落；小叶薄革质或厚纸质，

椭圆形，全缘，两面无毛。聚伞圆锥花序腋生；花萼钟状，先端平截；花冠粉红色，管状，无毛，先端膨大，5裂。蒴果线状长圆形，木质，具瘤状突起。

| **生境分布** | 广东广州（市区）、深圳（市区）等有栽培。

| **资源情况** | 栽培资源较少。药材来源于栽培。

| **功能主治** | 清热解毒，消炎止痛，降脂，抗肿瘤。

| **凭证标本号** | 曾宪锋 ZXF26587（CZH0022232）。

紫葳科 Bignoniaceae 木蝴蝶属 Oroxylum

木蝴蝶
Oroxylum indicum (L.) Kurz

| 药 材 名 | 木蝴蝶（药用部位：种子。别名：玉蝴蝶、千张纸）、木蝴蝶树皮（药用部位：树皮）。

| 形态特征 | 直立小乔木。小叶三角状卵形，先端短渐尖，基部近圆形或心形，偏斜，两面无毛，全缘；叶片干后呈蓝色。总状聚伞花序顶生；花大，紫红色；花萼钟状，紫色，膜质，果期近木质，光滑，先端平截，具小苞片。蒴果木质，2瓣开裂，果瓣具中肋，边缘呈肋状凸起；种子多数，圆形。花期9～12月。

| 生境分布 | 生于低山河谷密林、路边丛林中。分布于广东信宜、南澳、郁南及深圳（市区）、肇庆（市区）等。广东深圳（市区）、肇庆（市区）

等有栽培。

| **资源情况** | 野生资源较少。药材来源于野生和栽培。

| **采收加工** | **木蝴蝶**：秋、冬季采收成熟果实，暴晒至果实开裂，取出种子，晒干。
木蝴蝶树皮：秋、冬季采剥，晒干，切碎。

| **药材性状** | **木蝴蝶**：本品为蝶形薄片，除基部外3面延长成宽大的薄翅，长5～8 cm，宽3.5～4.5 cm。表面浅黄白色，翅半透明，有丝绢样光泽，上有放射状纹理，边缘多破裂。体轻，剥去种皮后有1层薄膜状胚乳，紧包子叶。气微，味微苦。

| **功能主治** | **木蝴蝶**：苦、甘，凉。归肺、肝、胃经。清肺利咽，疏肝和胃。用于肺热咳嗽，喉痹，声音嘶哑，肝胃气痛。
木蝴蝶树皮：微苦，微凉。清热利湿退黄，利咽消肿。用于黄疸性肝炎，咽喉肿痛。

| **用法用量** | **木蝴蝶**：内服煎汤，1～3 g。
木蝴蝶树皮：内服煎汤，30～120 g。

| **凭证标本号** | 44122319072013LY。

紫葳科 Bignoniaceae 炮仗藤属 Pyrostegia

炮仗花 Pyrostegia venusta (Ker-Gawl.) Miers

| 药 材 名 | 炮仗花（药用部位：花、叶。别名：黄鳝藤）。

| 形态特征 | 藤本。具 3 叉丝状卷须。叶对生；小叶卵形，先端渐尖，基部近圆形，上、下两面均无毛，下面具极细小的分散腺穴，全缘。圆锥花序生于侧枝的先端；花萼钟状，有 5 小齿；花冠筒状，橙红色，裂片 5，长椭圆形。果瓣革质，舟状，内有多列种子；种子具翅，薄膜质。花期 1 ～ 6 月。

| 生境分布 | 栽培于庭院建筑物的四周，攀缘于凉棚上。广东各地均有栽培。

| 资源情况 | 栽培资源较丰富。药材来源于栽培。

| **采收加工** | 春、夏季采收，晒干。

| **功能主治** | 花，甘，平。叶，苦、涩，平。润肺止咳，清热利咽。用于肺痨，咳嗽，咽喉肿痛。

| **用法用量** | 内服煎汤，10 ~ 15 g；或研末，3 g，温开水送服。

| **凭证标本号** | 440783190716003LY。

紫葳科 Bignoniaceae 菜豆树属 Radermachera

菜豆树 *Radermachera sinica* (Hance) Hemsl.

| 药 材 名 | 菜豆树（药用部位：全株。别名：豆角树、接骨凉伞、牛尾豆）。

| 形态特征 | 小乔木。高达 10 m。叶柄、叶轴、花序均无毛。二回羽状复叶，稀三回羽状复叶；小叶卵形至卵状披针形，先端尾状渐尖，基部阔楔形，全缘。圆锥花序顶生，直立；苞片线形；花冠钟状漏斗形，白色至淡黄色，裂片 5，圆形。蒴果细长，下垂，圆柱形，稍弯曲，多沟纹，渐尖，果皮薄革质；种子椭圆形。花期 5 ~ 9 月，果期 10 ~ 12 月。

| 生境分布 | 生于海拔 340 ~ 750 m 的山谷或平地疏林中。分布于广东增城、博罗、连南、连州、阳山、英德、仁化、乳源、郁南及肇庆（市区）等。广州博罗及肇庆（市区）等有栽培。

| **资源情况** | 野生资源一般。药材来源于野生和栽培。

| **采收加工** | 全年均可采挖根，夏、秋季采收叶，秋季采收果实，鲜用或晒干。

| **功能主治** | 苦，寒。清热解毒，散瘀消肿。用于伤暑发热，痈肿，跌打骨折，毒蛇咬伤。

| **用法用量** | 内服煎汤，9～15 g。外用适量，捣敷；或煎汤洗。

| **凭证标本号** | 441226170611061LY、440982170326010LY、440882180429084LY。

胡麻科 Pedaliaceae 胡麻属 Sesamum

芝麻 Sesamum indicum L.

| 药 材 名 |

黑芝麻（药用部位：种子。别名：油麻、脂麻）。

| 形态特征 |

一年生草本。高 80 ~ 180 cm。茎直立，四棱形。叶对生或上部互生。花单生或 2 ~ 3 生于叶腋；花萼稍合生，绿色，5 裂；花冠筒状，白色；雄蕊 4；雌蕊 1。蒴果椭圆形，多具 4 棱或 6 棱、8 棱，纵裂，初期绿色，成熟后黑褐色，具短柔毛。种子多数，卵形，两侧扁平，黑色、白色或淡黄色。花期 5 ~ 9 月，果期 7 ~ 9 月。

| 生境分布 |

栽培种。广东各地均有栽培。

| 资源情况 |

栽培资源较丰富。药材来源于栽培。

| 采收加工 |

秋季果实成熟时采割植株，晒干，打下种子，除去杂质，再晒干。

| 药材性状 | 本品呈扁卵圆形，长约 3 mm，宽约 2 mm。表面黑色，平滑或有网状皱纹，先端有棕色点状种脐。种皮薄，子叶 2，白色，富油性。气微，味甘，有油香气。

| 功能主治 | 甘，平。补肝肾，益精血，润肠燥。用于精血亏虚，头晕眼花，耳鸣耳聋，须发早白，病后脱发，肠燥便秘。

| 用法用量 | 内服煎汤，9 ~ 15 g。

| 凭证标本号 | 441825190806003LY、445224201007017LY、441225180730025LY。

爵床科 Acanthaceae 老鼠簕属 Acanthus

老鼠簕
Acanthus ilicifolius L.

| 药 材 名 | 老鼠簕（药用部位：根、枝叶。别名：木老鼠簕）。

| 形态特征 | 直立灌木。高达 2 m。茎粗壮，上部有分枝，无毛。叶长圆形或长圆状披针形，羽状浅裂，侧脉 4 ~ 5 对，直达齿端，自裂片先端突出为尖锐硬刺；托叶呈刺状。穗状花序顶生，花有 2 小苞片；花萼裂片 4；花冠白色，上唇退化，下唇倒卵形，内面上部两侧各有一宽 3 ~ 4 mm 的被毛带。蒴果椭圆形；种子扁平，圆肾形，淡黄色。花果期 5 ~ 9 月。

| 生境分布 | 生于海拔 5 ~ 50 m 的海岸及潮汐可达的滨海地区。分布于广东陆丰、惠东、台山、廉江及汕头（市区）、深圳（市区）、广州（市区）、

东莞、珠海（市区）、阳江（市区）、中山等。

| 资源情况 | 野生资源较丰富。药材来源于野生。

| 采收加工 | 全年均可采收，洗净，切段，晒干或鲜用。

| 功能主治 | 微苦，凉。清热解毒，散瘀止痛，化痰利湿。用于痄腮，瘰疬，肝脾肿大，胃痛，腰肌劳损，痰热咳喘，黄疸，白浊。

| 用法用量 | 内服煎汤，30 ~ 60 g；或炖肉。外用适量，研末调敷；或鲜品捣敷。

| 凭证标本号 | 440781190515045LY。

爵床科 Acanthaceae 穿心莲属 Andrographis

穿心莲
Andrographis paniculata (Burm. f.) Nees

药材名

穿心莲（药用部位：地上部分。别名：榄核莲、苦胆草、印度草）。

形态特征

一年生草本。茎高 50 ~ 80 cm，具 4 棱，下部多分枝，节膨大。叶卵状矩圆形至矩圆状披针形，长 4 ~ 8 cm，宽 1 ~ 2.5 cm，先端略钝。总状花序集成大型圆锥花序；苞片和小苞片微小；花萼裂片三角状披针形，有腺毛；花冠白色而小，二唇形，下唇带紫色斑纹，外有腺毛和短柔毛。蒴果扁，疏生腺毛；种子 12，四方形，有皱纹。花期夏、秋季。

生境分布

生于海拔 100 ~ 200 m 的林下和林缘。广东各地均有栽培。

资源情况

栽培资源一般。药材来源于栽培。

采收加工

秋初茎叶茂盛时采割，晒干。

| 药材性状 | 本品茎呈方柱形，节稍膨大；切面不平坦，具类白色的髓。叶片多皱缩或破碎，完整者展平后呈披针形或卵状披针形，先端渐尖，基部楔形，下延，全缘或波状；上表面绿色，下表面灰绿色，两面光滑。气微，味极苦。

| 功能主治 | 苦，寒。归心、肺、大肠、膀胱经。清热解毒，凉血，消肿。用于感冒发热，咽喉肿痛，口舌生疮，顿咳劳嗽，泄泻痢疾，热淋涩痛，痈肿疮疡，蛇虫咬伤。

| 用法用量 | 内服煎汤，6～9 g。外用适量。

| 凭证标本号 | 445222181004007LY。

爵床科 Acanthaceae 十万错属 Asystasia

宽叶十万错 *Asystasia gangetica* (L.) T. Anders.

| 药 材 名 | 跌打草（药用部位：茎、叶。别名：盗偷草、细穗爵床）。

| 形态特征 | 多年生草本。叶椭圆形，基部急尖、钝、圆形或近心形，近全缘，长 3 ~ 12 cm，两面疏被短毛，上面钟乳体点状。总状花序顶生，花序轴具 4 棱；花冠短，略二唇形，外面疏被柔毛，上唇 2 裂，下唇 3 裂，中裂片两侧自喉部向下有 2 褶襞，直至花冠筒下部，褶襞有紫红色斑点；雄蕊 4，花药紫色；子房密被长柔毛，具杯状花盘，5 浅裂。蒴果长 3 cm。

| 生境分布 | 生于林下、沟边、灌丛阴湿处。分布于广东广州（市区）、东莞等。

| 资源情况 | 野生资源一般。药材来源于野生。

| **采收加工** | 全年均可采收，多鲜用。

| **功能主治** | 辛，平。散瘀消肿，接骨止血。用于跌打肿痛，骨折，外伤出血。

| **用法用量** | 内服煎汤，15 ~ 30 g。外用适量，捣敷。

| **凭证标本号** | 441523190405018LY。

爵床科 Acanthaceae 十万错属 Asystasia

白接骨

Asystasia neesiana (Wall.) Nees

| 药 材 名 |

白接骨（药用部位：全草。别名：玉龙盘）。

| 形态特征 |

多年生草本。具白色、富黏液的竹节形根茎。茎高达 1 m，略呈四棱形。叶卵形至椭圆状矩圆形，长 5 ~ 20 cm，先端尖至渐尖，边缘微波状至具浅齿，基部下延成柄。总状花序或基部有分枝，顶生，长 6 ~ 12 cm；花单生或对生；花冠淡紫红色，漏斗状，外面疏生腺毛。蒴果，具 4 种子，下部实心，细长似柄。花期 7 ~ 8 月，果期 10 ~ 11 月。

| 生境分布 |

生于海拔 200 ~ 1 000 m 的山地、山谷、路旁、疏林。广东各地均有分布。

| 资源情况 |

野生资源较丰富。药材来源于野生。

| 采收加工 |

夏、秋季采收，晒干或鲜用。

| 药材性状 |

本品长短不一。茎略呈四方形，有分枝，

全体光滑无毛。叶对生，皱缩，完整叶片卵形至椭圆状短圆形或披针形，长5～15 cm，宽 2.5～4 cm，先端渐尖至尾状渐尖，基部楔形或近圆形，常下延至叶柄，叶缘微波状至具微齿。

| **功能主治** | 苦、淡，凉。归肺经。化瘀止血，续筋接骨，利尿消肿，清热解毒。用于吐血，便血，外伤出血，跌打瘀肿，扭伤骨折，风湿肢肿，腹水，疮疡溃烂，疔肿，咽喉肿痛。

| **用法用量** | 内服煎汤，9～15 g，鲜品 30～60 g；或捣烂绞汁；或研末。外用适量，鲜品捣敷；或研末撒。

| **凭证标本号** | 邓良 7907（PE01544282）。

板蓝 *Baphicacanthus cusia* (Nees) Bremek. [*Strobilanthes cusia* (Nees) Kuntze]

| 药 材 名 |

南板蓝根（药用部位：根及根茎）、南板蓝叶（药用部位：茎叶）。

| 形态特征 |

多年生草本。幼嫩部分和花序均被锈色的鳞片状毛。叶椭圆形或卵形，先端短渐尖，基部楔形，边缘有稍粗的锯齿，两面无毛。花对生，穗状花序腋生或顶生；苞片叶状，具柄，倒披针形、倒卵形或匙形；花冠圆筒形，先端内弯，喉部扩大，呈窄钟形。蒴果棒状，上端稍大，稍具4棱；种子每室2，卵圆形。花期7月至翌年2月，果期12月至翌年2月。

| 生境分布 |

生于海拔900 m以下的山谷、溪边潮湿处。分布于广东紫金、博罗、惠东、龙门、高州、信宜、大埔、五华、阳山、英德、乐昌、仁化、乳源、翁源、新丰、始兴、阳春、新兴、罗定、郁南、徐闻、封开、怀集及东莞、广州（市区）、河源（市区）、茂名（市区）、清远（市区）、韶关（市区）、深圳（市区）、云浮（市区）、肇庆（市区）等。广东清城、从化、罗定有栽培。

| 资源情况 | 野生资源丰富。药材来源于野生和栽培。

| 采收加工 | 南板蓝根：初冬采挖，晒干。
南板蓝叶：秋季采收，晒干。

| 药材性状 | 南板蓝根：本品根茎圆柱形，多弯曲，直径 2 ~ 6 mm；上部常具短的地上茎，有时分枝；表面灰褐色，节膨大，节处着生细长而略弯曲的根，表面有细皱纹。质脆，易折断，断面不平坦，略呈纤维状，中央有较大髓。气微，味淡。
南板蓝叶：本品多缩成不规则团块状，有时带小枝，呈黑绿色或灰绿色，完整叶片展平后呈长椭圆形或倒卵状长圆形，长 5 ~ 15 cm，宽 3 ~ 5 cm，叶缘有细小钝锯齿，先端渐尖，基部楔形，下延，中脉于背面明显凸出。纸质，质脆，易碎。气微，味淡。

| 功能主治 | 南板蓝根：苦，寒。归心、肝、胃经。清热解毒，凉血消肿。用于温毒发斑，高热头痛，大头瘟，丹毒，痄腮，病毒性肝炎，流行性感冒，肺炎，疮肿，疱疹。
南板蓝叶：苦、咸，寒。归肺、胃、心、肝经。清热解毒，凉血止血。用于温热病，高热头痛，发斑，肺热咳嗽，湿热泻痢，黄疸，丹毒，猩红热，麻疹，咽喉肿痛，口疮，痄腮，淋巴结炎，肝炎，肠痈，吐血，衄血，牙龈出血，崩漏，疮疖，蛇虫咬伤。

| 用法用量 | 南板蓝根：内服煎汤，15 ~ 30 g，大剂量可用 60 ~ 120 g；或入丸、散剂。外用适量，捣敷；或煎汤熏洗。
南板蓝叶：内服煎汤，6 ~ 15 g，鲜品 30 ~ 60 g；或入丸、散剂；或绞汁。外用适量，捣敷；或煎汤洗。

| 凭证标本号 | 441821201001080LY。

| 附　注 | 除本种外，同科植物曲枝假蓝 *Pteroptychia dalziellii*（W. W. Sm.）H. S. Lo 的根、叶在广东部分地区亦作板蓝根、大青叶使用。

爵床科 Acanthaceae 假杜鹃属 Barleria

假杜鹃 Barleria cristata L.

| **药 材 名** | 紫靛（药用部位：全株。别名：蓝花草、吐红草）。

| **形态特征** | 小灌木。高达 2 m。茎圆柱状，被柔毛，有分枝。叶椭圆形、长椭圆形或卵形，先端急尖，两面被长柔毛，全缘。穗状花序短小，花密集，常 2 至数花簇生于腋生短枝的先端；花的小苞片披针形或线形，有时花退化而只有 2 不孕的小苞片；花萼裂片具长芒状齿；花冠蓝紫色或白色，二唇形。蒴果长圆形，两端急尖。花期 11 ~ 12 月。

| **生境分布** | 生于海拔 700 ~ 1 100 m 的山坡、路旁、疏林下阴处、干燥草坡或岩石缝隙中。分布于广东佛冈、英德、阳山、博罗、从化、高要、徐闻、东源、紫金、丰顺、仁化、新丰及深圳（市区）、珠海（市区）、

佛山（市区）、东莞、中山等。

| 资源情况 | 野生资源较丰富。药材来源于野生。

| 采收加工 | 全年均可采收，切段，鲜用或晒干。

| 药材性状 | 本品茎呈圆柱形，略有棱，光滑无刺。叶对生，皱缩，完整叶片展平后呈椭圆形至矩圆形，长 3 ~ 10 cm，先端尖，基部楔形，全缘，略呈波状，两面具毛。

| 功能主治 | 辛、苦，凉。清肺化痰，祛风利湿，解毒消肿。用于肺热咳嗽，百日咳，风湿疼痛，风疹身痒，黄水疮，小便淋痛，跌打瘀肿，痈肿疮疖。

| 用法用量 | 内服煎汤，9 ~ 15 g；或浸酒。外用适量，鲜品捣敷；或煎汤洗。

| 凭证标本号 | 440882180602267LY。

爵床科 Acanthaceae 假杜鹃属 Barleria

花叶假杜鹃 Barleria lupulina Lindl.

| 药 材 名 | 刺血红（药用部位：全株。别名：七星剑、血路草）。

| 形态特征 | 灌木。多分枝，高达 2 m。叶线形、披针形、狭卵形或椭圆形，长 2 ~ 9.5 cm，先端锐尖，基部楔形，全缘，两面几无毛。穗状花序 顶生，花多数，密集；苞片先端具芒状尖头，小苞片线形或线状披 针形，具坚硬的尖头；花萼裂片全缘；花冠黄色。蒴果卵球形，先 端具圆柱状喙；种子 2，扁圆球形，密被淡黄色丝状毛。花期夏、 秋季。

| 生境分布 | 栽培于山谷湿地、村旁、园边。广东各地均有栽培。

| 资源情况 | 栽培资源较少。药材来源于栽培。

| 采收加工 | 全年均可采收，切段，鲜用或晒干。

| 药材性状 | 本品茎呈圆形，具棱，木质。叶对生，多皱缩或破碎，完整叶片披针形或卵状披针形，长 4 ～ 8 cm，先端渐尖，基部楔形，全缘，两面有白色柔毛，具短叶柄，叶柄基部有 1 对向下的针刺，呈紫红色。

| 功能主治 | 辛、苦，平。通经络，续筋骨，解毒消肿。用于跌打肿痛，骨折，外伤出血，痈肿疮毒，毒蛇咬伤。

| 用法用量 | 内服煎汤，6 ～ 10 g。外用适量，鲜品捣敷。

| 凭证标本号 | 邓良 10784（IBSC0558576）。

爵床科 Acanthaceae 黄猄草属 Championella

日本黄猄草 *Championella japonica*

药材名

红泽兰（药用部位：全草。别名：山泽蓝）。

形态特征

直立草本。茎多分枝，幼茎具4棱，紫红色，节膨大。叶对生，具柄，叶片卵状椭圆形或披针形，先端长渐尖，基部楔形或宽楔形，边缘具圆齿。穗状花序顶生，多花交互对生于苞腋；苞片矩圆形，覆瓦状张开，与花冠管等长。花期8～9月，果期10～11月。

生境分布

生于林边、沟边的阴湿处。栽培于沟边、屋旁土壤阴湿肥沃处。分布于广东五华。广东广州（市区）等有栽培。

资源情况

野生资源稀少。药材来源于野生和栽培。

采收加工

夏、秋季采收，洗净，晒干。

药材性状

本品为茎、叶混合的段，黑色或墨绿色。茎基方形，节膨大。叶破碎，皱缩。

| **功能主治** | 辛、微苦，微温。归肝、脾经。活血通经，化瘀行水。用于月经不调，痛经，经闭，产后腹痛，癥瘕，身面浮肿，痈肿，跌打损伤。 |

| **用法用量** | 内服煎汤，9 ～ 15 g。 |

| **凭证标本号** | 441900190903012LY。 |

黄猄草

Championella tetrasperma (Champ. ex Benth.) Bremek.

| 药 材 名 | 岩冬菜（药用部位：全草。别名：海椒七、绿豆青）。

| 形态特征 | 草本。茎近无毛。叶纸质，卵形或近椭圆形，先端钝，基部渐窄或稍收缩，边缘具圆齿，无毛。穗状花序短而紧密；苞片叶状，倒卵形或匙形，具羽状脉，2 线形小苞片及花萼裂片均被扩展的流苏状缘毛；花冠淡红色或淡紫色，外面被短柔毛，内有长柔毛。蒴果；种子 4。花期 7 ~ 12 月。

| 生境分布 | 生于山地、山谷林下石上或阴湿草地。分布于广东从化、和平、博罗、惠东、龙门、台山、大埔、丰顺、五华、佛冈、连州、阳山、英德、乐昌、仁化、乳源、始兴、翁源、新丰、怀集、封开及东莞、广州（市

区）、江门（市区）、深圳（市区）、肇庆（市区）、珠海（市区）等。

| 资源情况 | 野生资源较丰富。药材来源于野生和栽培。

| 采收加工 | 夏、秋季采收，洗净，鲜用或晒干。

| 功能主治 | 辛、微苦，寒。疏风清热，活络，解毒。用于风热感冒，风湿骨痛，跌打损伤，疮疖肿毒。

| 用法用量 | 内服煎汤，9～15 g。外用适量，鲜品捣敷；或煎汤熏洗。

| 凭证标本号 | 丁广奇、石国良 1165（HITBC045500）。

| 附　　注 | 本种与日本黄猄草的区别在于本种叶片和苞片卵形，子房先端具非腺毛；日本黄猄草一般叶片披针形，苞片披针形，子房先端有腺毛和非腺毛。

爵床科 Acanthaceae 鳄嘴花属 Clinacanthus

鳄嘴花 Clinacanthus nutans (Burm. f.) Lindau

| 药 材 名 | 青箭（药用部位：全草）。

| 形态特征 | 高大草本，直立或呈攀缘状。茎圆柱状，有细密的纵条纹。叶披针形或卵状披针形，长 5 ~ 11 cm，先端弯尾状渐尖，基部稍偏斜，近全缘，两面无毛；每边具 5 或 6 侧脉，干时两面的侧脉稍凸起。聚伞花序长 1.5 cm，被腺毛；苞片离生，线形；花冠二唇形，深红色，被柔毛；能育雄蕊 2，花药 1 室。蒴果棒状，被毛；种子圆形，长约 2 mm。花期春、夏季。

| 生境分布 | 生于低海拔地区的疏林中或灌丛内。分布于广东徐闻及广州（市区）、肇庆（市区）、珠海（市区）等。

| 资源情况 | 野生资源一般。药材来源于野生。

| 采收加工 | 全年均可采收，洗净，切段，鲜用或晒干。

| 药材性状 | 本品茎表面具细致的纵行纹理，嫩枝有短柔毛。叶对生，多皱缩或破碎，完整叶片展开后呈披针形或卵状披针形，有的略弯曲成镰刀状，长 3 ~ 11 cm，先端渐尖，基部楔形，全缘或有细齿，具短柄。

| 功能主治 | 微苦、淡，凉。清热利湿，活血舒筋。用于湿热黄疸，风湿痹痛，月经不调，跌打肿痛，骨折。

| 用法用量 | 内服煎汤，15 ~ 30 g。外用适量，捣敷；或捣汁涂。

| 凭证标本号 | 440882180430104LY。

爵床科 Acanthaceae 钟花草属 Codonacanthus

钟花草 *Codonacanthus pauciflorus* (Nees) Nees

| 药 材 名 |

钟花草（药用部位：全草。别名：青木香草）。

| 形态特征 |

纤细草本。茎直立或基部卧地，被短绒毛，高 20 ～ 50 cm。叶薄纸质，椭圆状卵形或披针形，长 6 ～ 9 cm 或更长，两面被微柔毛；叶柄长 5 ～ 10 mm。花序具疏花，花在花序上互生；花梗长 1 ～ 3 mm；花冠管下部偏斜，花冠白色或淡紫色，无毛，冠檐裂片 5，卵形或长卵形，后裂片稍小。花期 10 月。

| 生境分布 |

生于海拔 800 ～ 1 500 m 的密林下或潮湿的山谷。分布于广东新丰、翁源、乳源、乐昌、连州、英德、博罗、龙门、罗定、高要、阳春、和平及珠海（市区）、茂名（市区）等。

| 资源情况 |

野生资源一般。药材来源于野生。

| 采收加工 |

夏、秋季采收，洗净，鲜用或晒干。

| **功能主治** | 苦、微辛，凉。清心火，活血通络。用于口舌生疮，风湿痹痛，跌打损伤。

| **用法用量** | 内服煎汤，6 ～ 15 g。

| **凭证标本号** | 441523190919004LY、441324181216007LY、441284191208383LY。

爵床科 Acanthaceae 狗肝菜属 Dicliptera

狗肝菜
Dicliptera chinensis (L.) Juss.

药材名

狗肝菜（药用部位：全草。别名：金龙棒、路边青、猪肝菜）。

形态特征

草本。茎具6钝棱和浅沟，高30～80 cm，节常膨大，呈曲膝状，节处被疏柔毛。叶纸质，卵状椭圆形，两面近无毛或背面脉上被疏柔毛。花序腋生或顶生，由3～4聚伞花序组成，总花梗长3～5 mm，具2总苞状苞片；总苞片阔倒卵形或近圆形，大小不等；花冠淡紫红色，外面被柔毛，有紫红色斑点。蒴果，被柔毛。花期10～11月，果期翌年2～3月。

生境分布

生于海拔1 800 m以下的疏林下、溪边、路旁。分布于广东从化、花都、高要、怀集、大埔、台山及清远（市区）等。

资源情况

野生资源较丰富。药材来源于野生和栽培。

采收加工

7～10月采收，洗净，鲜用或晒干。

| **药材性状** | 本品根须状，淡黄色。茎表面具钝棱，节膨大，多分枝，呈曲折状。叶全缘，多皱缩或破碎，完整叶片呈卵状椭圆形，上表面叶脉有柔毛，下表面叶脉柔毛较少。花二唇形。种子扁圆形。

| **功能主治** | 甘、微苦，寒。清热凉血，利湿解毒。用于感冒发热，热病发癫，吐血，衄血，便血，尿血，崩漏，肺热咳嗽，咽喉肿痛，肝热目赤，惊风，小便淋沥，带下，带状疱疹，痈肿疔疖，蛇犬咬伤。

| **用法用量** | 内服煎汤，30 ~ 60 g。.

| **凭证标本号** | 441523190918044LY、440783200103010LY、440781190827025LY。

爵床科 Acanthaceae 喜花草属 Eranthemum

喜花草

Eranthemum pulchellum Andrews.

药材名

可爱花（药用部位：根、叶。别名：喜花草、对节菜、牛七）。

形态特征

灌木。枝四棱形，近无毛，高 2 m。叶对生，卵形或椭圆形，长 9 ~ 20 cm，有不明显的钝齿，叶脉明显，每边具 8 ~ 10 侧脉。穗状花序，具覆瓦状排列的苞片；苞片大，叶状，无缘毛，小苞片短于花萼；花萼白色；花冠蓝色或白色，高脚碟状，外被微柔毛，冠檐裂片 5，通常呈倒卵形；雄蕊 2，稍外露。蒴果长约 1.3 cm。花期春季。

生境分布

生于海拔 190 ~ 800 m 的山坡、林下或灌丛中。广东广州（市区）、阳江（市区）等有栽培。

资源情况

栽培资源一般。药材来源于栽培。

采收加工

夏、秋季采收，洗净，晒干或鲜用。

| **药材性状** | 本品叶皱缩，完整叶片呈椭圆形至短圆形，长 5 ~ 10 cm，先端尖锐至短渐尖，基部楔形，下延，边缘微波状或具微圆齿，叶脉明显，小支脉排列整齐，几呈平行状。气微，味淡。 |

| **功能主治** | 辛，平。散瘀消肿。用于跌打肿痛。 |

| **用法用量** | 内服煎汤，6 ~ 15 g。 |

| **凭证标本号** | 15513（IBSC0558936）。 |

爵床科 Acanthaceae 水蓑衣属 Hygrophila

水蓑衣

Hygrophila salicifolia (Vahl) Nees

药材名

水蓑衣（药用部位：全草。别名：大青草、青泽兰、化痰清）、南天仙子（药用部位：种子）。

形态特征

直立草本。茎具 4 钝棱，节上被疏柔毛。叶纸质，线形或披针状线形，近无毛；叶柄短。花簇生于叶腋或假轮生；苞片卵形，长约 7 mm，小苞片披针形；花萼裂片稍不等大，渐尖，被皱曲的长柔毛；花冠淡紫色或粉红色，长 1 ~ 1.2 cm，被柔毛，上唇卵状三角形，下唇长圆形，喉部疏被长柔毛；二强雄蕊；子房无毛。蒴果，无毛。花期秋季。

生境分布

生于海拔 800 m 以下的溪沟边或阴湿地的草丛中。分布于广东连山、英德、仁化、新丰、徐闻、怀集、封开、博罗、阳春、新兴及广州（市区）、深圳（市区）等。

资源情况

野生资源较丰富。药材来源于野生。

| **采收加工** | 水蓑衣：夏、秋季采收，洗净，鲜用或晒干。
| | 南天仙子：秋季果熟期割取地上部分，晒干，打下种子，除去杂质。

| **药材性状** | 水蓑衣：本品茎略呈方柱形，具棱，节处被疏柔毛。叶多皱缩，完整叶片展开后呈披针形、矩圆状披针形或线状披针形，下部叶为椭圆形，全缘。气微，味淡。
| | 南天仙子：本品略呈扁平心形，直径 1 ~ 15 mm。表面棕红色或暗褐色，略平滑，有贴伏的黏毛，呈薄膜状，湿润即黏结成团。无臭，味淡而黏舌。

| **功能主治** | 水蓑衣：甘、微苦，凉。清热解毒，化瘀止痛。用于时行热毒，丹毒，黄疸，口疮，咽喉肿痛，乳痈，吐血，衄血，跌打伤痛，骨折，毒蛇咬伤。
| | 南天仙子：苦，寒。清热解毒，消肿止痛。用于乳痈，疮肿。

| **用法用量** | 水蓑衣：内服煎汤，6 ~ 30 g。
| | 南天仙子：外用适量。

| **凭证标本号** | 441825210313065LY、441284191005598LY、441224181011006LY。

枪刀药

Hypoestes purpurea (L.) R. Br.

| 药 材 名 |

枪刀药（药用部位：全草。别名：青丝线、红丝绒、六角英）。

| 形态特征 |

多年生草本。茎下部常曲膝状弯拐，上部具4钝棱和浅沟，被微柔毛。叶卵形或卵状披针形，全缘，被微柔毛或近无毛。花序穗状，腋生，长 1 ~ 2 cm，头状花序位于总轴的一侧；总苞片 4，2 轮，对生；花萼小；花冠紫蓝色，唇形，被柔毛；雄蕊伸出，花丝扁平，花丝和花柱均无毛；柱头 2 浅裂。蒴果长约 10 mm。花期 10 ~ 11 月。

| 生境分布 |

生于低海拔近村庄的灌丛中、路边或林下。分布于广东南海、台山及清远（市区）、深圳（市区）、广州（市区）、东莞、珠海（市区）等。

| 资源情况 |

野生资源较少。药材来源于野生。

| 采收加工 |

夏、秋季采收，洗净，鲜用或晒干。

| **药材性状** | 本品茎具 4 棱，节明显，被稀疏短毛。叶对生，皱缩，完整叶片展平后呈椭圆形至椭圆状矩圆形，先端渐尖，基部楔形，略下延，具长柄，边缘具钝圆状浅齿，两面疏生短柔毛。有时可见穗状花序或聚伞花序。气微，味淡。 |

| **功能主治** | 苦、微涩，凉。清肺止咳，凉血止血，散瘀解毒。用于肺热咳嗽，劳嗽咯血，吐血，衄血，尿血，崩漏，黄疸，腹泻，跌打瘀肿。 |

| **用法用量** | 内服煎汤，9 ~ 15 g，鲜品 15 ~ 30 g。外用适量，捣敷。 |

| **凭证标本号** | 陈炳辉 756（IBSC0559385）。 |

| **附　　注** | 广东民间使用的枪刀药药材的来源还有同属植物三花枪刀药 *Hypoestes triflora* Roem. et Schult.。 |

爵床科 Acanthaceae 爵床属 Justicia

鸭嘴花 *Justicia adhatoda* L.

药 材 名	大驳骨（药用部位：全株。别名：大驳骨消、牛舌兰）。
形态特征	大灌木。枝圆柱状，灰色，有皮孔，嫩枝密被灰白色微柔毛。叶上面近无毛，下面被微柔毛。穗状花序卵形或稍伸长；苞片卵形或阔卵形，长 1 ~ 3 cm，被微柔毛，小苞片披针形；花萼裂片 5，矩圆状披针形；花冠白色，有紫色或粉红色条纹，被柔毛，花冠管卵形。蒴果近木质，上部具 4 种子，下部实心，呈短柄状。
生境分布	生于海拔 800 ~ 1 800 m 的路边或灌丛中。广东各地均有栽培。
资源情况	栽培资源较丰富。药材来源于栽培。

| **采收加工** | 全年均可采收，鲜用或洗净后晒干。

| **药材性状** | 本品枝呈圆柱形，老枝光滑，幼枝密被灰白色微毛。叶对生，皱缩，完整的叶片长圆状椭圆形至披针形，长 8 ~ 15 cm，宽 3 ~ 6 cm，先端渐尖，基部楔形，全缘，两面被微毛；叶柄明显。气微，揉搓后有特殊臭气。

| **功能主治** | 辛、微苦，平。消肿止痛，接骨续筋，活血止血。用于筋伤骨折，扭伤，瘀血肿痛，风湿痹痛，腰痛，月经过多，崩漏。

| **用法用量** | 内服煎汤，10 ~ 30 g。

| **凭证标本号** | 441802200111012LY、441821201122005LY、440281190424007LY。

爵床科 Acanthaceae 爵床属 Justicia

虾衣花
Justicia brandegeeana Wassh. et L. B. Smith

| 药 材 名 | 麒麟吐珠（药用部位：茎、叶。别名：青丝线、麒麟塔）。

| 形态特征 | 草本。高 0.5 ~ 2 m，多分枝。茎圆柱状，被 2 行短硬毛。叶卵形，长 2.5 ~ 7 cm，先端短渐尖，基部渐狭成细柄，全缘，两面被短硬毛。穗状花序顶生，稀腋生，紧密，稍弯垂，长 6 ~ 9 cm；苞片砖红色；花萼 5 裂，白色，被柔毛；花冠白色，喉凸上有红色斑点，檐部二唇形，深裂至中部，被短柔毛。蒴果棒状；种子两侧呈压扁状，无毛。

| 生境分布 | 生于温暖湿润的地方。广东各地均有栽培。

| 资源情况 | 栽培资源较丰富。药材来源于栽培。

| 采收加工 | 夏、秋季采收，洗净，晒干或鲜用。

| **功能主治** | 辛、微苦，凉。清热解毒，散瘀消肿。用于疔疮疖肿，跌打肿痛。 |

| **用法用量** | 内服煎汤，9 ~ 15 g。外用适量，鲜品捣敷。 |

| **凭证标本号** | 邓良 9458（HITBC0024953）。 |

爵床科 Acanthaceae 爵床属 Justicia

圆苞杜根藤

Justicia championii T. Anderson

| 药 材 名 | 中华赛爵床（药用部位：全草。别名：杜根藤）。

| 形态特征 | 草本。茎直立或披散状，高达 50 cm。叶椭圆形至矩圆状披针形，长 2 ~ 12 cm，先端略钝至渐尖。紧缩的聚伞花序具 1 至少数花，生于上部叶腋，呈簇生状；苞片圆形或倒卵状匙形，有短柄，叶状，有羽脉；花萼裂片 5，条状披针形，生微毛或短糙毛；花冠白色，外被微毛，长 8 ~ 12 mm，二唇形。蒴果长约 8 mm，上部具 4 种子，下部实心；种子有疣状突起。

| 生境分布 | 生于山地、山谷、疏林下。分布于广东乐昌、乳源、新丰、德庆、从化、博罗、丰顺、佛冈、阳山、英德及深圳（市区）、东莞、中山、珠海

（市区）等。

| 资源情况 | 野生资源较少。药材来源于野生。

| 采收加工 | 夏、秋季采收，洗净，鲜用或晒干。

| 药材性状 | 本品长约 50 cm。茎略呈四棱形。叶对生，皱缩，完整叶片展平后呈椭圆形至矩圆状披针形，长 2 ～ 12 cm，先端略钝至渐尖，基部楔形，略下延，全缘，略呈波状。

| 功能主治 | 微甘、苦，微温。健脾开胃，散瘀止血，消肿解毒。用于体虚乏力，食欲不振，吐血，衄血，跌打瘀痛，疮疡肿毒，蛇咬伤。

| 用法用量 | 内服煎汤，9 ～ 15 g；或鲜品捣汁。外用适量，捣敷。

| 凭证标本号 | 441422200913650LY。

爵床科 Acanthaceae 爵床属 Justicia

小驳骨

Justicia gendarussa N. L. Burman

| 药 材 名 | 小驳骨（药用部位：地上部分。别名：驳骨丹、接骨草、四季花）。

| 形态特征 | 直立草本。无毛，高约 1 m。茎圆柱形，节膨大，对生，嫩枝常深紫色。叶狭披针形至披针状线形，全缘，中脉粗大，在上面平坦，在下面呈半柱状凸起，呈深紫色，有时侧脉半透明；叶柄短或无。穗状花序顶生，下部间断，上部花密；苞片对生；花萼裂片披针状线形，无毛或被疏柔毛；花冠唇形，白色或粉红色。蒴果无毛。花期春季。

| 生境分布 | 生于海拔 300 m 以下的山地阴湿处、沟谷。广东各地均有栽培。

| 资源情况 | 栽培资源较丰富。药材来源于栽培。

采收加工	全年均可采收，除去杂质，晒干。
药材性状	本品茎表面黄绿色，有黄色小皮孔；小枝微具 4 棱，节膨大；质脆，易折断，断面黄白色。叶对生，卷缩破碎，先端渐尖，基部楔形，全缘，叶脉略带紫色。穗状花序顶生或生于上部叶腋；苞片窄细；花冠二唇形。气微。
功能主治	辛、微酸，平。续筋接骨，消肿止痛。用于跌打损伤，筋伤骨折，风湿骨痛，血瘀经闭，产后腹痛。
用法用量	内服煎汤，15 ~ 30 g。
凭证标本号	441802220518017LY、445202211228014LY、440606211111032LY。

爵床 *Justicia procumbens* L.

药材名

爵床（药用部位：全草。别名：小青草、六角英、大鸭草）。

形态特征

草本。茎方形，节稍膨大，表面被灰白色细柔毛。叶两面均有短柔毛，具叶柄。穗状花序顶生或腋生；花小；萼片5，线状披针形或线形，外围有苞片2；花冠淡红色或带紫红色，唇形；雄蕊2，花药2室；雌蕊1，有毛，子房卵形，2室，花柱丝状，柱头头状。蒴果线形，淡棕色，表面上部具白色短柔毛。花期8~11月，果期10~11月。

生境分布

生于海拔1200 m以下的旷野草地和路旁的阴湿处。分布于广东始兴、翁源、乳源、乐昌、台山、徐闻、鼎湖、封开、高要、惠东、龙门、大埔、蕉岭、陆丰、阳山、连山、连南、连州、新兴及广州（市区）、深圳（市区）等。广东惠东及广州（市区）、肇庆（市区）等有栽培。

资源情况

野生资源较丰富。药材来源于野生和栽培。

| 采收加工 | 立秋后采收，晒干。

| 药材性状 | 本品根细而弯曲。茎具纵棱，节上常有不定根；表面黄绿色，被毛，节膨大成膝状；质脆，易折断，断面可见白色的髓。叶对生，多皱缩，展平后呈卵形，两面及叶缘有毛。苞片及宿存花萼均被粗毛；偶见花冠，淡红色。气微，味淡。

| 功能主治 | 微苦，寒。清热解毒，利尿消肿。用于感冒发热，咳嗽，咽喉肿痛，目赤肿痛，疳积，湿热泻痢，疟疾，黄疸，浮肿，淋浊，筋骨疼痛，跌打损伤，痈疽疔疮，湿疹。

| 用法用量 | 内服煎汤，10 ～ 15 g。

| 凭证标本号 | 441721210924071LY、441702210927018LY、441203200914030LY。

爵床科 Acanthaceae 爵床属 Justicia

杜根藤

Justicia quadrifaria (Nees) T. Anderson

| 药 材 名 |

大青草（药用部位：全草）。

| 形态特征 |

草本。茎基部匍匐，下部节上生根，后直立，近四棱形，具沟槽。叶片矩圆形或披针形，长 2.5 ~ 8（~ 10）cm，基部锐尖，先端短渐尖，边缘常具疏齿，背面脉上无毛或被微柔毛，叶片干时黄褐色。花腋生、单生或数花簇生；花萼 5 裂，被微柔毛；花冠白色，具红色斑点，被疏柔毛。蒴果无毛，长8 mm；种子无毛，被小瘤。花期春季。

| 生境分布 |

生于山地、山谷、路旁、密林下。分布于广东博罗、从化、德庆、封开、广宁、怀集、佛冈、阳山、和平、紫金、乐昌、仁化、乳源、翁源、开平、丰顺、五华及深圳（市区）、珠海（市区）、东莞等。

| 资源情况 |

野生资源一般。药材来源于野生。

| 采收加工 |

夏、秋季采收，洗净，鲜用或晒干。

| **功能主治** | 苦，寒。清热解毒。用于时行热毒，丹毒，口舌生疮，黄疸。

| **用法用量** | 内服煎汤，9～15g；或鲜品捣烂绞汁。

| **凭证标本号** | 440281190627048LY。

黑叶小驳骨 *Justicia ventricosa* Wallch ex Hooker

药材名

大驳骨（药用部位：全株。别名：黑叶爵床、大接骨草）。

形态特征

亚灌木。高约 1 m。除花序外全株无毛。叶椭圆形或倒卵形，长 10 ~ 17 cm，常有颗粒状隆起，中脉粗大，在腹面稍凸，在背面呈半柱状凸起，两面近同等程度凸起，在背面半透明；叶柄短。穗状花序顶生，密生；苞片大，覆瓦状重叠，阔卵形或近圆形，被微柔毛；花萼裂片披针状线形；花冠白色或粉红色，唇形。蒴果被柔毛。花期冬季。

生境分布

生于海拔 700 m 以下的近村庄的疏林下或灌丛中。分布于广东信宜、鼎湖、新兴、郁南及广州（市区）等。广东信宜、鼎湖、新兴、郁南及广州（市区）等有栽培。

资源情况

野生资源较少。药材来源于野生和栽培。

采收加工

全年均可采收，洗净，切段，晒干。

| **功能主治** | 辛、微酸，平。活血散瘀，祛风除湿。用于骨折，跌打损伤，风湿性关节炎，腰腿疼痛，外伤出血。

| **用法用量** | 内服煎汤，10 ～ 30 g。

| **凭证标本号** | 441802200724011LY、441821201123013LY、440114200801005LY。

爵床科 Acanthaceae 鳞花草属 Lepidagathis

鳞花草

Lepidagathis incurva Buch.-Ham. ex D. Don

| 药 材 名 | 鳞衣草（药用部位：全草。别名：牛膝琢、蛇毛衣）。

| 形态特征 | 直立、多分枝草本。叶纸质，长圆形至披针形，有时近卵形，叶基部多少下延，叶缘常呈浅波状。穗状花序顶生或近枝顶侧生；苞片长圆状卵形，先端具刺状芒尖，具5或7脉，小苞片稍狭，小苞片、苞片、花萼裂片均在背面和边缘被白色长柔毛；花萼前裂片中部以下合生；花冠白色。蒴果长圆形，无毛。花期早春。

| 生境分布 | 生于海拔200 ~ 1 500 m 的近村庄的草地或旷野、灌丛、干旱草地、河边沙地。分布于广东台山、高要、博罗、惠东、阳春、英德、新丰及广州（市区）、东莞、佛山（市区）、深圳（市区）、茂名（市

区）等。

| **资源情况** | 野生资源一般。药材来源于野生。

| **采收加工** | 秋季采收，洗净，鲜用或晒干。

| **药材性状** | 本品茎呈圆柱形，略具4棱，有分枝，分枝长短不一，具短毛。叶对生，皱缩，完整叶片展平后呈卵状椭圆形，长2.5 ~ 10 cm，先端尖，基部楔形，下延至柄成狭翅状，全缘或略呈波状，两面具茸毛，有时可见针状结晶的小线条。

| **功能主治** | 甘、微苦，寒。清热解毒，消肿止痛。用于感冒发热，肺热咳嗽，疮疡肿毒，口唇糜烂，目赤肿痛，湿疹，跌打伤痛，蛇咬伤。

| **用法用量** | 内服煎汤，9 ~ 15 g。外用适量，煎汤洗；或鲜品捣敷。

| **凭证标本号** | 440781191104009LY、440783191103011LY、44188280912002LY。

爵床科 Acanthaceae 耳叶马蓝属 Perilepta

红背耳叶马蓝 *Perilepta dyeriana* (Mast.) Bremek.

| 药 材 名 | 红背马蓝（药用部位：全草。别名：红背草、疏花金足草）。

| 形态特征 | 多年生草本或亚灌木。茎多分枝，四棱形，疏被硬毛。叶对生，无柄，基部收缩，呈提琴形或心形，抱茎，边缘具锯齿，两面疏被硬毛，具玫红色侧脉 12 ～ 15 对，嫩叶背面红紫色。穗状花序腋生；小苞片和花萼线形，花萼不等 5 裂；花冠蓝紫色；雄蕊 4，二强，花丝无毛。蒴果长约 1 cm，具 4 种子。花期春季。

| 生境分布 | 栽培于湿润环境。广东广州（市区）等有栽培。

| 资源情况 | 栽培资源稀少。药材来源于栽培。

| 采收加工 | 春、夏季采收，洗净，鲜用或晒干。

| **功能主治** | 苦、辛，平。活血散瘀，清热解毒。用于月经不调，产后恶露不尽，湿热痢疾，疔疮痈肿，跌打损伤，骨折。

| **用法用量** | 内服煎汤，15 ~ 30 g。外用适量，鲜品捣敷。

爵床科 Acanthaceae 观音草属 Peristrophe

观音草

Peristrophe bivalvis (L.) Merrill.

| 药 材 名 | 红丝线（药用部位：全草。别名：红蓝、山蓝）。

| 形态特征 | 多年生直立草本。高达 1 m。枝多数，交互对生，小枝被红褐色柔毛。叶卵形或披针状卵形，全缘，纸质，嫩叶两面被毛，干时黑紫色；叶柄长 5 mm。聚伞花序由 2 或 3 头状花序组成，腋生或顶生；总花梗长 3 ~ 5 mm；花冠粉红色，被倒生短柔毛。蒴果被柔毛。花期冬季至翌年春季。

| 生境分布 | 生于海拔 500 ~ 1 000 m 的林下潮湿处。分布于广东博罗、英德及广州（市区）、肇庆（市区）等。

| 资源情况 | 野生资源较少。药材来源于野生。

| **采收加工** | 夏、秋季枝叶茂盛时采收，除去杂质，洗净，干燥。

| **药材性状** | 本品茎呈类圆柱形，直径 3 ~ 6 mm，具 5 ~ 6 钝棱和 5 ~ 6 纵沟，节呈曲膝状；质脆，易折断，断面有髓，幼枝被柔毛。叶对生，完整者展平后呈卵形或披针状卵形，先端短渐尖至急尖，基部阔楔形或近圆形，全缘，纸质，绿褐色或黑紫色，嫩叶两面被柔毛，老叶上面渐无毛，每边具 5 ~ 6 侧脉，具短柄。气微，味淡。

| **功能主治** | 甘、淡，微寒。归心、肺、肝经。清肺止咳，散瘀止血。用于肺热咳嗽，内伤咯血，吐血，肺炎，咽喉肿痛，糖尿病，高血压；外用于跌打瘀肿。

| **用法用量** | 内服煎汤，15 ~ 30 g。外用适量。

| **凭证标本号** | 441402201006456LY、441423200104393LY、440825170528005LY。

爵床科 Acanthaceae 观音草属 *Peristrophe*

九头狮子草
Peristrophe japonica (Thunb.) Bremek.

| 药 材 名 | 九头狮子草（药用部位：全草。别名：九节篱、辣叶青药）。

| 形态特征 | 多年生草本。茎被柔毛或疏毛。叶纸质，阔卵形至披针形，全缘，具毛。聚伞花序顶生或腋生；苞片卵形，具缘毛或无毛；花冠粉红色至微紫色，外疏生短柔毛，二唇形；雄蕊花丝伸出，花药被长硬毛，药室叠生。蒴果疏生短柔毛，上部具4种子，下部实心；种子有小疣状突起。

| 生境分布 | 生于山坡、林下、路旁、溪边的阴湿处。分布于广东徐闻、阳春、怀集、乐昌、南雄、仁化、乳源、始兴、和平、连平、博罗、佛冈、连山及广州（市区）、中山等。

| **资源情况** | 野生资源较丰富。药材来源于野生。 |

| **采收加工** | 夏、秋季采收，鲜用或晒干。 |

| **药材性状** | 本品长 20 ~ 50 cm。茎方形，深绿色，节膨大。叶对生，有柄，卵状长圆形，先端渐尖，基部渐狭，全缘。聚伞花序集生于枝端叶腋，总梗短；叶状苞片 2，大小不等；花冠常脱落。气微，味苦。 |

| **功能主治** | 辛、微苦，凉。归肺、肝经。祛风清热，凉肝定惊，散瘀解毒。用于感冒发热，肺热咳喘，肝热目赤，惊风，咽喉肿痛，痈肿疔毒，乳痈，聤耳，瘰疬，痔疮，蛇虫咬伤，跌打损伤。 |

| **用法用量** | 内服煎汤，9 ~ 15 g；或绞汁。外用适量，鲜品捣敷；或研末调敷；或煎汤熏洗。 |

| **凭证标本号** | 黄志 42135（IBSC0560386）。 |

爵床科 Acanthaceae 山壳骨属 Pseuderanthemum

海康钩粉草

Pseuderanthemum haikangense C. Y. Wu et H. S. Lo

| **药 材 名** | 海康钩粉草（药用部位：叶。别名：蓝心草）。

| **形态特征** | 小灌木。高达 1 m，仅花和花序被腺毛及短柔毛。枝圆柱形，外皮草黄色。叶纸质，椭圆状圆形或卵形，稀披针状椭圆形，长为宽的 2 ～ 3 倍，上面深绿色，下面淡绿色，每边具 5 ～ 7 侧脉，侧脉弧状上升。穗状花序顶生；花冠长约 4 cm，白色或淡红色；不育雄蕊与能育雄蕊的花丝分离。蒴果棒状，被柔毛；种子 4，具脑纹状皱纹。花期 5 ～ 6 月。

| **生境分布** | 生于低海拔地区的林下或旷野。分布于广东徐闻、雷州等。

| **资源情况** | 野生资源稀少。药材来源于野生。

| **采收加工** | 夏、秋季采收，洗净，切段，晒干。

| **功能主治** | 苦、微辛，平。通经活络。用于风湿痹痛，关节不利。

| **用法用量** | 内服煎汤，15 ～ 30 g。

| **凭证标本号** | 南路 355（IBSC0560619）。

爵床科 Acanthaceae 山壳骨属 Pseuderanthemum

山壳骨
Pseuderanthemum latifolium (Vahl) B. Hansen

| 药 材 名 | 山壳骨（药用部位：根。别名：小驳骨）。

| 形态特征 | 多年生草本。高约 1 m。茎上部被毛，老枝节膨大。叶椭圆形，近全缘或疏具波状圆齿，侧脉 5 ~ 6，在背面凸起。总状花序常簇生，呈穗状；花萼 5 深裂，线形；花冠淡紫色，高脚碟形，长 2 cm。蒴果被柔毛；种子具网状皱纹，无毛。

| 生境分布 | 生于中海拔地区的林下或溪沟边。分布于广东徐闻等。

| 资源情况 | 野生资源稀少。药材来源于野生。

| 采收加工 | 夏、秋季采挖，洗净，切段，鲜用或晒干。

| **功能主治** | 苦、微辛，平。归心、肝经。化瘀消肿，止血。用于跌打损伤，骨折，外伤出血。

| **用法用量** | 内服煎汤，6 ~ 15 g。外用适量，捣敷；或研末敷。

| **凭证标本号** | 440983180405200LY。

爵床科 Acanthaceae 假蓝属 Pteroptychia

曲枝假蓝

Pteroptychia dalziellii (W. W. Smith) H. S. Lo [*Strobilanthes dalzielii* (W. W. Smith) Benoist]

| **药 材 名** | 曲枝假蓝（药用部位：全草。别名：蓝靛）。

| **形态特征** | 灌木或多年生草本。茎直立，呈"之"字形曲折，略被微柔毛。同一节上的叶明显不等大，无柄或近无柄，基部圆，边缘具疏锯齿，无毛或脉上被疏柔毛。顶生花序和上部腋生穗状花序长 2 ~ 3 cm，疏生；花序轴常呈"之"字形曲折，稀被白色疏柔毛；花冠淡紫色或白色；雄蕊 4，二强。蒴果线状长圆形，无毛；种子 4，卵形，密被贴伏绒毛。花期 11 月。

| **生境分布** | 生于山地、山谷、路旁密林下。分布于广东始兴、乳源、翁源、新丰、英德、阳山、惠阳、博罗、惠东、高要、怀集、德庆、封开、罗定、

新兴、郁南、新兴、阳春、信宜、饶平、紫金、平远、五华及梅州（市区）、深圳（市区）、东莞、汕头（市区）等。

| **资源情况** | 野生资源较丰富。药材来源于野生。

| **采收加工** | 夏、秋季采收，洗净，切段，鲜用或晒干。

| **功能主治** | 苦，寒。清热解毒，利湿。用于湿热痢疾，小便淋涩，疟腮，咽喉肿痛，毒蛇咬伤。

| **用法用量** | 内服煎汤，9 ~ 15 g。外用适量，鲜品捣敷。

| **凭证标本号** | 440783200102028LY、441284191130657LY、441825191003005LY。

爵床科 Acanthaceae 灵枝草属 Rhinacanthus

灵枝草
Rhinacanthus nasutus (L.) Kurz

| 药 材 名 |

白鹤灵芝（药用部位：枝、叶。别名：仙鹤灵芝草、癣草）。

| 形态特征 |

多年生直立草本或亚灌木。茎密被短柔毛。叶纸质，椭圆形或卵状椭圆形，稀披针形，全缘或稍呈浅波状，上面被疏柔毛或近无毛，下面被密柔毛。圆锥花序由小聚伞花序组成，顶生或腋生；花序轴通常三出，密被短柔毛；花冠白色，被柔毛，上唇短于下唇；花丝无毛。蒴果未见。

| 生境分布 |

生于海拔 700 m 左右的灌丛或疏林下。分布于广东博罗、阳春、潮安及广州（市区）、东莞、深圳（市区）等有栽培。

| 资源情况 |

野生资源一般。药材来源于野生和栽培。

| 采收加工 |

春、夏季采收，洗净，鲜用或晒干。

| 功能主治 | 甘、微苦，微寒。清热润肺，杀虫止痒。用于劳嗽，疥癣，湿疹。

| 用法用量 | 内服煎汤，10～15 g，鲜品加倍。外用适量，鲜品捣敷。

| 凭证标本号 | 曾宪锋 ZXF22455（CZH0014395）。

| 附　　注 | 白鹤灵芝在广东湛江地区为常用鲜草药，水煎还可治疗肺结核、咳嗽、高血压。本种的根和叶捣烂后与柠檬混合可治疗癣及其他皮肤病，其汁液可治疗汗疣，根可解蛇毒。目前白鹤灵芝还用于制作保健食品及茶包，如白鹤灵芝茶等。

楠草
Ruellia repens L.

| 药 材 名 | 芦莉草叶（药用部位：叶。别名：双翅爵床、匍匐消、红楠草）。

| 形态特征 | 多年生披散草本。茎曲膝状，多分枝，高 15 ~ 50 cm，无毛或嫩枝被微柔毛。叶薄纸质，卵形至披针形，全缘，两面散生疏柔毛，缘毛短而密；叶柄长 3 ~ 5 mm。花单生于叶腋；花梗长约 1 mm；小苞片叶状；花萼裂片长约 5 mm，近无毛；花冠紫色或后裂片深紫色，长约 2 cm，被短柔毛，冠管短，呈钟形。蒴果被紧贴柔毛。花期早春。

| 生境分布 | 生于低海拔地区的路边或旷野草地。分布于广东广州（市区）、汕头（市区）、阳江（市区）等。

| 资源情况 | 野生资源较少。药材来源于野生。

| **采收加工** | 春、夏季采收，洗净，鲜用。

| **功能主治** | 微苦、辛，寒。解毒，消肿，止痛。用于痈肿溃疡，刀伤，牙痛，腹痛。

| **用法用量** | 外用适量，鲜品捣敷。

| **凭证标本号** | 440781190829008LY、440781191104008LY。

爵床科 Acanthaceae 孩儿草属 Rungia

孩儿草 *Rungia pectinata* (L.) Nees

药材名

孩儿草（药用部位：全草。别名：蓝色草）。

形态特征

一年生匍匐草本。枝圆柱状，干时黄色，无毛。叶薄纸质，长卵形，两面被紧贴的疏柔毛；叶柄长 3 ~ 4 mm 或更长。穗状花序，花密，顶生或腋生，偏向一侧，仅 2 列有花；有花的苞片与无花的苞片异形；花冠淡蓝色或白色，长约 5 mm。蒴果长约 3 mm，无毛；种子圆形，表面具小突点。花期早春。

生境分布

生于山地、山谷、水旁、路旁。分布于广东惠东、博罗、花都、台山、高要、新兴、阳春及深圳（市区）等。

资源情况

野生资源较丰富。药材来源于野生。

采收加工

夏、秋、冬季采收，洗净，鲜用或晒干。

药材性状

本品茎细而稍硬，青绿色，近基部数节基上

着生细须根；质脆，易折断，断面黄白色，髓部针孔状。叶对生，青绿色，完整者展平后呈狭披针形，全缘，常脱落。穗状花序，压扁。蒴果卵形或长圆形，每室有 2 种子。

| **功能主治** | 微苦、辛，凉。归肺、肝、脾经。消积滞，泻肝火，清湿热。用于食积，目赤肿痛，湿热泻痢，肝炎，瘰疬痈肿，毒蛇咬伤。

| **用法用量** | 内服煎汤，9 ~ 15 g。外用适量，鲜品捣敷。

| **凭证标本号** | 441284190722658LY。

爵床科 Acanthaceae 黄球花属 Sericocalyx

黄球花 Sericocalyx chinensis (Nees) Bremek.

| 药 材 名 | 半柱花（药用部位：全草。别名：黄球花、狗泡草）。

| 形态特征 | 草本或小灌木。基部常匍匐生根，被硬毛。叶卵形、椭圆形或近长圆形，先端渐尖或急尖，基部渐狭或稍下延，边缘具齿，两面被疏刺毛。穗状花序圆头状或稍伸长；苞片卵形，绿色，被硬毛，先端喙状骤尖；花冠长约 2 cm，被毛。蒴果长约 1 cm，被短柔毛；种子每室 4，阔卵形，干时淡黄色，无毛或边缘稍被毛。花期 10 月至翌年 3 月，果期 6 ～ 7 月。

| 生境分布 | 生于沟边或潮湿的山谷。分布于广东乳源、新兴、罗定、信宜、阳春、阳山及广州（市区）、云浮（市区）等。

| 资源情况 | 野生资源一般。药材来源于野生。

| 采收加工 | 夏、秋季采收，洗净，鲜用或晒干。

| 药材性状 | 本品长可达 1 m。茎略呈方形，节明显，有短毛。叶对生，皱缩，完整叶片展平后呈椭圆形、卵形至倒卵状椭圆形，长 3 ~ 10 cm，先端尖至渐尖，基部楔形，下延，具短柄，边缘具微锯齿，两面疏生糙毛。

| 功能主治 | 微苦、辛，凉。清热解毒，利湿止痒，消肿止痛。用于痢疾，疮疡，湿疹，皮肤瘙痒，毛虫刺伤，跌打肿痛。

| 用法用量 | 内服煎汤，9 ~ 15 g。外用适量，煎汤洗；或鲜品捣汁涂。

| 凭证标本号 | 441721210923071LY。

爵床科 Acanthaceae 马蓝属 Strobilanthes

山一笼鸡

Strobilanthes aprica (Hance) T. Anderson

| 药 材 名 | 山一笼鸡（药用部位：根。别名：野古蓝、白背草、一炉香）。

| 形态特征 | 多年生直立草本。茎四棱形，节明显，倒生白色糙硬毛。叶椭圆形至长椭圆形，先端渐尖，被糙硬毛，全缘。穗状花序头状；苞片近革质，披针形，被糙硬毛，小苞片线形，有白色缘毛；花萼裂片 5，有缘毛；花冠紫色或白色，花冠筒狭，长 1.5 cm，喉部膨大并一面凸起；雄蕊 2，外露，着生于喉部的基部；花柱外露，弯曲，有柔毛。蒴果纺锤形；种子 4。

| 生境分布 | 生于海拔 1 900 m 以下的干旱疏林下或山坡灌丛。分布于广东英德、连州等。

| **资源情况** | 野生资源稀少。药材来源于野生。 |

| **采收加工** | 夏、秋季采收，洗净，晒干。 |

| **功能主治** | 辛、微苦，凉。散风热，清肺止咳，利湿解毒。用于感冒发热，肺热咳嗽，痢疾，黄疸。 |

| **用法用量** | 内服煎汤，9 ~ 15 g。 |

| **凭证标本号** | 张寿洲等 4453（SZG00021798）。 |

爵床科 Acanthaceae 马蓝属 Strobilanthes

球花马蓝
Strobilanthes dimorphotricha Hance

| 药 材 名 |

温大青（药用部位：根、地上部分。别名：球花马蓝、红石蓝、野蓝靛）。

| 形态特征 |

草本。高达 1 m 或更高。茎近梢部常呈"之"字形曲折。叶椭圆形或椭圆状披针形，先端渐尖，基部渐窄，边缘有锯齿，两面被毛。头状花序近球形；苞片近圆形或卵状椭圆形，外部的长 1.2 ~ 1.5 cm，先端渐尖，无毛；小苞片微小，二者均早落；花冠紫红色。蒴果长圆状棒形，有腺毛；种子 4，有毛。花期 8 月至翌年 2 月。

| 生境分布 |

生于海拔 700 m 以下的石灰岩地区的山谷、林下潮湿处或山坡灌丛。分布于广东连平、平远、连山、连南、连州、阳山、英德、乐昌、乳源、始兴、翁源、阳春及梅州（市区）、深圳（市区）、肇庆（市区）等。

| 资源情况 |

野生资源较丰富。药材来源于野生。

| **采收加工** | 夏、秋季采收，洗净，晒干或鲜用。

| **药材性状** | 本品根呈圆柱状，弯曲；表面灰棕色。茎圆柱形，有纵棱，基部带暗紫色，节膨大；质脆，易折断，中央有髓。叶多皱缩，黑绿色或暗棕色，呈卵状椭圆形，边缘具圆齿状锯齿。花轴腋生，细长，先端可见头状花序；花萼宿存。气微，味淡。

| **功能主治** | 苦、辛，微寒。清热解毒，凉血消斑。用于温病烦渴，发癍，吐衄，肺热咳嗽，咽喉肿痛，口疮，丹毒，痄腮，痈肿，疮毒，湿热泻痢，夏季热，热痹，肝炎，钩端螺旋体病，蛇咬伤。

| **用法用量** | 内服煎汤，10～30 g；或代茶饮。外用适量，捣敷；或煎汤洗。

| **凭证标本号** | 邓云飞 145757（IBSC0561608）。

爵床科 Acanthaceae 山牵牛属 Thunbergia

碗花草
Thunbergia fragrans Roxb.

| 药 材 名 | 碗花草（药用部位：茎叶。别名：铁贯藤）、碗花草根（药用部位：根）。

| 形态特征 | 多年生攀缘草本。茎被倒硬毛或无毛，有块根。叶渐尖，基部圆，有时截形至近心形，两侧基部戟形、箭形或具 2 ~ 3 开展的裂片，两面初被柔毛或短柔毛，后渐稀疏，仅脉上被毛。花通常单生于叶腋；小苞片卵形，急尖，被疏柔毛或短毛；花冠白色。蒴果无毛；种子腹面平滑，种脐大。花期 8 月至翌年 1 月，果期 11 月至翌年 3 月。

| 生境分布 | 生于海拔 1 100 ~ 1 900 m 的山坡灌丛中。分布于广东从化、博罗、廉江、徐闻及广州（市区）、茂名（市区）、深圳（市区）、湛江（市

区）等。

| **资源情况** | 野生资源一般。药材来源于野生和栽培。

| **采收加工** | **碗花草**：全年均可采收，鲜用或晒干。
碗花草根：秋季采挖，洗净，晒干。

| **功能主治** | **碗花草**：辛、微酸，平。健胃消食，解毒消肿。用于消化不良，脘腹胀痛，腹泻，痈肿疮疖。
碗花草根：辛、苦，寒。清热利湿，泻肺平喘，解毒止痒。用于湿热黄疸，痰饮咳喘，疮疡肿毒，皮肤瘙痒。

| **用法用量** | **碗花草**：内服煎汤，9 ~ 15 g。外用适量，捣敷。
碗花草根：内服煎汤，9 ~ 15 g。外用适量，煎汤洗。

| **凭证标本号** | 440116210723006LY。

爵床科 Acanthaceae 山牵牛属 *Thunbergia*

山牵牛
Thunbergia grandiflora Roxb.

| 药 材 名 |

通骨消根（药用部位：根。别名：鸭嘴参）、通骨消茎叶（药用部位：茎叶）。

| 形态特征 |

攀缘灌木。小枝稍四棱形，后逐渐成圆形。叶被侧生柔毛，叶片宽卵形至心形，先端急尖至锐尖。花单生于叶腋或形成顶生总状花序；苞片小，卵形，先端具短尖头，小苞片 2，长圆卵形，先端渐尖，外面及内面先端被短柔毛；花冠檐蓝紫色，裂片圆形或宽卵形，先端常微缺。蒴果被短柔毛。花期 8 月至翌年 1 月，果期 11 月至翌年 3 月。

| 生境分布 |

生于海拔 390 ~ 1 500 m 的山地灌丛中。分布于广东从化、紫金、博罗、高州、阳山、英德、翁源、乐昌、仁化、乳源、阳春、郁南及潮州（市区）、东莞、佛山（市区）、广州（市区）、惠州（市区）、茂名（市区）、清远（市区）、深圳（市区）、肇庆（市区）、中山、珠海（市区）、韶关（市区）等。

| 资源情况 |

野生资源较丰富。药材来源于野生。

| 采收加工 | 通骨消根：夏、秋季采挖，洗净，切片，鲜用或晒干。
通骨消茎叶：夏、秋季采收，切段，鲜用或晒干。

| 药材性状 | 通骨消根：本品呈圆柱形，稍肉质，长短不一，直径 3 ~ 10 mm。表面灰黄色，具明显纵皱纹，有的皮部横向断离，露出木部。质韧，内皮淡紫色，易与木部剥离。木部坚韧，黄棕色或黄白色，直径 2 ~ 6 mm。气微，味微甘。
通骨消茎叶：本品藤茎圆柱形，被柔毛，直径 2 ~ 8 mm，具纵皱纹，灰色至灰褐色。单叶对生，多皱缩、破碎，完整者展平后阔卵形，长 3 ~ 5 cm，宽 2 ~ 3 cm，两面粗糙，被毛，灰黄色。气微，味甘、微辛。

| 功能主治 | 通骨消根：辛，平。祛风通络，散瘀止痛。用于风湿痹痛，痛经，跌打肿痛，骨折，小儿麻痹后遗症。
通骨消茎叶：辛、微苦，平。活血止痛，解毒消肿。用于跌打损伤，骨折，疮疖，蛇咬伤。

| 用法用量 | 通骨消根：内服煎汤，15 ~ 30 g。外用适量，鲜品捣敷；或煎汤洗。
通骨消茎叶：内服煎汤，9 ~ 15 g。外用适量，鲜品捣敷；或煎汤洗。

| 凭证标本号 | 陈少卿 6616（IBSC0562254）。

马鞭草科　Verbenaceae　海榄雌属　*Avicennia*

海榄雌

Avicennia marina (Forsk.) Vierh.

| 药 材 名 | 白骨壤（药用部位：果实。别名：咸水矮让木、海豆）。

| 形态特征 | 灌木。小枝四方形。单叶对生，叶片近无柄，革质，卵形至倒卵形、椭圆形，全缘。聚伞花序紧密成头状；花序下无花瓣状总苞片；苞片5，短于花萼，外层密生绒毛；花萼杯状，宿存，先端5裂，裂片卵圆形；花小，黄褐色，对生于花序梗上；花冠钟状，先端4裂，外被绒毛。果实近球形，有毛。花果期7～10月。

| 生境分布 | 生于海边和盐沼地带。分布于广东惠东、海丰、台山、徐闻及深圳（市区）、东莞、阳江（市区）、湛江（市区）等。

| 资源情况 | 野生资源较丰富。药材来源于野生。

| **功能主治** | 用于痢疾，海生动物螫伤。

| **凭证标本号** | 440307201129041LY、441323181028022LY、440802200908102LY。

马鞭草科 Verbenaceae 紫珠属 Callicarpa

紫珠 *Callicarpa bodinieri* H. Lév.

| **药 材 名** | 紫珠（药用部位：地上部分。别名：珍珠风、珍珠柳）。 |

| **形态特征** | 灌木。小枝、叶柄和花序均被粗糠状星状毛，叶两面、花萼、花冠被暗红色腺点。叶片卵状长椭圆形，长 7 ~ 18 cm，宽 4 ~ 7 cm，基部楔形，边缘有细锯齿；叶柄长 0.5 ~ 1 cm。聚伞花序宽 3 ~ 4.5 cm，4 ~ 5 次分歧，花序梗长不超过 1 cm；花萼杯状，萼齿钝三角形；花紫色。果实成熟时紫色。花期 6 ~ 7 月，果期 8 ~ 11 月。 |

| **生境分布** | 生于海拔 200 ~ 1 902 m 的林中、林缘及灌丛中。分布于广东乳源、翁源、乐昌、新丰、信宜、封开、怀集、连南、连山、连州、阳山、英德、紫金、郁南及广州（市区）、江门（市区）、肇庆（市区）等。 |

| **资源情况** | 野生资源较丰富。药材来源于野生。

| **采收加工** | 夏、秋季采收，切片，晒干或烘干。

| **药材性状** | 本品茎枝圆柱形，小枝有毛。叶多皱缩，灰棕色，完整者展平后呈卵状长椭圆形至椭圆形，长 7 ～ 18 cm，宽 4 ～ 7 cm，先端渐尖，基部楔形，边缘具细锯齿；上面有细毛，下面密被星状柔毛，两面有暗红色的细粒状腺点；叶柄长 1 ～ 2 cm。

| **功能主治** | 辛，平。活血通经，祛风胜湿。

| **凭证标本号** | 441882180915001LY、440281190627007LY、440785180710015LY。

马鞭草科 Verbenaceae 紫珠属 Callicarpa

短柄紫珠 *Callicarpa brevipes* (Benth.) Hance

| **药 材 名** | 短柄紫珠（药用部位：全株。别名：窄叶紫珠、白珠兰）。 |

| **形态特征** | 灌木。嫩枝具黄褐色星状毛。叶片披针形，长 9 ~ 24 cm，宽 1.5 ~ 4 cm，先端渐尖，基部钝，背面有黄色腺点，叶脉上有星状毛，边缘中部以上疏生小齿，侧脉 9 ~ 12 对。聚伞花序 2 ~ 3 次分歧；花序梗纤细，具黄褐色星状毛；花萼杯状，具黄色腺点，萼齿钝三角形；花冠白色。花期 4 ~ 6 月，果期 7 ~ 10 月。 |

| **生境分布** | 生于海拔 600 ~ 1400 m 的山坡林下。分布于广东从化、乳源、乐昌、翁源、新丰、东源、和平、连平、龙川、博罗、龙门、台山、鹤山、阳春、徐闻、信宜、广宁、封开、阳山、英德、连南、罗定及珠海 |

（市区）、佛山（市区）、深圳（市区）、河源（市区）、梅州（市区）、东莞、
江门（市区）、茂名（市区）、云浮（市区）等。

| 资源情况 | 野生资源较丰富。药材来源于野生。

| 功能主治 | 甘，平。祛风除湿，化痰止咳。

| 凭证标本号 | 440781190713024LY、441823201031066LY、441224180611010LY。

马鞭草科 Verbenaceae 紫珠属 Callicarpa

白毛紫珠 *Callicarpa candicans* (Burm. f.) Hochr.

| 药 材 名 | 白毛紫珠（药用部位：全株或叶）。

| 形态特征 | 灌木。小枝四棱形，密生灰白色星状茸毛。叶片卵状椭圆形、宽卵形或椭圆形，长 8 ~ 15 cm，宽 4 ~ 7 cm，先端渐尖或急尖，基部骤狭成楔形，边缘有锯齿，表面无毛或叶脉上有毛，背面密生灰白色的星状茸毛，侧脉 9 ~ 13 对，中脉、侧脉和细脉在背面隆起，在表面下陷。聚伞花序紧密成球形，4 ~ 5 次分歧；花萼密生灰白色的星状厚茸毛，萼齿不明显；花冠粉红色。果实球形。花果期 4 ~ 12 月。

| 生境分布 | 生于平原、山坡、路旁或空旷处。分布于广东增城、乳源、台山、

徐闻、高州及深圳（市区）、阳江（市区）、肇庆（市区）等。

| **资源情况** | 野生资源较少。药材来源于野生。

| **功能主治** | 苦、辛，热；有毒。全株，祛湿，止痒，杀虫。叶，止血，散瘀。

| **凭证标本号** | 周联选 11595（KUN1270552）。

马鞭草科 Verbenaceae 紫珠属 Callicarpa

华紫珠

Callicarpa cathayana H. T. Chang

| 药 材 名 |

紫珠（药用部位：叶。别名：鱼显子）。

| 形态特征 |

灌木。小枝纤细，幼枝稍有星状毛。叶片椭圆形或卵形，长 4 ~ 8 cm，宽 1.5 ~ 3 cm，先端渐尖，基部楔形，两面有显著的红色腺点，侧脉 5 ~ 7 对，在两面均稍隆起，边缘密生细锯齿。聚伞花序 3 ~ 4 次分歧，略有星状毛；花萼杯状，具星状毛和红色腺点，萼齿不明显；花紫色。果实球形。花期 5 ~ 7月，果期 8 ~ 11 月。

| 生境分布 |

生于海拔 1 200 m 以下的山坡、谷地的丛林中。分布于广东翁源、乐昌、南雄、仁化、乳源、始兴、新丰、紫金、梅县、大埔、平远、蕉岭、兴宁、博罗、龙门、恩平、怀集、封开、佛冈、阳山、英德、连山及广州（市区）、深圳（市区）、珠海（市区）、河源（市区）、东莞、中山、肇庆（市区）、清远（市区）等。

| 资源情况 |

野生资源较丰富。药材来源于野生。

| 采收加工 | 7 ~ 8 月采收，晒干。

| 药材性状 | 本品多皱缩、破碎，完整者展平后呈卵状椭圆形、倒卵形或披针形，先端急尖、渐尖或钝圆，基部宽楔形、楔形、钝圆或下延成狭楔形，边缘有锯齿。上表面灰绿色、黄绿色或棕绿色，下表面淡绿色或淡棕绿色，被黄色至棕黄色的茸毛或近无毛，主脉和侧脉凸起。气微，味微苦、涩。

| 功能主治 | 苦、涩，凉。收敛止血，清热解毒。

| 凭证标本号 | 441825190801030LY、440281190814011LY、440281200706012LY。

马鞭草科 Verbenaceae 紫珠属 Callicarpa

白棠子树

Callicarpa dichotoma (Lour.) K. Koch

| 药 材 名 | 紫珠（药用部位：地上部分。别名：紫珠草、止血草）。

| 形态特征 | 多分枝的小灌木。小枝纤细，幼嫩部分有星状毛。叶倒卵形，长 2 ~ 6 cm，宽 1 ~ 3 cm，基部楔形，仅上半部边缘具数个粗锯齿，背面密生细小的黄色腺点，侧脉 5 ~ 6 对；叶柄长不超过 5 mm。聚伞花序生于叶腋上方，2 ~ 3 次分歧；花萼杯状，无毛，先端有不明显的 4 齿；花冠紫色。果实球形。花期 5 ~ 6 月，果期 7 ~ 11 月。

| 生境分布 | 生于低山丘陵灌丛中。分布于广东仁化、翁源、乳源、乐昌、南雄、东源、和平、丰顺、惠东、恩平、阳春、信宜、怀集、封开、阳山、连南、连州、连山、英德、佛冈、新兴及广州（市区）、佛山（市

区）、梅州（市区）、东莞、肇庆（市区）、清远（市区）、潮州（市区）等。

| 资源情况 | 野生资源较丰富。药材来源于野生。

| 采收加工 | 7～8月采收，晒干。

| 药材性状 | 本品多皱缩、破碎，完整者展平后呈卵状椭圆形、倒卵形或披针形，先端急尖、渐尖或钝圆，基部宽楔形、楔形、钝圆或下延成狭楔形，边缘有锯齿。上表面灰绿色、黄绿色或棕绿色，下表面淡绿色或淡棕绿色，被黄色至棕黄色的茸毛或近无毛，主脉和侧脉凸起。气微，味微苦、涩。

| 功能主治 | 苦、涩，平。止血散瘀，除热解毒。

| 凭证标本号 | 441825190801054LY、441823190722030LY、441284190722711LY。

马鞭草科 Verbenaceae 紫珠属 *Callicarpa*

杜虹花 *Callicarpa formosana* Rolfe

| 药 材 名 | 紫珠叶（药用部位：叶。别名：紫珠草、鸦鹊饭、粗糠仔）。

| 形态特征 | 灌木。小枝、叶柄和花序均密被灰黄色星状毛和分枝毛。叶片卵状椭圆形，长 6 ～ 15 cm，宽 3 ～ 8 cm，边缘有细锯齿，表面被短硬毛，背面被灰黄色星状毛和细小的黄色腺点，侧脉 8 ～ 12 对，叶脉在背面隆起。聚伞花序通常 4 ～ 5 次分歧；花萼杯状，萼齿钝三角形；花冠紫色。果实紫色。花期 5 ～ 7 月，果期 8 ～ 11 月。

| 生境分布 | 生于海拔 1 590 m 以下的平地、山坡、溪边的林中或灌丛中。分布于广东从化、增城、翁源、乳源、新丰、乐昌、南雄、始兴、仁化、连平、东源、和平、紫金、梅县、大埔、丰顺、五华、平远、蕉岭、

兴宁、博罗、惠东、龙门、海丰、陆丰、高州、信宜、化州、怀集、封开、德庆、高要、阳山、连山、连南、英德、佛冈、揭西及深圳（市区）、东莞、江门（市区）、潮州（市区）等。

| **资源情况** | 野生资源较丰富。药材来源于野生。

| **采收加工** | 夏、秋季枝叶茂盛时采摘，干燥。

| **药材性状** | 本品完整叶片展平后呈卵状椭圆形或椭圆形，先端渐尖或钝圆，基部宽楔形或钝圆，边缘有细锯齿，近基部全缘。上表面被星状毛和短粗毛，下表面密被黄褐色星状毛和金黄色腺点，主脉和侧脉突出。

| **功能主治** | 苦、涩，凉。凉血收敛止血，散瘀解毒消肿。

| **凭证标本号** | 441825190708011LY、441882190417011LY、441523190517015LY。

马鞭草科 Verbenaceae 紫珠属 Callicarpa

老鸦糊

Callicarpa giraldii Hesse ex Rehd.

| 药 材 名 | 紫珠叶（药用部位：叶。别名：小米团花、鱼胆）、紫珠果（药用部位：果实）。

| 形态特征 | 灌木。小枝灰黄色，被星状毛。叶片纸质，宽椭圆形，长 5 ~ 15 cm，宽 2 ~ 7 cm，先端渐尖，基部楔形，边缘有锯齿；表面黄绿色，稍有微毛，背面淡绿色，疏被星状毛和细小的黄色腺点，叶脉在背面隆起。聚伞花序，4 ~ 5 次分歧；花萼钟状，疏被星状毛，具黄色腺点，萼齿钝三角形；花紫色。花期 5 ~ 6 月，果期 7 ~ 11 月。

| 生境分布 | 生于海拔 200 ~ 3 400 m 的疏林和灌丛中。分布于广东乳源、仁化、丰顺、兴宁、高州、怀集、封开、连州、阳山、英德。

| **资源情况** | 野生资源较少。药材来源于野生。

| **采收加工** | 7 ~ 8 月采收，晒干。

| **药材性状** | 本品多皱缩、破碎，完整者展平后呈卵状椭圆形、倒卵形或披针形，先端急尖、渐尖或钝圆，基部宽楔形、楔形、钝圆或下延成狭楔形，边缘有锯齿。上表面灰绿色、黄绿色或棕绿色，下表面淡绿色或淡棕绿色，被黄色至棕黄色的茸毛或近无毛，主脉和侧脉凸起。气微，味微苦、涩。

| **功能主治** | 苦、涩，凉。收敛止血，清热解毒。

| **凭证标本号** | 441523200108013LY、440281200707012LY、440281200713023LY。

马鞭草科 Verbenaceae 紫珠属 Callicarpa

全缘叶紫珠 Callicarpa integerrima Champ.

| 药 材 名 | 山枫（药用部位：根、叶）。

| 形态特征 | 藤本或蔓性灌木。嫩枝、叶柄和花序均密生黄褐色的分枝茸毛。叶片宽卵形、卵形或椭圆形，长 7 ~ 15 cm，宽 4 ~ 9 cm，先端常具钝头，全缘；表面深绿色，幼时有黄褐色星状毛，背面密生灰黄色的厚茸毛，侧脉 7 ~ 9 对。聚伞花序 7 ~ 9 次分歧；花梗及萼筒密生星状毛，萼齿不明显；花紫色。花期 6 ~ 7 月，果期 8 ~ 11 月。

| 生境分布 | 生于海拔 200 ~ 700 m 的山坡或谷地林中。分布于广东从化、增城、始兴、翁源、新丰、仁化、新丰、和平、梅县、大埔、丰顺、平远、惠东、龙门、封开、德庆、佛冈、饶平及深圳（市区）、东莞、江门（市

区）等。

| **资源情况** | 野生资源一般。药材来源于野生。

| **功能主治** | 苦，平。祛风散结。

| **凭证标本号** | 441125180722087LY、441125180730009LY。

马鞭草科 Verbenaceae 紫珠属 *Callicarpa*

枇杷叶紫珠

Callicarpa kochiana Makino

| **药 材 名** | 牛舌癀（药用部位：叶。别名：野枇杷、毛紫珠）。

| **形态特征** | 灌木。小枝、叶柄及花序均密生黄褐色的分枝茸毛。叶片长椭圆形，长 12 ~ 22 cm，宽 4 ~ 8 cm，边缘有锯齿，背面密生黄褐色星状毛和分枝茸毛，两面被不明显的黄色腺点。聚伞花序，3 ~ 5 次分歧；花近无柄，密集于花序分枝的先端；花萼管状，被茸毛，萼齿线形；花冠淡红色。果实几全包于宿萼内。花期 7 ~ 8 月，果期 9 ~ 12 月。

| **生境分布** | 生于海拔 100 ~ 850 m 的山坡、谷地溪旁林中和灌丛中。分布于广东南海、仁化、乳源、新丰、乐昌、南雄、始兴、翁源、东源、和平、龙川、大埔、五华、平远、蕉岭、博罗、惠东、龙门、海丰、台山、

开平、鹤山、阳春、高要、英德、佛冈、揭西、新兴、郁南及广州（市区）、深圳（市区）、珠海（市区）、汕头（市区）、东莞、中山等。

| **资源情况** | 野生资源丰富。药材来源于野生。

| **采收加工** | 夏、秋季采收，晒干或鲜用。

| **功能主治** | 苦、辛，平。祛风除湿，收敛止血。

| **凭证标本号** | 440281200707014LY、440781190713006LY、441823200103003LY。

马鞭草科 Verbenaceae 紫珠属 Callicarpa

广东紫珠 *Callicarpa kwangtungensis* Chun

| 药 材 名 |

广东紫珠（药用部位：茎枝、叶。别名：金刀菜）。

| 形态特征 |

灌木。幼枝略被星状毛，常带紫色，老枝黄灰色，无毛。叶片狭椭圆状披针形、披针形或线状披针形，长 15 ～ 26 cm，宽 3 ～ 5 cm，先端渐尖，基部楔形，背面密生显著的黄色小腺点，侧脉 12 ～ 15 对，上半部边缘有细齿。聚伞花序 3 ～ 4 次分歧；花萼萼齿钝三角形；花冠白色。花期 6 ～ 7 月，果期 8 ～ 10 月。

| 生境分布 |

生于海拔 300 ～ 600 m 的山坡林中或灌丛中。分布于广东始兴、新丰、南雄、乐昌、封开、郁南、龙门、和平、阳山、连山、佛冈、连南、连州、英德、从化、丰顺、信宜及深圳（市区）、肇庆（市区）、江门（市区）等。

| 资源情况 |

野生资源较丰富。药材来源于野生。

| 采收加工 |

夏、秋季采收，切成长 10 ～ 20 cm 的段，干燥。

| **药材性状** | 本品茎呈圆柱形；表面灰绿色或灰褐色，有的具灰白色花斑，有细纵皱纹及多数长椭圆形、稍凸起的黄白色皮孔；嫩枝可见对生的类三角形叶柄痕，腋芽明显；质硬，切面皮部呈纤维状，中部具较大的类白色髓。叶片多已脱落或皱缩、破碎，完整者呈狭椭圆状披针形，先端渐尖，基部楔形，边缘具锯齿，下表面有黄色腺点；叶柄长 0.5 ～ 1.2 cm。 |

| **功能主治** | 苦、涩，凉。收敛止血，散瘀，清热解毒。 |

| **凭证标本号** | 440781190708018LY、441225180721008LY。 |

马鞭草科 Verbenaceae 紫珠属 Callicarpa

尖萼紫珠 *Callicarpa loboapiculata* Metc.

| **药 材 名** | 尖萼紫珠（药用部位：叶）。

| **形态特征** | 灌木。小枝、叶柄和花序均密生黄褐色分枝茸毛。叶片椭圆形，长
12 ~ 22 cm，宽 5 ~ 7 cm，边缘有浅锯齿，背面密生黄褐色星状毛

和分枝茸毛，两面有细小的黄色腺点；叶柄粗壮，长 2 ～ 3 cm。聚伞花序，5 ～ 6 次分歧；花萼钟状，萼齿急尖，齿长 0.5 ～ 1 mm；花冠紫色。果实具黄色腺点。花期 7 ～ 8 月，果期 9 ～ 12 月。

| 生境分布 | 生于海拔 300 ～ 500 m 的山坡或谷地溪旁林中。分布于广东增城、乳源、博罗、徐闻、信宜、封开、怀集、连州、英德、罗定及阳江（市区）、肇庆（市区）等。

| 资源情况 | 野生资源较少。药材来源于野生。

| 功能主治 | 苦，凉。祛风止痒，杀虫。

| 凭证标本号 | 441823200710006LY。

长柄紫珠 *Callicarpa longipes* Dunn

药材名

长柄紫珠（药用部位：叶）。

形态特征

灌木。小枝棕褐色，被多细胞腺毛和单毛。叶片倒卵状椭圆形，长 6 ~ 13 cm，宽 2 ~ 7 cm，基部心形，稍偏斜，两面被单毛，背面有细小的黄色腺点，边缘具三角状的粗锯齿；叶柄长 0.5 ~ 0.8 cm。花序梗长 1.5 ~ 3 cm；花萼钟状，被腺毛及单毛，萼齿急尖，齿长 1 ~ 2 mm；花冠红色。花期 6 ~ 7 月，果期 8 ~ 12 月。

生境分布

生于海拔 300 ~ 500 m 的山坡灌丛或疏林中。分布于广东翁源、乐昌、仁化、乳源、新丰、丰顺、平远、兴宁、和平、连平、龙门、德庆、阳山、英德、郁南及潮州（市区）等。

资源情况

野生资源一般。药材来源于野生。

| 功能主治 | 苦、辛，温；有小毒。祛风，除湿，活血，止血。

| 凭证标本号 | 441823190722003LY、440224181130016LY、440224181114029LY。

尖尾枫 *Callicarpa longissima* (Hemsl.) Merr.

| 药 材 名 | 尖尾风（药用部位：地上部分。别名：赶风柴、粘手风）。

| 形态特征 | 灌木或小乔木。小枝于叶柄之间有毛环。叶披针形，长 13 ～ 25 cm，宽 2 ～ 7 cm，先端尖锐，基部楔形；表面仅主脉和侧脉有单毛，背面有细小的黄色腺点，干时下陷成蜂窝状小洼点，侧脉在两面隆起，网脉在背面深陷。花序被单毛，5 ～ 7 次分歧；花萼有腺点；花淡紫色。果实扁球形。花期 7 ～ 9 月，果期 10 ～ 12 月。

| 生境分布 | 生于海拔 1 200 m 以下的荒野、山坡、谷地丛林中。分布于广东新丰、翁源、仁化、东源、和平、平远、海丰、台山、阳春、信宜、怀集、德庆、英德、阳山、新兴、郁南及广州（市区）、深圳（市区）、

汕头（市区）、东莞、肇庆（市区）、清远（市区）、潮州（市区）等。

| **资源情况** | 野生资源一般。药材来源于野生。

| **采收加工** | 夏、秋季采收，晒干或鲜用。

| **药材性状** | 本品茎枝表面棕褐色，有点状凸起的灰白色皮孔，节上有 1 圈黄棕色柔毛。叶皱缩、破碎，全缘或有不明显小齿；上面暗绿色，下面暗黄绿色，有细小的黄色腺点；叶柄长 1 ~ 1.5 cm。揉搓后有芳香气。

| **功能主治** | 辛、微苦，温。祛风止痛，散瘀止血，解毒消肿。

| **凭证标本号** | 441284190722628LY、441882190615002LY、441224180714019LY。

马鞭草科 Verbenaceae 紫珠属 Callicarpa

大叶紫珠 *Callicarpa macrophylla* Vahl

| 药 材 名 | 大叶紫珠（药用部位：叶、嫩枝。别名：紫珠叶、大风叶、止血草）、紫珠果（药用部位：成熟果实）。

| 形态特征 | 灌木。小枝密生灰白色的粗糠状分枝茸毛。叶片长椭圆形，长10 ~ 30 cm，宽5 ~ 11 cm，先端短渐尖，边缘具细锯齿；表面被短毛，背面密生茸毛，腺点藏于毛中；叶柄密生茸毛。聚伞花序，5 ~ 7次分歧，宽4 ~ 8 cm；花序梗长2 ~ 3 cm；花萼杯状，被星状毛和黄色腺点；花冠紫色。花期4 ~ 7月，果期7 ~ 12月。

| 生境分布 | 生于海拔100 ~ 1 900 m的疏林下和灌丛中。分布于广东从化、仁化、始兴、新丰、平远、大埔、五华、丰顺、龙门、博罗、阳春、高要、

怀集、德庆、封开、英德、佛冈、新兴及深圳（市区）、东莞、中山、江门（市区）等。

| 资源情况 | 野生资源较少。药材来源于野生。

| 采收加工 | **大叶紫珠、紫珠果：** 夏、秋季采收，晒干。

| 药材性状 | **大叶紫珠：** 本品多皱缩、卷曲，完整者展平后呈长椭圆形，长 10 ~ 30 cm，宽 5 ~ 11 cm。上表面灰绿色，被短柔毛；下表面淡绿色，密被灰白色绒毛，主脉和侧脉凸起，两面可见腺点，边缘有锯齿；叶柄长 0.8 ~ 2 cm。

| 功能主治 | **大叶紫珠：** 辛、苦，平。散瘀止血，消肿止痛。
紫珠果： 淡、涩，凉。清热利尿，解毒。

| 凭证标本号 | 441523190514027LY、440781190515008LY、440224181117004LY。

马鞭草科 Verbenaceae 紫珠属 Callicarpa

裸花紫珠

Callicarpa nudiflora Hook. et Arn.

| 药 材 名 | 裸花紫珠（药用部位：叶、嫩枝。别名：赶风柴、节节红）。

| 形态特征 | 灌木至小乔木。小枝、叶柄与花序均密生灰褐色分枝茸毛。叶片卵状长椭圆形至披针形，长 12 ~ 22 cm，宽 4 ~ 8 cm，先端短尖或渐尖，基部钝；表面深绿色，背面密生灰褐色茸毛和分枝毛，在背面隆起，边缘具疏齿或微呈波状。聚伞花序开展，6 ~ 9 次分歧；花萼杯状，先端平截；花紫色。花期 6 ~ 8 月，果期 8 ~ 12 月。

| 生境分布 | 生于平地至海拔 1200 m 的山坡、谷地、溪旁林中或灌丛中。分布于广东花都、番禺、从化、乳源、博罗、台山、鹤山、阳春、徐闻、信宜、高州、化州、佛冈、英德、阳山及深圳（市区）、珠海（市区）、东莞、

湛江（市区）、茂名（市区）等。

| 资源情况 | 野生资源较少。药材来源于野生。

| 采收加工 | 夏、秋季采收，晒干，研末。

| 药材性状 | 本品叶多卷曲、皱缩，完整者展平后呈长圆形或卵状披针形，长 10 ~ 22 cm，宽 4 ~ 8 cm；上表面黑色，下表面密被黄褐色星状毛，侧脉羽状，小脉近平行，与侧脉几成直角；叶全缘或有疏锯齿；叶柄长 1 ~ 3 cm，被星状毛。质脆，易破碎。

| 功能主治 | 苦、微辛，平。止血，祛瘀，止痛。

| 凭证标本号 | 440882180603001LY。

马鞭草科 Verbenaceae 紫珠属 Callicarpa

钩毛紫珠

Callicarpa peichieniana Chun et S. L. Chen

| **药 材 名** | 红斑鸠米（药用部位：叶）。

| **形态特征** | 灌木。小枝密被钩状短糙毛和黄色腺点。叶菱状卵形或卵状椭圆形，长 2.5 ~ 6 cm，宽 1 ~ 3 cm，密被黄色腺点，先端尾尖或渐尖，基部宽楔形或钝圆，侧脉 4 ~ 5 对，上半部边缘疏生小齿；叶柄极短或无。聚伞花序单一；花萼杯状，先端截头状，被黄色腺点；花冠紫红色。果实球形。花期 6 ~ 7 月，果期 8 ~ 11 月。

| **生境分布** | 生于林中或林边。分布于广东从化、增城、乐昌、乳源、曲江、翁源、新丰、龙门、阳春、广宁、德庆、怀集、封开、连州、连山、英德、阳山及江门（市区）等。

| **资源情况** | 野生资源较少。药材来源于野生。 |

| **功能主治** | 苦、辛，平。清热解毒，止血。 |

| **凭证标本号** | 441225180722040LY、441823200722024LY、440224181204012LY。 |

马鞭草科 Verbenaceae 紫珠属 Callicarpa

藤紫珠

Callicarpa peii H. T. Chang

| 药 材 名 |

藤紫珠（药用部位：全株。别名：裴氏紫珠）。

| 形态特征 |

藤本。幼枝、叶柄和花序梗均被黄褐色星状毛和分枝茸毛。叶片宽椭圆形，长 6 ~ 11 cm，宽 3 ~ 7 cm，先端急尖至渐尖，全缘，表面初时有短硬毛和星状毛，背面被黄褐色星状毛和细小的黄色腺点，叶脉在背面均隆起。聚伞花序，6 ~ 8 次分歧；花萼无毛，有细小的黄色腺点，萼齿不明显；花紫红色。花期 5 ~ 7 月，果期 8 ~ 11 月。

| 生境分布 |

生于海拔 250 ~ 1500 m 的山坡林中、林边或谷地溪边。分布于广东乐昌、乳源、翁源、新丰、仁化、南雄、紫金、和平、高要、怀集、广宁、封开、德庆、连州、阳山、郁南及江门（市区）等。

| 资源情况 |

野生资源较少。药材来源于野生。

| 功能主治 |

苦、微辛，平。清热解毒，消炎止泻，止痛。

| 凭证标本号 | 441622200921005LY、440224180531010LY、441225181122009LY。

| 附　　注 | 本种的干燥叶和嫩枝在广东北部地区作为止血药使用。

马鞭草科 Verbenaceae 紫珠属 Callicarpa

红紫珠 Callicarpa rubella Lindl.

| 药 材 名 | 红紫珠（药用部位：全株。别名：小红米果、白金子风、山霸王）。

| 形态特征 | 灌木。小枝、叶片背面和花序均被星状柔毛。叶片倒卵形或倒卵状椭圆形，长 10 ～ 14 cm，宽 4 ～ 8 cm，基部心形，边缘具细锯齿；表面稍被单毛，背面有黄色腺点，叶脉在两面稍隆起；叶柄极短或近无柄。聚伞花序；花萼具黄色腺点，萼齿钝三角形；花紫红色，外被细毛和黄色腺点。果实紫红色。花期 5 ～ 7 月，果期 7 ～ 11 月。

| 生境分布 | 生于海拔 300 ～ 1 900 m 的山坡、河谷的林中或灌丛中。广东各地均有分布。

| 资源情况 | 野生资源丰富。药材来源于野生。

| **采收加工** | 夏、秋季采收，晒干或鲜用。 |

| **药材性状** | 本品嫩枝呈圆柱形，直径 0.4 ~ 0.9 cm；表面灰褐色，被黄褐色星状毛及多细胞腺毛；质脆，断面髓部明显。叶多卷曲、皱缩，基部略呈心形，边缘有三角状锯齿；上表面暗棕色，下表面有黄色腺点，两面被柔毛；叶柄极短。 |

| **功能主治** | 微苦，平。凉血止血，解毒消肿。 |

| **凭证标本号** | 441523190516014LY、441825190707007LY、440783190718012LY。 |

马鞭草科 Verbenaceae 紫珠属 Callicarpa

钝齿红紫珠
Callicarpa rubella Lindl. f. *crenata* P'ei

| **药 材 名** | 红紫珠（药用部位：根、叶、嫩枝。别名：小红米果、白金子风、山霸王）。

| **形态特征** | 灌木。全株均被多细胞的单毛。叶片倒卵形，长 10 ~ 14 cm，宽 4 ~ 8 cm，基部心形，边缘具细锯齿；表面稍被单毛，背面被星状毛并杂有单毛和腺毛，有黄色腺点，叶脉在两面稍隆起；叶柄极短或近无柄。聚伞花序；花萼被毛，具黄色腺点，萼齿钝三角形；花冠紫红色，外被细毛和黄色腺点。花期 6 ~ 7 月，果期 7 ~ 12 月。

| **生境分布** | 生于海拔 100 ~ 1 650 m 的山坡、谷地、溪边的林中或灌丛中。分布于广东从化、梅县、博罗、乳源、开平、罗定及茂名（市区）、

肇庆（市区）等。

| **资源情况** | 野生资源一般。药材来源于野生。

| **功能主治** | 苦，寒。清热止血，消肿止痛。

| **凭证标本号** | 441823200725008LY。

马鞭草科 Verbenaceae 紫珠属 *Callicarpa*

狭叶红紫珠 *Callicarpa rubella* Lindl. f. *angustata* P'ei

| 药 材 名 | 红紫珠（药用部位：根、叶。别名：小红米果、白金子风、白斑鸠米）。

| 形态特征 | 灌木。全株被星状茸毛。叶片披针形至倒披针形，长 8 ~ 14 cm，宽 2 ~ 4 cm，边缘具细锯齿，背面密被黄棕色星状毛，叶脉在两面稍隆起；叶柄极短或近无。聚伞花序；花序梗长约 1 cm；花萼被星状毛或腺毛，具黄色腺点，萼齿钝三角形；花冠紫红色，外被细毛和黄色腺点。果实紫红色。花期 5 ~ 7 月，果期 7 ~ 11 月。

| 生境分布 | 生于林中或灌丛中。分布于广东乳源、新丰、博罗、台山、怀集、封开、新兴及广州（市区）、珠海（市区）、河源（市区）、肇庆（市区）等。

| **资源情况** | 野生资源较少。药材来源于野生。 |

| **功能主治** | 根，解毒，除湿。叶，止痒散瘀，消炎。 |

| **凭证标本号** | 441823200725006LY。 |

马鞭草科 Verbenaceae 莸属 Caryopteris

兰香草

Caryopteris incana (Thunb.) Miq.

| **药 材 名** | 独脚球（药用部位：全草。别名：山薄荷、九层楼）。

| **形态特征** | 小灌木。叶片披针形、卵形或长圆形，先端钝或尖，基部楔形、近圆形至平截，边缘有粗齿。聚伞花序；无苞片和小苞片；花萼杯状，外面密被短柔毛；花冠淡紫色或淡蓝色，二唇形，外面具短柔毛，花冠管喉部有毛环，花冠5裂，下唇中裂片较大，边缘流苏状。果实倒卵状球形，上部宽大于长。花果期6～10月。

| **生境分布** | 生于较干旱的山坡、路旁或林边。分布于广东南澳、始兴、乳源、连州、阳山、翁源、乐昌、南雄、新丰、连平、紫金、龙川、平远、蕉岭、大埔、五华、陆丰、陆河、惠东、博罗、台山、阳春、怀集、

封开、兴宁、连州、阳山、英德、揭西、罗定及广州（市区）、深圳（市区）、珠海（市区）、梅州（市区）、东莞、潮州（市区）等。

| **资源情况** | 野生资源较丰富。药材来源于野生。

| **采收加工** | 夏、秋季采收，洗净，切段，晒干或鲜用。

| **药材性状** | 本品根呈圆柱形，直径 0.3 ~ 0.8 cm，有纵向裂纹和皱纹。枝密被茸毛。叶对生，多皱缩，卵状披针形，长 2 ~ 9 cm，宽 1 ~ 4 cm，先端钝，边缘具粗锯齿，下面有黄色腺点，两面密生短柔毛。有特异香气。

| **功能主治** | 辛，温。疏风解表，祛湿散寒，散瘀止痛。

| **凭证标本号** | 440781190515020LY、441823191002005LY、445224190502014LY。

马鞭草科 Verbenaceae 莸属 Caryopteris

单花莸
Caryopteris nepetaefolia (Benth.) Maxim.

| 药 材 名 |

莸（药用部位：全草。别名：边兰、方梗金钱草、荆芥叶莸）。

| 形态特征 |

多年生草本。茎方形，被向下弯曲的柔毛。叶片纸质，宽卵形，先端钝，基部阔楔形，边缘具 4 ~ 6 对钝齿，两面均被柔毛及腺点，侧脉 3 ~ 5 对，被柔毛。单花腋生，近花梗中部具 2 锥形的细小苞片；花萼杯状，5 裂，裂片卵圆形；花冠淡蓝色，外面疏生细毛和腺点，下唇中裂片较大，全缘。蒴果 4 瓣裂。花果期 5 ~ 9 月。

| 生境分布 |

生于阴湿山坡、林边、路旁或水沟边。分布于广东连州、阳山。

| 资源情况 |

野生资源较少。药材来源于野生。

| 采收加工 |

夏、秋季采收，切段，晒干或鲜用。

| **功能主治** | 微甘，凉。清暑解表，利湿解毒。 |

| **凭证标本号** | 441882180411031LY。 |

马鞭草科　Verbenaceae　大青属　*Clerodendrum*

灰毛大青

Clerodendrum canescens Wall.

| 药 材 名 | 大叶白花灯笼（药用部位：全株。别名：毛赪桐、狮子球、九连灯）。

| 形态特征 | 灌木。全体密被平展或倒向的灰褐色长柔毛。叶对生，心形或阔卵形，长6～18 cm，宽4～15 cm，两面均有柔毛。聚伞花序密集成头状，通常2～5枝生于枝顶；花萼钟状，5深裂至花萼的中部；花冠白色，外有腺毛或柔毛，花冠管长约2 cm。核果近球形，成熟时深蓝色或黑色，藏于增大的红色宿萼内。花果期4～10月。

| 生境分布 | 生于海拔220～880 m的山坡路边或疏林中。分布于广东增城、乐昌、仁化、始兴、新丰、龙川、紫金、蕉岭、大埔、丰顺、五华、博罗、惠东、徐闻、信宜、高州、德庆、阳山、连山、连州、饶平、揭西

及深圳（市区）、珠海（市区）、东莞、中山、江门（市区）、阳江（市区）、潮州（市区）等。

| **资源情况** | 野生资源一般。药材来源于野生。

| **采收加工** | 夏、秋季采收，洗净，切段，晒干。

| **功能主治** | 甘、淡，凉。清热解毒，凉血止血。

| **凭证标本号** | 441825190711018LY、440523190712026LY、441523190615008LY。

马鞭草科 Verbenaceae 大青属 Clerodendrum

大青

Clerodendrum cyrtophyllum Turcz.

| **药 材 名** | 路边青（药用部位：地上部分。别名：大青叶、臭大青）、大青根（药用部位：根）。

| **形态特征** | 灌木或小乔木。幼枝被短柔毛。叶片纸质，椭圆形、卵状椭圆形、长圆形或长圆状披针形，长 6 ~ 20 cm，宽 3 ~ 9 cm，全缘，背面常有腺点。伞房状聚伞花序；花小，有香味；花萼杯状；花冠白色，外面疏生细毛和腺点，花冠管细长，长约 1 cm，先端 5 裂。果实球形，成熟时蓝紫色，被红色的宿萼所托。花果期 6 月至翌年 2 月。

| **生境分布** | 生于海拔 1 700 m 以下的平原、丘陵、山地林下或溪谷旁。分布于广东从化、增城、始兴、乳源、乐昌、南雄、仁化、翁源、紫金、

陈秋娟提供

和平、连平、龙川、梅县、大埔、丰顺、五华、平远、蕉岭、兴宁、龙门、阳春、徐闻、信宜、高州、广宁、佛冈、连南、连州、英德、阳山及深圳（市区）、河源（市区）、潮州（市区）等。

| 资源情况 | 野生资源丰富。药材来源于野生。

| 采收加工 | **路边青：**夏、秋季采收，晒干。
大青根：全年均可采收，切片，晒干。

| 药材性状 | **路边青：**本品叶微皱折，完整叶片展平后呈长椭圆形至细长卵圆形，长 5 ~ 20 cm，宽 3 ~ 9 cm，全缘，先端渐尖，基部钝圆；上面棕黄色、棕黄绿色至暗棕红色，下面色较浅；叶柄长 1.5 ~ 8 cm。

| 功能主治 | **路边青：**苦，寒。清热利湿，凉血解毒。
大青根：苦，寒。清热解毒，凉血止血。

| 凭证标本号 | 440785180707001LY、440783191130011LY、4402811906629012LY。

马鞭草科 Verbenaceae 大青属 Clerodendrum

白花灯笼

Clerodendrum fortunatum L.

| 药 材 名 | 白花灯笼（药用部位：全株或根。别名：鬼灯笼、苦灯笼、鬼点火）。

| 形态特征 | 直立灌木。嫩枝密被黄褐色短柔毛。叶纸质，长椭圆形，长 5 ～ 17.5 cm，宽 1.5 ～ 5 cm，全缘或呈波状，背面密生细小的黄色腺点，沿脉被短柔毛；叶柄长 0.5 ～ 3 cm，密被黄褐色短柔毛。聚伞花序腋生，具 3 ～ 9 花；花萼红紫色，具 5 棱，膨大，形似灯笼；花冠淡红色。核果成熟时深蓝绿色，藏于宿萼内。花果期 6 ～ 11 月。

| 生境分布 | 生于海拔 1 000 m 以下的丘陵、山坡、路边、村旁和旷野。分布于广东从化、增城、宝安、乳源、乐昌、南雄、仁化、紫金、大埔、丰顺、五华、平远、惠东、海丰、陆丰、开平、恩平、台山、阳春、

信宜、怀集、封开、德庆、高要、阳山、英德、佛冈、新兴及汕头（市区）、惠州（市区）、阳江（市区）、茂名（市区）、肇庆（市区）等。

| 资源情况 | 野生资源丰富。药材来源于野生。

| 采收加工 | 夏、秋季采收，洗净，切段，晒干或鲜用。

| 药材性状 | 本品茎枝呈圆柱形或近方柱形，老枝表面淡灰棕色，粗糙，有纵沟及凸起的圆形皮孔，幼枝棕绿色，密被短柔毛。叶对生，皱缩，易破碎，完整者展平后呈长椭圆形，长 5 ~ 15 cm，宽 2 ~ 4 cm，先端渐尖，基部楔形，全缘或略呈波状，上面墨绿色，下面灰绿色；叶柄长 0.5 ~ 3 cm，密被短柔毛。叶腋处常残留数个花萼，形似灯笼并有 5 棱角；花冠白色；花萼蓝紫色。气微，味微苦。

| 功能主治 | 微苦、甘，寒。清热止咳，解毒消肿。

| 凭证标本号 | 441825190711022LY、441622190528015LY、441324180802048LY。

苦郎树 *Clerodendrum inerme* (L.) Gaertn.

药材名

水胡满（药用部位：嫩枝叶。别名：臭苦荬、见水生、许树）、水胡满根（药用部位：根。别名：苦郎树根）。

形态特征

攀缘状灌木。幼枝四棱形，黄灰色，被短柔毛。叶对生，薄革质，卵形，长 3 ~ 7 cm，宽 1.5 ~ 4.5 cm，先端钝尖，两面均散生黄色的细小腺点，全缘。聚伞花序腋生，通常由 3 花组成；花萼微 5 裂，果时几平截；花冠白色，先端 5 裂，花冠管长 2 ~ 3 cm。核果倒卵形，多汁液。花果期 3 ~ 12 月。

生境分布

生于海岸沙滩。分布于广东南澳、蕉岭、陆丰、海丰、博罗、新会、台山、阳春、徐闻、高州、信宜、高要、郁南及广州（市区）、深圳（市区）、珠海（市区）、东莞、中山、阳江（市区）、茂名（市区）、清远（市区）等。

资源情况

野生资源一般。药材来源于野生。

| 采收加工 | **水胡满**：全年均可采收，洗净，切断，晒干或鲜用。
水胡满根：全年均可采收。

| 药材性状 | **水胡满**：本品茎呈圆柱形，多切段，嫩茎灰黄色或灰棕色，被短柔毛。叶对生，卵形或椭圆形，长 4 ~ 8 cm，宽 2 ~ 3 cm，先端钝，基部楔形，全缘，叶背面脉纹明显，脉羽状，细脉网状，上面暗绿色，下面黄绿色；叶柄长约 1 cm。

| 功能主治 | **水胡满**：苦、辛，寒；有毒。祛瘀止血，燥湿杀虫。
水胡满根：苦，寒。清热燥湿，活血消肿。

| 凭证标本号 | 440781190516042LY、440523190730018LY、440882180602082LY。

马鞭草科 Verbenaceae 大青属 Clerodendrum

赪桐

Clerodendrum japonicum (Thunb.) Sweet

药材名

赪桐叶（药用部位：地上部分。别名：红蜻蜓叶、荷苞花、状元红）。

形态特征

灌木。小枝四棱形。叶片圆心形，长 8 ~ 35 cm，宽 6 ~ 27 cm，边缘有疏短尖齿，表面疏生伏毛，背面密具锈黄色的盾状腺体。圆锥状聚伞花序顶生；花萼红色，散生盾状腺体，长 1 ~ 1.5 cm，5 深裂；花冠红色，稀白色。果实椭圆状球形，绿色或蓝黑色，宿萼增大，初包被果实，后向外反折，呈星状。花果期 5 ~ 11 月。

生境分布

生于平原、山谷、溪边或疏林中。分布于广东南雄、仁化、始兴、东源、大埔、丰顺、博罗、恩平、阳春、徐闻、高州、信宜、英德、佛冈、饶平、新兴及广州（市区）、佛山（市区）、东莞、中山、阳江（市区）、茂名（市区）等。

资源情况

野生资源一般。药材来源于野生。

| **采收加工** | 6 ～ 7 月花开时采收，晒干。

| **功能主治** | 辛、甘，平。祛风，散瘀，解毒消肿。

| **凭证标本号** | 440783200425011LY、440281190630007LY、441225180609047LY。

马鞭草科 Verbenaceae 大青属 Clerodendrum

广东大青
Clerodendrum kwangtungense Hand. -Mazz.

| 药 材 名 | 广东臭茉莉（药用部位：根。别名：广东贞桐）。

| 形态特征 | 灌木。叶对生，膜质，卵形或长圆形，长 6 ~ 18 cm，宽 2 ~ 7 cm，先端渐尖，全缘，有不规则的锯齿或微波状。伞房状聚伞花序生于枝顶叶腋；花萼长 6 ~ 7 mm，外面疏被细毛，先端 5 深裂；花冠白色，花冠管长 2 ~ 3 cm，先端 5 裂。核果球形，绿色，宿萼增大，包被果实。花果期 8 ~ 11 月。

| 生境分布 | 生于海拔 600 ~ 1 340 m 的林中或林缘。分布于广东翁源、乳源、乐昌、仁化、始兴、紫金、大埔、丰顺、平远、信宜、怀集、封开、英德、连州、阳山及肇庆（市区）、清远（市区）等。

| **资源情况** | 野生资源丰富。药材来源于野生。 |

| **功能主治** | 祛风利湿，散瘀消肿。 |

| **凭证标本号** | 441825191003014LY、441823200722033LY、440224181130006LY。 |

马鞭草科 Verbenaceae 大青属 Clerodendrum

尖齿臭茉莉

Clerodendrum lindleyi Decne. ex Planch.

| 药 材 名 | 过墙风（药用部位：全株。别名：臭茉莉、鬼点火、臭牡丹）。

| 形态特征 | 灌木。叶纸质，宽卵形或心形，两面被短柔毛，基部脉腋有数个盘状腺体，叶缘有不规则锯齿或波状齿。伞房状聚伞花序密生于枝顶；花萼钟状，长 1 ~ 1.5 cm，密被柔毛和少数盘状腺体，萼齿线状披针形；花冠紫红色，花冠裂片长 5 ~ 7 mm，倒卵形。核果近球形，成熟时蓝黑色，大部分被增大的紫红色宿萼所包裹。花果期6 ~ 11 月。

| 生境分布 | 生于山坡、沟边、杂木林或路边。分布于广东翁源、乳源、仁化、乐昌、南雄、始兴、大埔、丰顺、五华、连平、紫金、惠东、龙门、

台山、信宜、怀集、阳山、连南、连山、英德、连州、罗定及广州（市区）、深圳（市区）、潮州（市区）等。

| **资源情况** | 野生资源较丰富。药材来源于野生。

| **采收加工** | 全年均可采收，洗净，切段，晒干。

| **药材性状** | 本品根为不规则的圆柱形短段，长 3 ~ 5 cm，直径 0.5 ~ 2.5 cm；表面灰褐色至棕褐色，有白色的点状皮孔及细皱纹；质坚实，断面黄白色，具不明显的环纹和放射状纹理。

| **功能主治** | 苦，平。祛风利湿，化痰止咳，活血消肿。

| **凭证标本号** | 441523190405019LY、441823200707010LY、441284191005631LY。

马鞭草科 Verbenaceae 大青属 Clerodendrum

海通
Clerodendrum mandarinorum Diels

| 药 材 名 | 海通（药用部位：枝叶。别名：臭梧桐、满大青）。

| 形态特征 | 灌木或乔木。幼枝密被黄褐色绒毛，髓具明显的黄色薄片状横隔。叶片近革质，卵状椭圆形，长 10 ～ 27 cm，宽 6 ～ 20 cm，两面被绒毛。伞房状聚伞花序顶生；花萼小，钟状，密被短柔毛和少数盘状腺体，萼齿尖细，钻形；花冠白色，有香气。核果近球形，成熟后蓝黑色，宿萼增大，红色，包被果实 1/2 以上。花果期 7 ～ 12 月。

| 生境分布 | 生于海拔 250 ～ 1 902 m 的溪边、路旁或丛林中。分布于广东始兴、乳源、乐昌、仁化、高州、信宜、连南、连山、阳山、英德、饶平等。

| 资源情况 | 野生资源较丰富。药材来源于野生。

| **采收加工** | 夏、秋季采收，切段，晒干或鲜用。

| **功能主治** | 苦、辛，平。祛风通络。

| **凭证标本号** | 441224180827026LY、440281190815004LY、440281200708019LY。

马鞭草科 Verbenaceae 大青属 Clerodendrum

重瓣臭茉莉

Clerodendrum philippinum Schauer

| 药 材 名 | 臭茉莉（药用部位：根或根皮。别名：臭矢茉莉、大髻婆）。

| 形态特征 | 灌木。叶片宽卵形，先端渐尖，边缘疏生粗齿，基出脉3，脉腋有数个盘状腺体，揉叶片有臭味；叶柄长3～17 cm，被短柔毛。伞房状聚伞花序紧密，顶生；苞片披针形，被短柔毛并有少数疣状腺体及盘状腺体；花萼钟状，花萼裂片线状披针形；花冠红色，有香气，花冠管短，裂片卵圆形，雄蕊常变为花瓣而形成重瓣。

| 生境分布 | 生于海拔650～1500 m的林中或溪边。分布于广东翁源、紫金、博罗、信宜、阳春、佛冈、阳山、英德、郁南及广州（市区）、深圳（市区）、阳江（市区）、肇庆（市区）、云浮（市区）等。

| **资源情况** | 野生资源一般。药材来源于野生。

| **采收加工** | 全年均可采收，洗净，切片，晒干或鲜用。

| **功能主治** | 苦，平。祛风利湿，活血消肿。

| **凭证标本号** | 440781190709004LY、441284190723579LY、440785180712068LY。

马鞭草科 Verbenaceae 大菁属 Clerodendrum

龙吐珠

Clerodendrum thomsonae Balf.

药材名	九龙吐珠（药用部位：叶。别名：白萼赪桐、红花龙吐珠）。
形态特征	攀缘状灌木。叶片纸质，狭卵形，长 4 ~ 10 cm，宽 1.5 ~ 4 cm，全缘，基出脉 3。聚伞花序腋生或假顶生；花萼白色，基部合生，中部膨大，有 5 棱脊，先端 5 深裂，外被细毛，裂片三角状卵形，长 1.5 ~ 2 cm；花冠深红色，花冠管与花萼近等长。核果近球形，棕黑色，宿萼不增大，红紫色。花期 3 ~ 5 月。
生境分布	广东各地均有栽培。
资源情况	栽培资源一般。药材来源于栽培。

采收加工	全年均可采收，洗净，切段，晒干。
功能主治	淡，平。清热解毒，活血，利尿，抗肿瘤。
凭证标本号	曾宪锋 ZXF44167 （CZH0039428）。

马鞭草科 Verbenaceae 假连翘属 Duranta

假连翘 *Duranta repens* L.

| 药 材 名 | 假连翘（药用部位：果实。别名：篱笆树、花墙刺）、假连翘叶（药用部位：叶）。

| 形态特征 | 灌木。枝条有皮刺，幼枝有柔毛。叶对生；叶片卵状椭圆形，长 2 ~ 6.5 cm，宽 1.5 ~ 3.5 cm，纸质，全缘或中部以上有锯齿。总状花序顶生或腋生，常排成圆锥状；花萼管状，有毛，长约 5 mm，5 裂，具 5 棱；花冠通常蓝紫色。核果球形，成熟时红黄色，被增大的宿存花萼包围。花果期 5 ~ 10 月。

| 生境分布 | 广东各地均有栽培。

| 资源情况 | 栽培资源较丰富。药材来源于栽培。

陈秋娟提供

| 采收加工 | 春、夏季采收，晒干或鲜用。

| 功能主治 | 甘、微辛，温，有小毒。散热透邪，行血祛瘀，止痛杀虫，消肿排毒。

| 凭证标本号 | 441284190817629LY、440783191006030LY、440523190730024LY。

马鞭草科 Verbenaceae 石梓属 Gmelina

云南石梓
Gmelina arborea Roxb.

| **药 材 名** | 云南石梓（药用部位：根。别名：滇石梓、埋索）。 |

| **形态特征** | 落叶乔木。树皮呈不规则块状脱落。幼枝、叶柄、叶背及花序均密被黄褐色绒毛。叶片厚纸质，广卵形，长 8 ~ 19 cm，宽 4.5 ~ 15 cm。聚伞花序组成顶生的圆锥花序；花萼钟状，外面有黑色的盘状腺点，先端有 5 三角形小齿；花冠长 3 ~ 4 cm，黄色，两面均疏生腺点，二唇形。核果成熟时黄色。花期 4 ~ 5 月，果期 5 ~ 7 月。 |

| **生境分布** | 生于海拔 1 500 m 以下的路边、村舍及疏林中。分布于广东紫金、博罗及广州（市区）等。广东肇庆（市区）等有栽培。 |

| **资源情况** | 野生资源较少。药材来源于野生。 |

| **功能主治** | 苦、涩，凉。祛风止痒，清火解毒。 |

| **凭证标本号** | 441827180423001LY。 |

马鞭草科 Verbenaceae 石梓属 Gmelina

石梓 *Gmelina chinensis* Benth.

| 药 材 名 | 鼻血簕（药用部位：根。别名：笛勒、狗脚迹）。

| 形态特征 | 乔木。叶对生，厚纸质或纸质，卵形或卵状椭圆形，长 5 ~ 15 cm，宽 3 ~ 7 cm，全缘。聚伞花序组成顶生的圆锥花序；花萼钟状，外面被毛，密生灰白色腺点及黑色的盘状腺点，内面疏生腺点，平截或具 4 小尖头；花冠漏斗状，白色，稍带粉红色，通常 4 裂。核果倒卵形，长约 2.2 cm。花期 4 ~ 5 月，果期 8 月。

| 生境分布 | 生于海拔 500 ~ 1 200 m 的山坡林中。分布于广东增城、乳源、阳春、英德、郁南及深圳（市区）、江门（市区）、阳江（市区）等。

| 资源情况 | 野生资源一般。药材来源于野生。

| **采收加工** | 全年均可采收，洗净，切片，晒干或鲜用。

| **功能主治** | 甘、微苦、辛，微温；有小毒。活血化瘀，祛湿止痛。

| **凭证标本号** | 陈炳辉 1312 （IBSC0495950）。

马鞭草科 Verbenaceae 马缨丹属 Lantana

马缨丹 *Lantana camara* L.

| 药 材 名 | 马缨丹（药用部位：根、茎、叶、花。别名：五色梅、如意花）。

| 形态特征 | 直立或蔓性灌木。茎四方形，有短而呈倒钩状的刺。单叶对生，叶片卵形至卵状长圆形，先端急尖或渐尖，边缘有钝齿；表面有粗糙的皱纹和短柔毛，背面有小刚毛，侧脉约 5 对。花密集成头状，顶生或腋生，有总花梗；花冠 4 ~ 5 浅裂，黄色或橙黄色，开花后不久变为深红色。果实圆球形，成熟时紫黑色。花期全年。

| 生境分布 | 生于海拔 80 ~ 1 500 m 的海边沙滩和空旷处。分布于广东从化、宝安、翁源、乐昌、南澳、东源、紫金、五华、蕉岭、丰顺、大埔、博罗、惠东、陆丰、台山、阳春、徐闻、封开、德庆、英德、佛冈、

饶平、普宁、惠来、新兴、罗定、郁南及珠海（市区）、中山、阳江（市区）、
湛江（市区）、肇庆（市区）、云浮（市区）等。

| **资源情况** | 野生资源丰富。药材来源于野生。

| **采收加工** | 全年均可采挖根，夏、秋季采收茎、叶、花，晒干或鲜用。

| **药材性状** | 本品根棕黄色。茎呈四方形，暗褐色，被毛，并有弯的钩刺，有强烈的臭味，
切面如海绵状的髓。叶两面均有粗毛。头状花序腋生。

| **功能主治** | 根，淡，凉。清热解毒，散结止痛。茎、叶，苦，凉；有小毒。祛风止痒，解
毒消肿。花，微辛、苦，凉。清热解毒，止血消肿。

| **凭证标本号** | 440783190522010LY、445224190331018LY、441523190405008LY。

马鞭草科 Verbenaceae 过江藤属 Phyla

过江藤
Phyla nodiflora (L.) Greene

| 药 材 名 | 过江藤（药用部位：全草。别名：苦舌草、过江龙）。

| 形态特征 | 多年生草本。有木质宿根，全体被紧贴的"丁"字形短毛。叶近无柄，匙形、倒卵形至倒披针形，长 1 ~ 3 cm，宽 0.5 ~ 1.5 cm，先端钝或近圆形，基部狭楔形，中部以上的边缘有锐锯齿。穗状花序腋生；花萼膜质；花冠白色、粉红色至紫红色。果实淡黄色，藏于膜质的花萼内。花果期 6 ~ 10 月。

| 生境分布 | 生于海拔 300 ~ 1 880 m 的山坡、平地、河滩的湿润处。分布于广东仁化、乳源、海丰、台山、封开、普宁及广州（市区）、珠海（市区）、汕头（市区）、东莞、阳江（市区）、湛江（市区）、中山等。

| **资源情况** | 野生资源较少。药材来源于野生。 |

| **采收加工** | 夏、秋季采收，晒干或鲜用。 |

| **功能主治** | 辛、微苦，平。清热解毒，散瘀消肿。 |

| **凭证标本号** | 440281200708037LY。 |

马鞭草科 Verbenaceae 豆腐柴属 Premna

豆腐柴 *Premna microphylla* Turcz.

| 药 材 名 | 腐婢（药用部位：茎、叶。别名：小青根、土黄芪）。

| 形态特征 | 直立灌木。叶卵状披针形，长 3 ~ 13 cm，宽 1.5 ~ 6 cm，先端急尖至长渐尖，基部渐狭窄，下延至叶柄两侧，全缘或有不规则粗齿。聚伞花序组成顶生的塔形圆锥花序；花萼杯状，近整齐的 5 浅裂；花冠淡黄色，长约 7 mm，外面有柔毛和腺点，内部有柔毛，喉部毛较密。核果紫色。花果期 5 ~ 10 月。

| 生境分布 | 生于山坡林下或林缘。分布于广东增城、乳源、乐昌、南雄、仁化、始兴、新丰、大埔、丰顺、平远、蕉岭、五华、兴宁、连平、和平、紫金、龙川、封开、怀集、阳山、连山、佛冈、连南、连州、英德

及汕头（市区）、茂名（市区）、潮州（市区）、云浮（市区）等。

| **资源情况** | 野生资源较少。药材来源于野生。

| **采收加工** | 全年均可采收，切片，晒干或鲜用。

| **功能主治** | 苦、涩，寒。清热解毒，消肿止痛，收敛止血。

| **凭证标本号** | 441825190926042LY、440785180708013LY、440281190627053LY。

马鞭草科 Verbenaceae 豆腐柴属 Premna

狐臭柴

Premna puberula Pamp.

| 药 材 名 | 斑鸠占（药用部位：根、茎。别名：神仙豆腐柴、长柄臭黄荆）。

| 形态特征 | 直立或攀缘灌木至小乔木。小枝近呈直角伸出。幼枝、花序轴及叶背面无毛或疏被微柔毛。叶片纸质，卵状椭圆形，通常全缘或上半部有齿，有时深裂，先端急尖至尾状尖，基部楔形。聚伞花序组成塔形的圆锥花序，生于小枝先端；花萼杯状，先端 5 浅裂，裂齿三角形；花冠淡黄色。核果。花果期 5 ~ 8 月。

| 生境分布 | 生于海拔 700 ~ 1 800 m 的山坡路边丛林中。分布于广东乐昌、阳山。

| 资源情况 | 野生资源较少。药材来源于野生。

| **采收加工** | 夏、秋季采收，切片，晒干。 |

| **药材性状** | 本品茎呈圆柱形，长短不一，直径 1 ~ 2.5 cm；表面灰黄色，有细小的不规则纵皱纹，外皮常呈片状剥落，剥落处呈红棕色；质硬，断面皮部红棕色，木部黄白色，可见导管呈细孔状，射线呈放射状排列，髓部白色。 |

| **功能主治** | 辛、微甘，微温。祛风湿，壮肾阳。 |

| **凭证标本号** | 林亲众 043 CSFI042594。 |

马鞭草科 Verbenaceae 豆腐柴属 Premna

塘虱角
Premna sunyiensis P'ei

| 药 材 名 | 牛尾鸟（药用部位：全株。别名：大蛇药、信宜豆腐木）。

| 形态特征 | 直立或攀缘灌木。小枝通常上举。叶片纸质，卵形至卵状披针形，长 3 ~ 7.5 cm，宽 1 ~ 4.5 cm，全缘，先端渐尖，基部阔楔形或近圆形，两面近无毛，背面有褐色腺点。塔形圆锥花序顶生，花序分枝不呈明显的蝎尾状；花不易脱落；花萼先端 5 浅裂，裂片钝三角形；花冠淡黄色，花冠管长约 7 mm。核果。花果期 5 ~ 10 月。

| 生境分布 | 生于山地、山坡林缘。分布于广东乳源、信宜。

| 资源情况 | 野生资源较少。药材来源于野生。

| **功能主治** | 消肿止痛，消积杀虫，祛寒湿。 |

| **凭证标本号** | 谭沛祥 370 （IBSC0497129）。 |

马鞭草科 Verbenaceae 假马鞭属 Stachytarpheta

假马鞭 Stachytarpheta jamaicensis (L.) Vahl

| 药 材 名 | 玉龙鞭（药用部位：全草。别名：大兰草、万能草）。

| 形态特征 | 多年生粗壮草本或亚灌木。叶片厚纸质，椭圆形至卵状椭圆形。穗状花序顶生；苞片边缘膜质，有纤毛，先端有芒尖；花萼管状，膜质，透明，无毛；花冠深蓝紫色，先端 5 裂，裂片平展。果实藏于膜质的花萼内，成熟后 2 瓣裂，每瓣有 1 种子。花期 8 月，果期 9 ~ 12 月。

| 生境分布 | 生于海拔 300 ~ 580 m 的山谷阴湿的草丛中。分布于广东从化、南澳、徐闻及深圳（市区）、珠海（市区）、汕头（市区）、佛山（市区）、东莞、惠州（市区）、中山、江门（市区）、茂名（市区）、

潮州（市区）、揭阳（市区）等。

| 资源情况 | 野生资源一般。药材来源于野生。

| 采收加工 | 全年均可采收，鲜用或切段、片晒干。

| 药材性状 | 本品根粗，灰白色。茎圆柱形，稍扁，基部木质化；表面有细密的纵沟纹。叶对生，完整者展平后呈椭圆形或卵状椭圆形，边缘齿状。穗状花序，似鞭状；小花脱落后留有坑形凹穴。

| 功能主治 | 微苦，寒。清热解毒，利水通淋。

| 凭证标本号 | 445224190330105LY、440781190516009LY、441422191124430LY。

马鞭草科　Verbenaceae　柚木属　*Tectona*

柚木
Tectona grandis L. f.

| **药 材 名** | 紫柚木（药用部位：茎、叶。别名：硬木树、脂树）。

| **形态特征** | 落叶大乔木。小枝四棱形，具 4 槽。叶对生，厚纸质，全缘，卵状椭圆形或倒卵形，长 15 ~ 45 cm，宽 8 ~ 23 cm；表面粗糙，有白色突起，背面密被灰褐色至黄褐色星状毛。圆锥花序顶生；花有香气；花萼钟状；花冠白色。核果球形，外果皮茶褐色，被毡状细毛，内果皮骨质。花期 8 月，果期 10 月。

| **生境分布** | 生于海拔 900 m 以下的潮湿疏林中。分布于广东博罗、高要及广州（市区）、深圳（市区）等。

| **资源情况** | 野生资源一般。药材来源于野生。

| **采收加工** | 春、夏、秋季采收，切碎，晒干。

| **功能主治** | 苦、微辛，微温。和中止呕，祛风止痒。

| **凭证标本号** | 440982170325025LY、441781150126017LY。

马鞭草科 Verbenaceae 假紫珠属 Tsoongia

假紫珠 *Tsoongia axillariflora* Merr.

| **药 材 名** | 似荆（药用部位：全株或根。别名：钟萼木、钟氏木）。 |

| **形态特征** | 灌木。幼枝、叶柄及花序梗被绣色绒毛及黄褐色腺点。单叶或枝上具 3 小叶，叶片薄纸质，椭圆形，长 6 ~ 15 cm，宽 3 ~ 6.5 cm，两面被柔毛及黄色腺点，全缘。聚伞花序腋生，少花；苞片线形；花萼近钟状，3 齿裂，呈二唇形；花冠筒管状，4 ~ 5 裂，二唇形，黄色。核果成熟时黑褐色，疏被腺点。花果期 5 ~ 9 月。 |

| **生境分布** | 生于海拔 850 ~ 1 000 m 的湿润山谷密林中。分布于广东信宜、英德。 |

| **资源情况** | 野生资源较少。药材来源于野生。 |

| **功能主治** | 苦，寒。清热解毒，消炎退黄。

| **凭证标本号** | 张桂才、刘念 3128 （IBSC0502344）。

馬鞭草科 Verbenaceae 马鞭草属 Verbena

马鞭草 *Verbena officinalis* L.

| 药 材 名 | 马鞭草（药用部位：地上部分。别名：铁马鞭）。

| 形态特征 | 多年生草本。茎四方形。叶片卵圆形至倒卵形或长圆状披针形，长 2 ~ 8 cm，宽 1 ~ 5 cm，基生叶的边缘通常有粗锯齿及缺刻；茎生叶多数 3 深裂，裂片边缘有不整齐的锯齿，两面均有硬毛。穗状花序顶生或腋生，细弱；花冠淡紫色至蓝色，裂片 5。果实长圆形，成熟时 4 瓣裂。花期 6 ~ 8 月，果期 7 ~ 10 月。

| 生境分布 | 生于低海拔至高海拔地区的路边、山坡、溪边或林旁。广东各地均有分布。

| 资源情况 | 野生资源较丰富。药材来源于野生。

陈秋娟提供

| **采收加工** | 6 ~ 8 月花开时采割，除去杂质，晒干。

| **药材性状** | 本品茎呈方柱形，多分枝，有纵沟，长 0.5 ~ 1 m；表面绿褐色，粗糙；质硬而脆，断面有髓或中空。叶对生，皱缩，多破碎，绿褐色，完整者展平后叶片 3 深裂，边缘有锯齿。穗状花序细长，有多数小花。

| **功能主治** | 苦，凉。活血散瘀，解毒，利湿，退黄，截疟。

| **凭证标本号** | 440281190627027LY、440281200709012LY、441523190514002LY。

马鞭草科 Verbenaceae 牡荆属 Vitex

灰毛牡荆

Vitex canescens Kurz

| 药 材 名 | 灰布荆（药用部位：果实。别名：灰牡荆）。

| 形态特征 | 乔木。小枝四棱形，密被灰黄色的细柔毛。掌状复叶，小叶 3 ~ 5；小叶片卵形、椭圆形或椭圆状披针形，全缘，表面被短柔毛，背面密生灰黄色柔毛和黄色腺点。圆锥花序顶生；花序梗密生灰黄色的细柔毛；花萼先端有 5 小齿，外面密生柔毛和腺点，内面疏生细毛；花冠黄白色。核果近球形，宿萼外有毛。花期 4 ~ 5 月，果期 5 ~ 6 月。

| 生境分布 | 生于海拔 200 ~ 1 550 m 的混交林中。分布于广东乐昌、始兴、阳山。

| 资源情况 | 野生资源较少。药材来源于野生。

| **功能主治** | 苦、辛，温。祛风，行气，止痛。

| **凭证标本号** | 441823200724014LY、441827180714048LY。

马鞭草科 Verbenaceae 牡荆属 Vitex

黄荆
Vitex negundo L.

| 药 材 名 | 五指柑（药用部位：全株。别名：黄荆、布荆）、黄荆子（药用部位：果实。别名：布荆子）。

| 形态特征 | 灌木或小乔木。小枝四棱形；表面绿色，背面密生灰白色绒毛。掌状复叶，小叶5，少有3；小叶片长圆状披针形至披针形，全缘或有少数粗锯齿，表面绿色，背面密生灰白色绒毛。聚伞花序排列成圆锥花序，顶生；花萼钟状；花冠淡紫色。核果近球形，宿萼与果实近等长。花期4～6月，果期7～10月。

| 生境分布 | 生于山坡路旁或灌丛中。分布于广东始兴、仁化、乳源、乐昌、南雄、翁源、新丰、宝安、和平、龙川、紫金、大埔、丰顺、平远、蕉岭、

博罗、惠东、龙门、开平、恩平、阳春、高州、徐闻、怀集、封开、德庆、四会、阳山、英德、佛冈、连南、连州、揭西、饶平、郁南及广州（市区）、汕头（市区）、佛山（市区）、惠州（市区）、东莞、中山、茂名（市区）、揭阳（市区）、潮州（市区）等。

| 资源情况 | 野生资源较丰富。药材来源于野生。

| 采收加工 | 五指柑：全年均可采收，除去泥沙，洗净。
黄荆子：8 ~ 9 月采收，晒干。

| 药材性状 | 五指柑：本品根外表皮黄白色至灰褐色，外表皮常呈片状剥落。茎枝黄棕色至棕褐色，密被短绒毛。掌状复叶对生，小叶 3 或 5，多皱缩，完整叶片展平后呈椭圆状卵形，中央 3 小叶片较大；上表面淡绿色，下表面灰白色，两面沿叶脉有短茸毛。花萼钟形，密被白色短柔毛，5 齿裂。果实圆球形或倒卵圆形，下半部包于宿萼内。
黄荆子：本品呈圆球形，上端稍大，略平而圆，下端稍尖，长约 3 mm，直径约 2 mm；宿萼灰褐色，密被棕色细绒毛，包裹整个果实的 2/3 左右，易脱落，基部具短柄；果实外表面棕褐色，表面纵纹明显，果皮较厚，质较硬，不易破碎。

| 功能主治 | 五指柑：微苦、辛，平。解表清热，利湿除痰，止咳平喘，理气止痛，截疟杀虫。
黄荆子：苦、辛，温。止咳平喘，理气止痛。

| 凭证标本号 | 441523190921058LY、440281190627029LY、440281190813002LY。

马鞭草科 Verbenaceae 牡荆属 Vitex

牡荆

Vitex negundo L. var. *cannabifolia* (Sieb. et Zucc.) Hand.-Mazz.

| 药 材 名 | 牡荆叶（药用部位：叶）、牡荆子（药用部位：全株或果实。别名：荆条果、小荆实）。

| 形态特征 | 落叶灌木或小乔木。小枝四棱形。叶对生，掌状复叶，小叶5，少有3；小叶片披针形或椭圆状披针形，边缘有粗锯齿，表面绿色，背面淡绿色，通常被柔毛。圆锥花序顶生，长10～20 cm；花冠淡紫色。果实近球形，黑色。花期6～7月，果期8～11月。

| 生境分布 | 生于山坡路边灌丛中。分布于广东增城、始兴、仁化、南雄、乳源、东源、龙川、紫金、大埔、五华、惠东、海丰、阳春、信宜、高要、阳山、佛冈、连南、连山、郁南及深圳（市区）、中山、江门（市

区）等。

| **资源情况** | 野生资源较丰富。药材来源于野生。

| **采收加工** | 牡荆叶：夏、秋季叶茂盛时采收，除去茎枝。
牡荆子：秋季果实成熟时采收，用手搓下，扬净，晒干。

| **药材性状** | 牡荆叶：本品为掌状复叶，小叶 3 或 5，披针形，中间小叶长 5 ~ 10 cm，宽 2 ~ 4 cm，两侧小叶依次渐小，边缘具粗锯齿；总叶柄长 2 ~ 6 cm，有 1 浅沟槽，密被灰白色茸毛。气芳香，味辛、微苦。
牡荆子：本品果实呈梨形或卵形，长 3 ~ 4 mm，直径 2 ~ 3 mm，棕色，基部呈短尖状，先端截形，有花柱脱落的凹痕；表面光滑或有不明显的纵纹，多有宿萼，萼筒先端 5 齿裂，外面有 5 明显的肋纹，并密被灰白色短绒毛。果壳坚硬，内有数枚黄白色种子。

| **功能主治** | 牡荆叶：微苦、辛，平。祛痰，止咳，平喘。
牡荆子：苦、辛，温。止咳平喘，理气止痛。

| **凭证标本号** | 441523190404037LY、440882180804012LY、440783190814002LY。

马鞭草科　Verbenaceae　牡荆属　Vitex

山牡荆

Vitex quinata (Lour.) Will.

| 药 材 名 | 山牡荆（药用部位：根、茎。别名：山紫荆、布荆、五指风）。 |

| 形态特征 | 常绿乔木。小枝四棱形。掌状复叶，对生，有 3 ~ 5 小叶；小叶片倒卵形至倒卵状椭圆形，通常全缘，表面常有灰白色小窝点，背面有金黄色腺点。聚伞花序对生于主轴上，圆锥状，顶生；花萼钟状；花冠淡黄色，二唇形。核果球形或倒卵形，成熟后呈黑色，宿萼呈圆盘状，先端近截形。花期 5 ~ 7 月，果期 8 ~ 9 月。 |

| 生境分布 | 生于海拔 650 ~ 1 700 m 的山坡疏林下或山谷路旁。分布于广东翁源、乐昌、南雄、仁化、乳源、始兴、紫金、梅县、大埔、五华、平远、丰顺、龙门、博罗、惠东、陆丰、陆河、鹤山、恩平、徐闻、 |

信宜、阳春、怀集、封开、高要、德庆、英德、佛冈、新兴、郁南及广州（市区）、珠海（市区）、东莞、中山、江门（市区）、茂名（市区）、清远（市区）、潮州（市区）等。

| **资源情况** | 野生资源较丰富。药材来源于野生。

| **采收加工** | 全年均可采收，除去外皮，晒干。

| **功能主治** | 淡，平。止咳定喘，镇静退热。

| **凭证标本号** | 441523190918009LY、440281200711025LY、441284190722600LY。

马鞭草科 Verbenaceae 牡荆属 Vitex

蔓荆
Vitex trifolia L.

| 药 材 名 | 蔓荆子（药用部位：果实。别名：三叶蔓荆、白背木耳、白布荆）、蔓荆叶（药用部位：叶）。

| 形态特征 | 落叶灌木，稀为小乔木。小枝四棱形，密生细柔毛。叶通常为三出复叶；小叶片卵形、倒卵形或倒卵状长圆形，全缘，背面密被灰白色绒毛。圆锥花序顶生；花萼钟形；花冠淡紫色或蓝紫色，外面及喉部有毛，二唇形。核果近圆形，成熟时黑色，果萼宿存，外被灰白色绒毛。花期 7 月，果期 9 ~ 11 月。

| 生境分布 | 生于沙滩、海边及湖畔。分布于广东五华、龙门、博罗、陆丰、海丰、台山、阳春、廉江、徐闻、高要、郁南及广州（市区）、深圳（市区）、

珠海（市区）、惠州（市区）、中山、阳江（市区）、湛江（市区）。

| 资源情况 | 野生资源一般。药材来源于野生。

| 采收加工 | **蔓荆子：** 秋季果实成熟时采收，除去杂质，晒干。

| 药材性状 | **蔓荆子：** 本品呈球形。表面灰黑色或黑褐色，被灰白色的粉霜状茸毛，有 4 纵向浅沟，先端微凹，基部有灰白色宿萼及短果柄。花萼长为果实的 1/3 ～ 2/3，5 齿裂，其中 2 裂较深，密被茸毛。

蔓荆叶： 本品枝呈圆柱形；幼枝略呈方形，灰白色，质脆，断面黄白色，髓部白色。叶为三出复叶，常皱折、破碎；叶柄长 5 ～ 30 mm；完整小叶片卵形、倒卵形或卵状长圆形，长 25 ～ 70 mm，宽 10 ～ 20 mm，先端钝或短尖，基部楔形至近圆形，全缘，上表面褐色，下表面密被灰白色茸毛；小叶无柄或中间小叶基部下延成短柄。揉之有香气，味微苦。

| 功能主治 | **蔓荆子：** 苦、辛，平。疏散风热，清利头目。
蔓荆叶： 辛、苦，微寒。活血化瘀，祛风止痛。

| 凭证标本号 | 440781190515030LY。

馬鞭草科 Verbenaceae 牡荆属 Vitex

单叶蔓荆

Vitex trifolia L. var. *simplicifolia* Cham.

| 药 材 名 | 蔓荆子（药用部位：果实。别名：单叶蔓荆）、蔓荆叶（药用部位：叶。别名：海风柳）。

| 形态特征 | 落叶灌木，稀为小乔木。小枝四棱形，密生细柔毛。茎匍匐，节处常生不定根。单叶对生，叶片倒卵形或近圆形，全缘，长 2.5 ～ 5 cm，宽 1.5 ～ 3 cm。圆锥花序顶生；花萼钟形；花冠淡紫色或蓝紫色，二唇形。核果近圆形，成熟时黑色，果萼宿存，外被灰白色绒毛。花期 7 ～ 8 月，果期 8 ～ 10 月。

| 生境分布 | 生于沙滩、海边及湖畔。分布于广东南澳、陆丰、海丰、惠东、台山、阳西、徐闻、吴川、英德及广州（市区）、深圳（市区）、珠海（市

区）、阳江（市区）、茂名（市区）、清远（市区）等。

| 资源情况 | 野生资源一般。药材来源于野生。

| 采收加工 | 蔓荆子：秋季果实成熟时采收，除去杂质，晒干。

| 药材性状 | 蔓荆子：本品呈球形。表面灰黑色或黑褐色，被灰白色的粉霜状茸毛，有4纵向浅沟，先端微凹，基部有灰白色宿萼及短果柄。花萼长为果实的1/3 ~ 2/3，5齿裂，其中2裂较深，密被茸毛。

| 功能主治 | 蔓荆子：辛、微苦，凉。祛风清热，止痛镇静，截疟。
蔓荆叶：辛、苦，寒。活血化瘀，祛风止痛。

| 凭证标本号 | 441621180926053LY、441624181022071LY、440802200910056LY。

藿香

Agastache rugosa (Fisch. et Mey.) O. Kuntze

| 药 材 名 |

藿香（药用部位：全草。别名：土藿香、排香草、野藿香）。

| 形态特征 |

多年生直立草本。茎高 0.5 ～ 1.5 m，上部被极短的细毛。叶具长柄；叶片心状卵形至矩圆状披针形，长 4.5 ～ 11 cm，宽 3 ～ 6.5 cm。轮伞花序组成顶生假穗状花序；萼筒被具腺微柔毛及黄色小腺体，常带浅紫色或紫红色，萼齿 5，前 2 齿稍短；花冠淡紫蓝色，上唇微凹，下唇中裂片先端微凹；二强雄蕊。小坚果卵状矩圆形。花期 6 ～ 9 月，果期 9 ～ 11 月。

| 生境分布 |

生于山坡或路旁。分布于广东东部、北部等。

| 资源情况 |

野生资源丰富，栽培资源丰富。药材来源于野生和栽培。

| 采收加工 |

一年采收 2 次，第一次于 6 ～ 7 月花序抽出而未开花时，选择晴天采收，摊开，晒至日落后，收回，堆叠过夜，翌日再晒；第二次于 10 月采收，迅速晾干、晒干或烤干。

| 药材性状 | 本品茎呈方柱形，表面暗绿色，老茎质脆，易折断，断面髓部中空。叶对生，完整者展平后呈卵形，长 2 ~ 8 cm，宽 1 ~ 6 cm，先端尖或短渐尖，基部圆形或心形，边缘有钝锯齿，两面微具茸毛。气芳香，味淡。以茎枝色绿、叶多、香气浓者为佳。

| 功能主治 | 辛，微温。归肺、脾、胃经。祛暑解表，化湿和胃。用于夏季感冒，寒热头痛，胸脘痞闷，呕吐泄泻，妊娠呕吐，鼻渊，手癣，足癣。

| 用法用量 | 内服煎汤，6 ~ 10 g；或入丸、散剂。外用适量，煎汤洗；或研末搽。

| 凭证标本号 | 441225180730041LY。

唇形科 Labiaceae 筋骨草属 Ajuga

金疮小草

Ajuga decumbens Thunb.

| 药 材 名 | 白毛夏枯草（药用部位：全草。别名：熊胆草、散血草、透骨消）。

| 形态特征 | 多年生草本，高 10 ~ 30 cm。茎四棱形，上部直立，全体密被白色柔毛。叶对生，卵形或长椭圆形，长 4 ~ 11 cm，宽 1 ~ 3 cm，先端圆钝或短尖，基部渐窄下延，边缘有波状粗齿，两面有短柔毛。轮伞花序腋生或在枝顶集成假穗状花序；萼齿 5；花冠淡蓝色或淡紫红色，下唇长约为上唇的 2 倍；二强雄蕊。小坚果倒卵状三棱形。花期 3 ~ 4 月，果期 5 ~ 6 月。

| 生境分布 | 生于海拔 360 ~ 1 400 m 的溪边、路旁及湿润的草坡上。分布于广东乐昌、始兴、乳源、连山、英德、连平、紫金、龙门、博罗、平远、

蕉岭、五华、饶平、台山、高要、阳春、信宜及广州（市区）、深圳（市区）等。

| **资源情况** | 野生资源丰富，栽培资源丰富。药材来源于野生和栽培。

| **采收加工** | 种植后第 1 年于 9 ～ 10 月采收，第 2 ～ 3 年于 5 ～ 6 月和 9 ～ 10 月采收，除去杂质，鲜用或晒干。

| **药材性状** | 本品根细小，暗黄色。茎细，具 4 棱，质较柔韧，不易折断。叶对生，完整者展平后呈匙形或倒卵状披针形，长 3 ～ 6 cm，宽 1.5 ～ 2.5 cm，绿褐色，两面密被白色柔毛，边缘有波状锯齿；叶柄具狭翅。轮伞花序腋生。气微，味苦。以色绿、花多者为佳。

| **功能主治** | 苦、甘，寒。归肺、肝经。清热解毒，化痰止咳，凉血散血。用于咽喉肿痛，肺热咳嗽，肺痈，目赤肿痛，痢疾，痈肿疔疮，毒蛇咬伤，跌打损伤。

| **用法用量** | 内服煎汤，10 ～ 30 g，鲜品 30 ～ 60 g；或捣汁。外用适量，捣敷；或煎汤洗。

| **凭证标本号** | 440224180330016LY、440224190313018LY、440523190713022LY。

唇形科 Labiaceae 筋骨草属 Ajuga

紫背金盘 *Ajuga nipponensis* Makino

| 药 材 名 | 紫背金盘草（药用部位：全草或根。别名：破血丹、筋骨草、石灰菜）。

| 形态特征 | 一年生或二年生草本。茎高 10 ~ 20 cm，全体疏被柔毛。叶片宽椭圆形或倒卵状椭圆形，长 2 ~ 4.5 cm，宽 1.5 ~ 2.5 cm，两面疏被糙伏毛。轮伞花序向上渐密集成顶生假穗状花序；花萼具 10 脉，5 萼齿近等大；花冠常呈淡蓝色或蓝紫色，具深色条纹，上唇短，2 浅裂，下唇伸长，中裂片扇形；二强雄蕊。小坚果卵圆状三棱形。花期 4 ~ 6 月，果期 5 ~ 7 月。

| 生境分布 | 生于海拔 100 ~ 1 900 m 的田边、湿润草地、林内及阳坡。分布于广东龙门、博罗、惠阳、增城、信宜、紫金、宝安、英德、高要等。

| 资源情况 | 野生资源丰富，栽培资源丰富。药材来源于野生和栽培。

| 采收加工 | 春、夏季采收，洗净，晒干或鲜用。

| 药材性状 | 本品茎呈方柱形，被柔毛。完整叶片展平后呈阔椭圆形或倒卵状椭圆形，长 2 ~ 4.5 cm，宽 1.5 ~ 2.5 cm，先端钝，基部楔形，下延，边缘有不整齐的波状圆齿，两面有柔毛，叶背下部常带紫色；叶柄具狭翅。花萼外面上部有柔毛，花冠外面有柔毛。气微，味苦。

| 功能主治 | 苦、辛，寒。清热解毒，凉血散瘀，消肿止痛。用于肺热咳嗽，咯血，咽喉肿痛，乳痈，肠痈，疮疖肿毒，痔疮出血，跌打肿痛，外伤出血，烫火伤，毒蛇咬伤。

| 用法用量 | 内服煎汤，15 ~ 30 g。外用适量，捣敷。

| 凭证标本号 | 441825190412008LY、441823210410038LY、445222190213002LY。

排草香 *Anisochilus carnosus* (L. f.) Wall.

| **药 材 名** | 排草香（药用部位：根及根茎。别名：排草、耙草）。

| **形态特征** | 一年生草本，高 30 ~ 60 cm。茎四棱形，被长柔毛。叶对生；叶柄密被白色绒毛；叶片长圆状卵形，长、宽均 5 ~ 7 cm，先端钝至圆形，基部心形或圆形，边缘具细圆齿，两面被白色绒毛和血红色腺点。穗状花序生于茎顶；花萼被微柔毛；花冠淡紫色，长为花萼的 2 倍，上唇短，4 裂，下唇延长而内凹；雄蕊 4，前对较长；花柱较雄蕊长。花期 3 月。

| **生境分布** | 广东广州（市区）、汕头（市区）、湛江（市区）等有栽培。

| **资源情况** | 野生资源较少，栽培资源丰富。药材来源于野生和栽培。

采收加工	4 ～ 5 月采收，切段，晒干。

药材性状	本品根头部残茎呈方柱形，紫褐色，中空，有髓，直径 2 ～ 3 cm，下端有众多细长须根，呈乱须状，表面灰褐色或灰黑色。质柔韧，不易折断，易纵向撕裂，断面淡黄棕色。气清香，味淡。

功能主治	辛、温。化湿辟秽，利水消肿。用于暑湿吐泻，水肿，小便不利。

用法用量	内服煎汤，3 ～ 9 g。外用适量，煎汤洗；或烧烟熏。

凭证标本号	445222190921009LY。

唇形科 Labiaceae 广防风属 Anisomeles

广防风
Anisomeles indica (L.) Kuntze

| 药 材 名 | 落马衣（药用部位：全草。别名：马衣叶、假紫苏、豨莶草）。

| 形态特征 | 粗壮草本，高 1 ~ 2 m，被白色短柔毛。叶片宽卵形，长 4 ~ 9 cm，上面被短伏毛，下面被极密的白色短绒毛。轮伞花序呈顶生假穗状花序；花萼外被长柔毛及腺点，萼齿 5，具睫毛；花冠淡紫色，花冠筒内面有毛环，檐部二唇形，上唇直立，下唇几水平扩展，3 裂，中裂片倒心形。小坚果近圆形，光亮。花期 8 ~ 9 月，果期 9 ~ 11 月。

| 生境分布 | 生于海拔 40 ~ 1 900 m 的林缘或路旁荒地上。广东各地均有分布。

| 资源情况 | 野生资源丰富。药材来源于野生和栽培。

| **采收加工** | 夏、秋季采收，洗净，晒干或鲜用。

| **药材性状** | 本品茎呈方柱形，表面棕色或棕红色，被黄色的下卷细柔毛；质硬，断面纤维性，髓部白色。叶片展平后呈阔卵形，长 4 ~ 9 cm，宽 3 ~ 5 cm，边缘有锯齿，两面均密被淡黄色细柔毛。有时可见顶生假穗状花序。气微，味微苦。

| **功能主治** | 辛、苦，平。祛风湿，消疮毒。用于感冒发热，风湿痹痛，痈肿疮毒，湿疹，蛇虫咬伤。

| **用法用量** | 内服煎汤，9 ~ 15 g；或浸酒。外用适量，煎汤洗；或鲜品捣敷。

| **凭证标本号** | 441523190921048LY、441825190927014LY、445224190316014LY。

毛药花 *Bostrychanthera deflexa* Benth.

| 药 材 名 | 毛药花（药用部位：茎、叶。别名：垂花铃子香）。

| 形态特征 | 直立草本。茎密被倒向微硬毛。叶长披针形，长 8 ～ 22 cm，先端渐尖或尾尖，基部楔形或浅心形，具粗锯齿或浅齿，上面疏被微硬毛，下面网脉疏被柔毛；近无柄。聚伞花序；花序梗密被倒向微硬毛；花萼后齿小；花冠淡紫红色，疏被长硬毛，上唇先端圆形，下唇中裂片宽卵形。小坚果近球形。花期 7 ～ 9 月，果期 9 ～ 11 月。

| 生境分布 | 生于海拔 500 ～ 1 120 m 的密林下湿润处。分布于广东乐昌、乳源、连州等。

| 资源情况 | 野生资源稀少。药材来源于野生。

| **功能主治** | 辛、苦，凉。清热解毒，活血止痛。用于腹泻，跌打损伤，关节麻木。 |
| **用法用量** | 内服煎汤，10 ~ 20 g。 |

唇形科 Labiaceae 肾茶属 Clerodendranthus

肾茶 *Clerodendranthus spicatus* (Thunb.) C. Y. Wu et H. W. Li

| 药 材 名 |

猫须草（药用部位：全草。别名：猫须公、肾菜）。

| 形态特征 |

多年生直立草本，高 30 ~ 80 cm。茎被短柔毛。叶片纸质，卵形或卵状长圆形，长 2 ~ 5.5 cm，宽 1.3 ~ 3.5 cm，先端渐尖或稍钝，基部阔楔形，两面被短柔毛，边缘有齿缺。轮伞花序排列成顶生总状花序；花萼钟形，结果时增大，被微柔毛和腺点，下唇 4 裂，2 中裂片较长；花冠淡紫色或白色，被微柔毛；雄蕊 4，花丝伸出花冠外，似猫须。小坚果卵形。花果期 5 ~ 11 月。

| 生境分布 |

生于海拔 700 ~ 1 000 m 的林下潮湿处或草地上。广东南部有栽培。

| 资源情况 |

野生资源较少，栽培资源丰富。药材来源于野生和栽培。

| 采收加工 |

全年均可采收，除净泥沙，除去根头，晒干。

| **药材性状** | 本品茎呈方柱形，节稍膨大，老茎表面灰棕色至灰褐色。嫩枝紫褐色或紫红色，被短小柔毛。叶对生，完整叶片展平后呈卵形或卵状披针形，长 2 ~ 5 cm，宽 1 ~ 3 cm，先端尖，基部楔形，中部以上叶片边缘有锯齿，黄绿色至暗绿色，两面被小柔毛。气微，味微苦。 |

| **功能主治** | 甘、淡、微苦，凉。归脾、小肠、膀胱经。清热利湿，通淋排石。用于肾小球肾炎，膀胱炎，尿路结石，胆结石，风湿性关节炎。 |

| **用法用量** | 内服煎汤，30 ~ 60 g。 |

| **凭证标本号** | 440183210417011LY、440523190710008LY、440605210303024LY。 |

唇形科 Labiaceae 风轮菜属 Clinopodium

风轮菜
Clinopodium chinense (Benth.) O. Kuntze

| 药 材 名 | 风轮菜（药用部位：全草。别名：蜂窝草、断血流、九层塔）。

| 形态特征 | 多年生草本。茎基部匍匐生根，上部上升，高可达 1 m，密被短柔毛及具腺微柔毛。叶片卵形，长 2 ~ 4 cm，上面密被平伏短硬毛，下面疏被柔毛；叶柄密被柔毛。轮伞花序半球形；萼筒常带紫红色，外被长柔毛及具腺微柔毛，具 13 脉，下唇 2 萼齿较长；花冠紫红色，上唇先端微缺，下唇 3 裂。小坚果倒卵形。花期 5 ~ 8 月，果期 8 ~ 10 月。

| 生境分布 | 生于海拔 1 000 m 以下的山坡、草丛、路边、灌丛或林下。分布于广东乐昌、始兴、乳源、翁源、连州、阳山、英德、连平、和平、

大埔、高要、怀集、阳春等。

| 资源情况 | 野生资源丰富，栽培资源丰富。药材来源于野生和栽培。

| 采收加工 | 夏、秋季采收，洗净，切段，晒干或鲜用。

| 药材性状 | 本品茎呈方柱形，直径 2～5 mm，表面棕红色或棕褐色，密被柔毛，断面中空。叶对生，完整者展平后呈卵圆形，长 2～4 cm，宽 0.8～3 cm，边缘具锯齿，两面均被毛。轮伞花序具残存的花萼，外被茸毛。小坚果倒卵形。气微香，味微辛。

| 功能主治 | 辛、苦，凉。疏风清热，解毒消肿，止血。用于感冒发热，中暑，咽喉肿痛，白喉，急性胆囊炎，肝炎，肠炎，痢疾，腮腺炎，乳腺炎，疔疮肿毒，过敏性皮炎，急性结膜炎，尿血，崩漏，牙龈出血，外伤出血。

| 用法用量 | 内服煎汤，10～15 g；或捣汁。外用适量，捣敷；或煎汤洗。

| 凭证标本号 | 441825191002048LY、440281200709015LY、441823200724027LY。

唇形科 Labiaceae 风轮菜属 Clinopodium

光风轮菜

Clinopodium confine (Hance) O. Kuntze

| 药 材 名 | 光风轮菜（药用部位：全草。节节花、剪刀草、野仙草）。

| 形态特征 | 一年生或二年生草本，高 7 ~ 30 cm。茎四棱形，光滑或有微柔毛。叶对生，菱形至卵形，长 8 ~ 20 mm，宽 6 ~ 15 mm，先端锐尖或钝，基部楔形，边缘有稀疏的圆锯齿，两面无毛。轮伞花序对生于叶腋或顶生于枝端；花萼紫色，无毛或仅脉上有极稀疏的毛，上唇果时不向上反折；花冠紫红色，下唇稍长。小坚果倒卵形。花期 4 ~ 6 月，果期 7 ~ 8 月。

| 生境分布 | 生于村旁、园地、田边、路边、墙脚草丛中及丘陵、低山草地上。分布于广东东部、东北部等。

| **资源情况** | 野生资源丰富。药材来源于野生。

| **采收加工** | 春、夏季采收，洗净，鲜用或晒干。

| **功能主治** | 苦、辛，凉。清热解毒，止血。用于痈疖，乳腺炎，无名肿毒，刀伤，荨麻疹，过敏性皮炎。

| **用法用量** | 外用适量，鲜品捣敷；或煎汤洗。

| **凭证标本号** | 441225180722034LY。

唇形科 Labiaceae 风轮菜属 Clinopodium

细风轮菜 Clinopodium gracile (Benth.) Matsum.

| 药 材 名 | 剪刀草（药用部位：全草。别名：玉如意、山薄荷、土薄荷）。

| 形态特征 | 一年生草本。茎高 8 ~ 30 cm，柔弱，被微柔毛。叶片卵形或茎最下部的叶片圆卵形而较小，长 1.2 ~ 3.4 cm，下面脉上疏被短硬毛。轮伞花序疏离或于茎顶密集；萼筒果时下倾，基部膨大，具 13 脉，脉上被短硬毛，上唇果时向上反折，下唇 2 萼齿略长，上、下唇萼齿均被睫毛；花冠白色或紫红色，上唇直伸，下唇 3 裂。花期 6 ~ 8 月，果期 7 ~ 10 月。

| 生境分布 | 生于海拔 1 900 m 以下的路旁、空旷草地、沟边、林缘、灌丛中。广东各地均有分布。

| **资源情况** | 野生资源丰富。药材来源于野生。

| **采收加工** | 6～8月采收，洗净，晒干或鲜用。

| **药材性状** | 本品茎呈方柱形，细柔，表面紫棕色，被倒向短柔毛，折断面黄棕色。叶黄棕色或淡绿色，完整者展平后呈卵形，长1.2～3.4 cm，宽1～2.4 cm，先端钝，基部圆形或楔形，边缘具疏齿，下面脉上疏被短硬毛。轮伞花序通常仅残留黄绿色花萼。有时可见黄白色小坚果。气微，味微苦。

| **功能主治** | 苦、辛，凉。祛风清热，行气活血，解毒消肿。用于感冒发热，食积腹痛，呕吐，泄泻，痢疾，白喉，咽喉肿痛，痈肿丹毒，荨麻疹，毒虫咬伤，跌打肿痛，外伤出血。

| **用法用量** | 内服煎汤，15～30 g，鲜品30～60 g；或捣汁。外用适量，捣敷；或煎汤洗。

| **凭证标本号** | 441825190411019LY、440783190716012LY、440281190424012LY。

唇形科 Labiaceae 鞘蕊花属 Coleus

肉叶鞘蕊花

Coleus carnosifolius (Hemsl.) Dunn

| 药 材 名 | 小洋紫苏（药用部位：全草。别名：假回菜、双飞蝴蝶、桂花疮）。

| 形态特征 | 多年生肉质草本，高约 30 cm。茎幼时被柔毛。叶宽卵形或近圆形，宽 1.2 ~ 3.5 cm，先端钝或圆形，基部平截或圆形，稀楔形，疏生圆齿或浅波状圆齿，两面疏被毛及红褐色腺点。轮伞花序顶生，排列成圆锥花序，密被微柔毛。花萼密被具腺微柔毛及红褐色腺点，萼齿近等长；花冠淡紫色，被微柔毛，花冠筒骤外弯，上唇 4 浅裂。小坚果卵球形。花期 9 ~ 10 月，果期 10 ~ 11 月。

| 生境分布 | 生于石山林中或岩石上。分布于广东乳源、连州、阳山、阳春、封开等。

| **资源情况** | 野生资源一般。药材来源于野生。 |

| **采收加工** | 夏、秋季采收，晒干或鲜用。 |

| **功能主治** | 苦，凉。清热解毒，消疳杀虫。用于咽喉肿痛，痈肿疮毒，疳积，疥疮。 |

| **用法用量** | 内服煎汤，3 ～ 9 g。外用适量，捣敷；或研末撒。 |

唇形科 Labiaceae 鞘蕊花属 Coleus

五彩苏
Coleus scutellarioides (L.) Benth.

| 药 材 名 | 五彩苏（药用部位：叶。别名：彩叶洋紫苏、洋紫苏、锦紫苏）。

| 形态特征 | 草本。茎带紫色，被微柔毛。叶卵形，长 4 ~ 12.5 cm，先端钝或短渐尖，基部宽楔形或圆形，具圆齿状锯齿，两面被微柔毛，下面疏被红褐色腺点。轮伞花序组成圆锥花序；花萼钟形，具 10 脉，被细糙硬毛及腺点，上唇中裂片与下唇 2 裂片等长或较下唇 2 裂片长；花冠紫色或蓝色，被微柔毛，花冠筒骤下弯，下唇舟形。小坚果宽卵球形或球形。花期 7 月。

| 生境分布 | 生于溪旁、路旁、旷野、山谷、山地及田野的草丛、林中。广东各地均有栽培。

| **资源情况** | 野生资源丰富，栽培资源丰富。药材来源于野生和栽培。 |

| **功能主治** | 苦，凉。清热解毒。用于疮疡肿毒。 |

| **用法用量** | 外用适量，捣敷。 |

| **凭证标本号** | 440983180409001LY。 |

唇形科 Labiaceae 水蜡烛属 Dysophylla

齿叶水蜡烛
Dysophylla sampsonii Hance

| 药 材 名 | 齿叶水蜡烛（药用部位：全草。别名：蒋氏水蜡烛、森氏水珍珠菜、水龙）。

| 形态特征 | 一年生草本。茎直立或基部匍匐，常带红色。叶倒卵状长圆形至倒披针形，长 0.9 ~ 6.2 cm，宽 4 ~ 8 mm，先端钝或急尖，基部渐狭，边缘自 1/3 处向上具明显的小锯齿，下面密被黑色小腺点；无叶柄。穗状花序；花萼外被短柔毛，下部具黄色腺体；花冠紫红色，4 裂，裂片近等大；花丝上的茸毛呈浅紫红色。小坚果卵形。花期 9 ~ 10月，果期 10 ~ 11 月。

| 生境分布 | 生于沼泽和水边湿地上。分布于广东乐昌、乳源、翁源、连州、阳山、

英德、博罗、花都、高要、德庆等。

| **资源情况** | 野生资源丰富。药材来源于野生。

| **功能主治** | 苦，凉。解毒，凉血止血。用于刀伤出血，跌打损伤出血。

| **用法用量** | 外用适量，鲜品捣敷。

唇形科 Labiaceae 水蜡烛属 Dysophylla

水虎尾

Dysophylla stellata (Lour.) Benth.

| 药 材 名 | 水老虎（药用部位：全草。别名：野香芹、水芙蓉、边氏水珍珠菜）。

| 形态特征 | 一年生草本。茎中部以上轮状分枝。4 ~ 8 叶轮生，线形，长 2 ~ 7 cm，宽 1.5 ~ 4 mm，先端急尖，基部渐狭，边缘具疏齿或几无齿，不外卷，两面均无毛；无叶柄。穗状花序极密集；苞片披针形，超出花萼；花萼钟形，密被灰色绒毛，果时增大；花冠紫红色，4 裂，裂片近等大；雄蕊 4，伸出，花丝被髯毛。小坚果倒卵形。花果期全年。

| 生境分布 | 生于海拔 1 550 m 以下的水边或水稻田中。分布于广东乳源、仁化、翁源、英德、龙门、蕉岭、高要、阳春及广州（市区）等。

| **资源情况** | 野生资源丰富。药材来源于野生和栽培。

| **采收加工** | 全年均可采收，鲜用或切段后晒干。

| **功能主治** | 辛，平；有小毒。解毒消肿，活血止痛。用于疮疡肿痛，湿疹，毒蛇咬伤，跌打伤痛。

| **用法用量** | 内服煎汤，10 ~ 15 g；或捣汁。外用适量，鲜品捣敷；或煎汤洗。

唇形科 Labiaceae 香薷属 Elsholtzia

紫花香薷
Elsholtzia argyi H. Lév.

| 药 材 名 |

紫花香薷（药用部位：全草。别名：金鸡草、土荆芥、假紫苏）。

| 形态特征 |

草本。高 0.5 ~ 1 m。茎四棱形，具槽，紫色，槽内被白色短柔毛。叶卵形至阔卵形，长 2 ~ 6 cm，宽 1 ~ 3 cm，先端短渐尖，基部圆形至宽楔形，边缘自基部以上具圆齿或圆齿状锯齿，上面疏被柔毛，下面满布凹陷的腺点。穗状花序偏向一侧；花萼管状，外面被白色柔毛，萼齿边缘具长缘毛；花冠红紫色，外被白色柔毛，上部具腺点，上唇边缘被长柔毛；雄蕊 4，前对较长。小坚果长圆形。花果期 9 ~ 11 月。

| 生境分布 |

生于海拔 200 ~ 1 200 m 的山坡灌丛中、林下、溪旁及河边草地。分布于广东乐昌、乳源、翁源、新丰、连州、阳山、连平、和平、从化、龙门、惠东、怀集、封开、罗定、阳春、信宜及深圳（市区）等。

| 资源情况 |

野生资源丰富，栽培资源丰富。药材来源于

野生和栽培。

| **功能主治** |　祛风散寒，解表发汗，解暑利尿，止咳。

| **用法用量** |　内服煎汤，9 ~ 15 g。

| **凭证标本号** |　440783191103013LY、441823201031009LY、441622200921060LY。

唇形科 Labiaceae　香薷属 Elsholtzia

香薷
Elsholtzia ciliata (Thunb.) Hyland

| **药 材 名** | 土香薷（药用部位：全草。别名：香头草、土薄荷、土藿香）。

| **形态特征** | 一年生草本。茎高 30 ~ 50 cm，被倒向疏柔毛。叶片卵形或椭圆状
披针形，长 3 ~ 9 cm，疏被短硬毛，下面满布橙色腺点；叶柄被毛。
轮伞花序顶生，排列成假穗状花序，偏向一侧；花萼钟状，外被毛，
萼齿 5，前 2 齿较长，齿端呈针芒状；花冠淡紫色，外被柔毛，上
唇先端微凹，下唇 3 裂，中裂片半圆形。小坚果矩圆形。花期 7 ~ 10
月，果期 10 月至翌年 1 月。

| **生境分布** | 生于山野坡地、荒野、路旁和疏林下。分布于广东乐昌、始兴、翁源、
高要等。

| 资源情况 | 野生资源丰富，栽培资源丰富。药材来源于野生和栽培。

| 采收加工 | 夏、秋季采收，切段，晒干或鲜用。

| 药材性状 | 本品茎呈方柱形，多分枝，表面紫褐色；质脆。叶片展平后呈卵形或椭圆状披针形，长 3 ～ 9 cm，宽 1 ～ 4 cm，上面疏生硬毛，下面淡绿色，散生多数亮黄色腺点。假穗状花序顶生，稍偏向一侧。揉搓后气香特异，味辛。以枝嫩、穗多、气香浓者为佳。

| 功能主治 | 辛，微温。归肺、胃经。发汗解暑，化湿利尿。用于夏季感冒，中暑，泄泻，小便不利，水肿，湿疹，疮痈。

| 用法用量 | 内服煎汤，9 ～ 15 g，鲜品加倍。外用适量，捣敷；或煎汤含漱；或熏洗。

| 凭证标本号 | 441424190618094LY。

唇形科 Labiaceae 香薷属 *Elsholtzia*

海州香薷 *Elsholtzia splendens* Nakai ex F. Maekawa

| **药 材 名** | 香薷（药用部位：地上部分。别名：江香薷、香菜、窄叶香薷）。

| **形态特征** | 直立草本。高 30 ~ 50 cm。茎常略带紫色。叶对生，卵状长圆形或披针形，长 3 ~ 6 cm，宽可达 2.5 cm，先端渐尖，基部楔形，边缘疏生锯齿，两面被短柔毛，下面散生窝点状腺体。穗状花序顶生，偏向一侧；花萼钟形，被白色短硬毛和腺点；花冠二唇形，红紫色，密被柔毛；雄蕊 4。小坚果暗棕色，有疣点。花果期 9 ~ 11 月。

| **生境分布** | 生于海拔 200 ~ 300 m 的山坡、路旁或草丛中。分布于广东乐昌、高要、阳春及深圳（市区）等。

| **资源情况** | 野生资源一般。药材来源于野生。

| **采收加工** | 秋末果实成熟时采割，除去杂质，晒干。

| **药材性状** | 本品全体密被白色茸毛。茎下部呈圆柱形，上部呈方柱形，淡紫色或黄绿色；质脆，易折断。叶对生，完整叶片展平后呈披针形或长卵形，长 3 ~ 6 cm，宽 0.8 ~ 2.5 mm，边缘有疏锯齿。花萼钟状，淡紫红色或灰绿色。小坚果近圆球形。香气浓，味辛，嚼之微有麻舌感。

| **功能主治** | 辛，微温。归肺、胃经。发汗解表，祛暑化湿，利水消肿。用于暑湿感冒，腹痛吐泻，浮肿，小便不利。

| **用法用量** | 内服煎汤，3 ~ 9 g。

唇形科 Labiaceae 小野芝麻属 Galeobdolon

小野芝麻

Galeobdolon chinense (Benth.) C. Y. Wu

| 药 材 名 | 地绵绵（药用部位：块根。别名：蜘蛛草、假野芝麻、中华野芝麻）。

| 形态特征 | 草本。高 10 ～ 60 cm。茎四棱形，密被污黄色绒毛。叶对生，卵形、卵状长圆形或宽披针形，长 1.5 ～ 4 cm，宽 1.1 ～ 2.2 cm，先端钝或急尖，基部阔楔形，边缘具圆齿，下面被污黄色绒毛。轮伞花序腋生于上部茎生叶内；花萼密被绒毛，萼齿等大；花冠粉红色，被白色长柔毛；雄蕊 4，前对较长。小坚果倒卵圆状三棱形。花期 3 ～ 5 月，果期 4 ～ 6 月。

| 生境分布 | 生于海拔 50 ～ 300 m 的山区、丘陵的路旁及疏林下。分布于广东始兴等。

| 资源情况 | 野生资源丰富。药材来源于野生。

| 采收加工 | 夏季采挖，洗净，鲜用。

| 功能主治 | 酸、辛，平。止血。用于外伤出血。

| 用法用量 | 外用适量，鲜品捣敷。

| 凭证标本号 | 441827190310002LY。

唇形科 Labiaceae 活血丹属 Glechoma

活血丹 Glechoma longituba (Nakai) Kupr.

| 药 材 名 | 活血丹（药用部位：全草。别名：遍地香、连钱草、透骨消）。

| 形态特征 | 多年生草本。具匍匐茎。茎幼嫩部分疏被长柔毛。茎下部叶较小，心形或近肾形，上部叶较大，心形，长 1.8 ~ 2.6 cm，上面疏被粗伏毛，下面常带紫色，疏被柔毛；叶柄长为叶片的 1 ~ 2 倍。轮伞花序；萼齿 5，先端芒状；花冠淡蓝色至紫色，下唇具深色斑点。小坚果矩圆状卵形。花期 4 ~ 5 月，果期 5 ~ 6 月。

| 生境分布 | 生于海拔 50 ~ 1 900 m 的林缘、疏林下、草地上或溪边的阴湿处。广东各地均有分布。

| 资源情况 | 野生资源丰富，栽培资源丰富。药材来源于野生和栽培。

| 采收加工 | 4 ～ 5 月采收，晒干或鲜用。

| 药材性状 | 本品茎呈方柱形，细而扭曲；表面黄绿色或紫红色，具纵棱及柔毛；质脆，易折断，断面常中空。叶对生，灰绿色或绿褐色，展平后呈肾形或近心形，长 1.8 ～ 2.6 cm，宽 1.5 ～ 3 cm，边缘具圆齿；叶柄纤细。轮伞花序腋生。搓之气芳香，味微苦。以叶多、色绿、气香浓者为佳。

| 功能主治 | 苦、辛，凉。归肝、胆、膀胱经。利湿通淋，清热解毒，散瘀消肿。用于热淋，石淋，湿热黄疸，疮痈肿毒，跌打损伤。

| 用法用量 | 内服煎汤，15 ～ 30 g；或浸酒；或捣汁。外用适量，捣敷；或绞汁涂敷。

| 凭证标本号 | 441825190414006LY、440281190427019LY、441823190612025LY。

唇形科 Labiaceae 锥花属 Gomphostemma

中华锥花
Gomphostemma chinense Oliv.

| 药 材 名 |

老虎耳（药用部位：全草。别名：山继谷、棒丝花、棒红花）、老虎耳根（药用部位：根）。

| 形态特征 |

直立草本。茎高 24 ~ 80 cm，密被短绒毛。叶片椭圆形或卵状椭圆形，长 4 ~ 13 cm，宽 2 ~ 7 cm，上面密被星状柔毛，下面密被星状绒毛。花序对生，着生于茎基部；萼齿 5，等大；花冠浅黄色至白色；雄蕊 4，二强；花柱先端 2 浅裂。小坚果核果状，倒卵状三棱形。花期 7 ~ 8 月，果熟期 10 ~ 12 月。

| 生境分布 |

生于海拔 460 ~ 650 m 的山谷湿地密林下。分布于广东始兴、仁化、乳源、新丰、信宜、封开、梅县、英德等。

| 资源情况 |

野生资源丰富。药材来源于野生。

| 采收加工 |

老虎耳：7 ~ 8 月采收，晒干或鲜用。

老虎耳根：秋季采挖，洗净，晒干。

| **功能主治** | **老虎耳**：益气血，祛风湿，通经络，消肿毒。用于气亏血虚，风湿痹痛，拘挛麻木，刀伤出血，口疮。
老虎耳根：苦，凉。利尿消肿。用于肾炎，水肿。

| **用法用量** | **老虎耳**：内服煎汤，3 ～ 10 g。外用适量，捣敷；或煎汤洗。
老虎耳根：内服煎汤，3 ～ 15 g。

| **凭证标本号** | 441825190802011LY、441523191018043LY、441324180728041LY。

唇形科 Labiaceae 山香属 Hyptis

吊球草

Hyptis rhomboidea Mart. et Gal.

| 药 材 名 | 吊球草（药用部位：全草。别名：假走马风、四方骨、蟛蜞蜊）。

| 形态特征 | 一年生草本。高达 1.5 m。茎粗壮，沿棱被短柔毛。叶披针形，长 8 ~ 18 cm，先端渐尖，基部窄楔形，具钝齿，上面疏被细糙硬毛，

下面密被腺点，脉被柔毛。聚伞花序密集成头状花序；花萼绿色，果时管状增大，被细糙硬毛，基部被长柔毛；花冠乳白色，被微柔毛，上唇裂片反折，下唇长约为上唇的 2.5 倍。小坚果长圆形。

| **生境分布** | 生于荒地上。分布于广东广州（市区）等。

| **资源情况** | 野生资源丰富。药材来源于野生。

| **功能主治** | 清热解毒。用于肝炎，溃疡，水肿。

| **凭证标本号** | 440783190416031LY。

唇形科 Labiaceae 山香属 Hyptis

山香 *Hyptis suaveolens* (L.) Poit.

| 药 材 名 |

蛇百子（药用部位：全草。别名：毛老虎、逼死蛇、大还魂）。

| 形态特征 |

一年生直立草本。茎高 0.6 ～ 1.6 m，被平展刚毛。叶片卵形，长 1.4 ～ 11 cm，宽 1.2 ～ 9 cm，两面均疏被柔毛。聚伞花序于枝上排列成假总状花序或圆锥花序；花萼具 10 脉，脉极隆起，被长柔毛及白色腺点，萼齿三角形，有钻状尖头；花冠蓝色，上唇裂片外反，下唇 3 裂，侧裂片与上唇裂片相似，中裂片囊状。小坚果矩圆形，扁平。花果期全年。

| 生境分布 |

生于荒地上。栽培于庭园、屋旁。分布于广东博罗、南海、高要、郁南、新兴、阳春、徐闻及珠海（市区）、深圳（市区）、广州（市区）、潮州（市区）、东莞等。

| 资源情况 |

野生资源丰富，栽培资源丰富。药材来源于野生和栽培。

| **采收加工** | 夏、秋季枝叶茂盛时采收，鲜用或晒干。

| **药材性状** | 本品茎呈方柱形，直径 0.4 ~ 1.5 cm，嫩茎疏被白色短刚毛。叶皱缩，展平后呈卵圆形，长 2 ~ 8 cm，宽 1.5 ~ 7 cm，先端略钝，基部浅心形，边缘有锯齿，两面均被柔毛，叶背脉棕色；叶柄长，上有短刚毛。宿存花萼被灰白色长柔毛。小坚果矩圆形，扁平。气香，味微苦、辛。

| **功能主治** | 辛、苦，平。归肺、脾、肝经。解表利湿，行气散瘀。用于感冒，风湿痹痛，腹胀，泄泻，痢疾，跌打损伤，湿疹，皮炎。

| **用法用量** | 内服煎汤，6 ~ 15 g。外用适量，鲜品捣敷；或煎汤洗。

| **凭证标本号** | 440882180430001LY。

香茶菜 *Isodon amethystoides* (Bentham) H. Hara

| 药 材 名 |

香茶菜（药用部位：地上部分。别名：蛇总管、山薄荷、蛇通管）、香茶菜根（药用部位：根。别名：盘龙七根、铁菱角）。

| 形态特征 |

多年生草本。高 50 ~ 150 cm，全体被短柔毛。茎四棱形，中空，多分枝，上部淡紫色或绿色，有条纹。叶对生，卵形、卵状菱形至卵状披针形，长 4 ~ 6 cm，宽 2.5 ~ 5 cm，边缘有钝齿，基部常下延，两面被柔毛。聚伞圆锥花序顶生；花淡紫色，上唇较短，下唇平展且较长；花冠筒基部浅囊状。小坚果圆形。花期 6 ~ 10 月，果期 9 ~ 11 月。

| 生境分布 |

生于海拔 200 ~ 920 m 的林下或草丛中湿润处。分布于广东中部、东部、北部等。

| 资源情况 |

野生资源丰富，栽培资源丰富。药材来源于野生和栽培。

| 采收加工 |

香茶菜： 6 ~ 10 月花开时采收，或随采随用。

香茶菜根：夏、秋季采挖，洗净，切片，晒干或鲜用。

| 药材性状 | 香茶菜：本品茎呈方柱形，上部多分枝，直径约 2 mm，四面凹下成纵沟，密被倒向柔毛；质脆，易折断，断面木部窄，黄棕色，髓部大。叶对生，灰绿色，完整叶片展平后呈卵形或卵状披针形，长 4 ～ 6 cm，宽 2.5 ～ 5 cm，边缘具粗锯齿，先端渐尖，基部楔形，两面被柔毛。气微，味苦。

香茶菜根：本品呈椭圆形或不规则厚片状，大小不一。外表面灰褐色，具皱纹，有的可见残留的须根或须根痕。切面皮部灰褐色，木部淡黄棕色，纤维性。质坚而脆。气微，味微苦。

| 功能主治 | 香茶菜：辛、苦，凉。归肝、肾经。清热利湿，活血散瘀，解毒消肿。用于湿热黄疸，淋证，水肿，咽喉肿痛，关节痹痛，闭经，乳痈，痔疮，跌打损伤，毒蛇咬伤。

香茶菜根：甘、苦，凉。清热解毒，祛瘀止痛。用于毒蛇咬伤，疮疖肿毒，筋骨酸痛，跌打损伤，烫火伤。

| 用法用量 | 香茶菜：内服煎汤，10 ～ 15 g。外用适量，鲜品捣敷；或煎汤洗。
香茶菜根：内服煎汤，15 ～ 30 g。外用适量，煎汤洗；或鲜品捣敷。

| 凭证标本号 | 441523190919017LY、441422190812437LY、441622200919005LY。

唇形科 Labiaceae 香茶菜属 Isodon

细锥香茶菜

Isodon coesta (Buch.-Ham. ex D. Don) Kudo

药材名

六棱麻（药用部位：地上部分。别名：野苏麻、地甘、癞克巴草）、碎兰花根（药用部位：根。别名：癞疙宝草根）。

形态特征

多年生草本或半灌木。高 0.5 ~ 2 m。茎四棱形，被微柔毛或近无毛。叶对生，宽卵形或宽三角状卵形，长 3 ~ 9 cm，宽 1.5 ~ 6 cm，先端渐尖，基部宽楔形，渐狭，边缘自基部以上具圆齿，上面疏被糙伏毛及腺点。狭圆锥花序顶生或腋生；花萼钟形，被微柔毛及腺点；花冠紫色或紫蓝色，被微柔毛。花期 10 月至翌年 2 月，果期 11 月至翌年 3 月。

生境分布

生于海拔 650 ~ 1 900 m 的草坡、灌丛、林中、路边、溪边、河岸、林缘。分布于广东河源、南雄、翁源、英德等。

资源情况

野生资源丰富。药材来源于野生。

| 采收加工 | 六棱麻：夏、秋季采收，洗净，鲜用或晒干。
碎兰花根：夏、秋季采挖，洗净，切片，晒干。

| 功能主治 | 六棱麻：辛、苦，微温。发表散风，和中化湿，止血。用于风寒感冒，呕吐，泄泻，风湿痹痛，湿疹瘙痒，脚气，刀伤出血。
碎兰花根：苦，凉。清热利湿，活血止痛。用于湿热黄疸，胁肋疼痛，跌打肿痛。

| 用法用量 | 六棱麻：内服煎汤，6 ~ 15 g。外用适量，捣敷；或煎汤洗。
碎兰花根：内服煎汤，6 ~ 15 g；或浸酒。外用适量，煎汤洗。

唇形科 Labiaceae 香茶菜属 *Isodon*

线纹香茶菜

Isodon lophanthoides (Buch.-Ham. ex D. Don) H. Hara

| 药 材 名 | 溪黄草（药用部位：全草。别名：能胆草、风血草、黄汁草）。

| 形态特征 | 多年生直立草本。具匍匐根，有小球形块根。茎四棱形，具槽，高15 ～ 100 cm，被短柔毛至几被长疏柔毛。茎生叶卵形或阔卵形，长1.5 ～ 8.8 cm。聚伞圆锥花序顶生及侧生；花萼钟形，表面满布红褐色腺点；花冠白色或粉红色，具紫色斑点。花果期 8 ～ 12 月。

| 生境分布 | 生于海拔 500 ～ 1 900 m 的沼泽、林下湿地、溪谷湿地、村落附近田边、水沟边或林中潮湿处。分布于广东始兴、仁化、翁源、新丰、怀集、封开、博罗、龙门、连平、和平、阳山、新兴、郁南及广州（市区）等。

| 资源情况 | 野生资源一般，栽培资源丰富。药材来源于栽培。

| 采收加工 | 每年采收 2 ～ 3 次，第 1 次于栽种后 3 个月采收，第 2 次于第 1 次采收后 70 ～ 80 天采收，第 3 次于冬季前采收，晒干。鲜用随时可采。

| 药材性状 | 本品茎呈方柱形，具槽，被短柔毛。叶对生，多皱缩，完整者展开后呈卵形或长圆状卵形，上面被具节微硬毛，下面被具节微硬毛并满布褐色腺点。花冠白色，具紫色斑点，雄蕊及花柱伸出花冠外。

| 功能主治 | 甘，凉。归肝、胆、大肠经。清热解毒，利湿退黄，散瘀消肿。用于湿热黄疸，胆囊炎，泄泻，痢疾，疮肿，跌打肿痛。

| 用法用量 | 内服煎汤，15 ～ 30 g。外用适量，捣敷；或研末搽。

| 凭证标本号 | 441825191001023LY、441823201031019LY、440224181112017LY。

唇形科 Labiaceae 香茶菜属 Isodon

塔花香茶菜 *Isodon lophanthoides* (Buch.-Ham. ex D. Don) H. Hara var. *gerardiana* (Benth.) H. Hara

| 药 材 名 |

溪黄草（药用部位：地上部分。别名：风血草）。

| 形态特征 |

本种与线纹香茶菜的区别在于本种植株高大，高 30 ~ 150 cm；叶大，卵形，长达20 cm，宽达 8.5 cm，先端渐尖，基部楔形。花果期 8 ~ 12 月。

| 生境分布 |

生于溪边、沟旁。分布于广东乐昌、乳源、阳山、和平、连平、大埔、高要、怀集、罗定、新兴及广州（市区）等。

| 资源情况 |

野生资源一般，栽培资源丰富。药材来源于栽培。

| 采收加工 |

每年采收 2 ~ 3 次，第 1 次于栽种后 3 个月采收，第 2 次于第 1 次采收后 70 ~ 80 天采收，第 3 次于冬季前采收，晒干。鲜用随时可采。

| 功能主治 | 苦，寒。归肝、胆、大肠经。清热解毒，利湿退黄，散瘀消肿。用于湿热黄疸，胆囊炎，泄泻，痢疾，疮肿，跌打肿痛。

| 用法用量 | 内服煎汤，15～30 g。外用适量，捣敷；或研末搽。

纤花香茶菜

Isodon lophanthoides (Buch.-Ham. ex D. Don) H. Hara var. *graciliflora* (Benth.) H. Hara

| 药 材 名 | 溪黄草（药用部位：全草。别名：雄胆草）。

| 形态特征 | 本种与线纹香茶菜的区别在于本种茎高 40 ~ 100 cm；叶卵状披针形至披针形，长 5 ~ 8.5 cm，宽 1.5 ~ 3.5 cm，先端渐尖，基部楔形，上面微粗糙至近无毛，下面脉上微粗糙，其余部分满布褐色腺点，干后常带红褐色。花果期 8 ~ 12 月。

| 生境分布 | 生于山谷、溪边、田野间。分布于广东乐昌、始兴、乳源、仁化、翁源、新丰、阳山、连平、和平、从化、龙门、惠阳、博罗、高要、怀集、封开、郁南、罗定、新兴、阳春、信宜等。

| 资源情况 | 野生资源一般，栽培资源丰富。药材来源于栽培。

| 采收加工 | 每年可采收 2 ～ 3 次，第 1 次于栽种后 3 个月采收，第 2 次于第 1 次采收后 70 ～ 80 天采收，第 3 次于冬季前采收，晒干。鲜用随时可采。

| 药材性状 | 本品长 40 ～ 100 cm。完整叶片展开后呈卵状披针形至披针形，长 5 ～ 8.5 cm，宽 1.5 ～ 3.5 cm，上面微粗糙至近无毛，下面脉上微粗糙，其余部分满布褐色腺点，干后常带红褐色。宿存花萼二唇形。

| 功能主治 | 甘，凉。归肝、胆、大肠经。清热解毒，利湿退黄，散瘀消肿。用于湿热黄疸，胆囊炎，泄泻，痢疾，疮肿，跌打肿痛。

| 用法用量 | 内服煎汤，15 ～ 30 g。外用适量，捣敷；或研末搽。

| 凭证标本号 | 441825190801056LY。

唇形科 Labiaceae 香茶菜属 Isodon

显脉香茶菜

Isodon nervosus (Hemsl.) Kudo

| 药 材 名 |

大叶蛇总管（药用部位：全草。别名：铁菱角、脉叶香茶菜、蓝花柴胡）。

| 形态特征 |

多年生草本。茎高达 1 m，密被倒向柔毛。叶对生；叶柄被微柔毛；叶片狭披针形，长 3.5 ~ 12 cm，侧脉在两面隆起，上面仅脉上有微柔毛。聚伞花序于茎顶组成疏松的圆锥花序，花序轴及花梗密被微柔毛；花萼钟状，外面密被微柔毛，萼齿 5，果时花萼增大；花冠呈宽钟状；雄蕊及花柱略伸出花冠外。小坚果倒卵形，被微柔毛。花期 7 ~ 10 月，果期 8 ~ 11 月。

| 生境分布 |

生于林下或草丛中。分布于广东中部、东部、北部等。

| 资源情况 |

野生资源较丰富，栽培资源丰富。药材来源于野生和栽培。

| 采收加工 |

7 ~ 9 月采收，鲜用或切段后晒干。

| **功能主治** | 微辛、苦，寒。利湿和胃，解毒敛疮。用于急性肝炎，消化不良，脓疱疮，湿疹，皮肤瘙痒，烫火伤，毒蛇咬伤。 |

| **用法用量** | 内服煎汤，15 ~ 60 g。外用适量，鲜品捣敷；或煎汤洗。 |

唇形科 Labiaceae 香茶菜属 Isodon

溪黄草

Isodon serra (Maxim.) Kudo

| 药 材 名 |

溪黄草（药用部位：全草。别名：熊胆草、血风草、黄汁草）。

| 形态特征 |

多年生草本。高可达 2 m。茎直立，具 4 浅槽，向上密被倒向微柔毛。叶对生，揉之无黄色汁液，卵圆形或卵圆状披针形或披针形，边缘具粗大的内弯锯齿。聚伞花序于茎顶组成圆锥花序；花萼钟形，外面密被灰白色微柔毛，其间夹有腺点；花冠紫色，上唇外反，4 裂；雄蕊及花柱内藏。小坚果阔卵圆形，具腺点及白色髯毛。花果期 8 ~ 9 月。

| 生境分布 |

生于海拔 120 ~ 1 250 m 的山坡、路旁、田边、溪旁、河岸、草丛、灌丛、林下砂壤土中。分布于广东乐昌、乳源、翁源、新丰、连州、清城、龙门、博罗、阳春及云浮（市区）等。

| 资源情况 |

野生资源一般，栽培资源丰富。药材来源于野生和栽培。

| **采收加工** | 每年采收 2 ~ 3 次，第 1 次于栽后 3 个月采收，第 2 次于第 1 次采收后 75 天采收，第 3 次于冬季前采收，晒干。

| **药材性状** | 本品茎呈钝四棱形，具 4 浅槽，向上密被倒向微柔毛。完整叶片展开后呈卵圆形、卵圆状披针形或披针形，长 3.5 ~ 10 cm，宽 1.5 ~ 4.5 cm，先端近渐尖，基部楔形，边缘具粗大的内弯锯齿，脉上被微柔毛。气微，味苦。

| **功能主治** | 苦，寒。归肝、胆、大肠经。清热解毒，利湿退黄，散瘀消肿。用于湿热黄疸，胆囊炎，泄泻，痢疾，疮肿，跌打肿痛。

| **用法用量** | 内服煎汤，15 ~ 30 g。外用适量，捣敷；或研末搽。

| **凭证标本号** | 440224181201015LY、441623180911006LY、445222180604014LY。

牛尾草

Isodon ternifolius (D. Don) Kudo

余丽莹提供

药材名

虫牙药（药用部位：全草。别名：三叉金、大夫根、大箭根）。

形态特征

多年生草本或半灌木。高 0.5 ~ 2 m。茎密被绒毛状长柔毛。叶对生或 3 ~ 4 叶轮生，具极短的叶柄；叶片披针形至狭椭圆形，长 2 ~ 12 cm，上面疏被柔毛至短柔毛，下面密被灰白色或污黄色绒毛。穗状圆锥花序排列成顶生复圆锥花序；花萼钟状，密被长柔毛；花冠白色至浅紫色，花冠筒下弯；雄蕊内藏。花期 9 月至翌年 2 月，果期 12 月至翌年 4 ~ 5 月。

生境分布

生于海拔 140 ~ 1 900 m 的山坡上或疏林下。分布于广东乐昌、始兴、乳源、英德、连平、和平、从化、博罗、台山、高要、新兴、阳春及茂名（市区）等。

资源情况

野生资源丰富，栽培资源丰富。药材来源于野生和栽培。

| 采收加工 | 夏、秋季采收，洗净，鲜用或晒干。

| 药材性状 | 本品茎被柔毛。小叶轮生，狭披针形至狭椭圆形，长 2 ～ 12 cm，宽 0.7 ～ 5 cm，先端锐尖或渐尖，基部阔楔形或楔形，叶缘具锯齿，坚纸质至近革质，上面具皱纹，被柔毛，下面网脉隆起，密被灰白色或污黄色绒毛。圆锥花序穗状，花萼钟状。气微，味微苦、涩。

| 功能主治 | 苦、辛，凉。清热，利湿，解毒，止血。用于感冒，流行性感冒，咳嗽痰多，咽喉肿痛，牙痛，黄疸，热淋，水肿，痢疾，肠炎，毒蛇咬伤，刀伤出血。

| 用法用量 | 内服煎汤，15 ～ 30 g。外用适量，鲜品捣敷；或煎汤洗；或研末敷。

余丽莹提供

唇形科 Labiaceae 香茶菜属 Isodon

长叶香茶菜 *Isodon walkeri* (Arnott) H. Hara

| 药 材 名 |

四方草（药用部位：全草）。

| 形态特征 |

多年生草本。高达 60 cm。茎基部匍匐，上升，被微柔毛或鳞状柔毛。叶窄披针形、披针形或椭圆状披针形，长 2.4 ~ 7.5 cm，先端渐尖，基部窄楔形，中部以上疏生锯齿，上面无毛，下面疏被褐色腺点。聚伞花序组成顶生圆锥花序；花萼钟形，具明显的 10 脉，被褐色腺点；花冠粉红色或白色；雄蕊及花柱伸出花冠外。花期 11 月至翌年 1 月，果期 12 月至翌年 1 月。

| 生境分布 |

生于海拔 300 ~ 1 300 m 的水边、林下湿地。分布于广东乐昌、连州、信宜等。

| 资源情况 |

野生资源较少。药材来源于野生。

| 采收加工 |

夏、秋季采收，鲜用或晒干。

| 功能主治 | 清热利湿，活血散瘀。用于急性黄疸性肝炎，急性胆囊炎，水肿，中暑，跌打瘀痛，乳痈。

| 用法用量 | 内服煎汤，15 ~ 30 g，鲜品加倍。外用适量，捣敷。

| 凭证标本号 | 445224190511105LY。

大苞香简草 *Keiskea elsholtzioides* Merr.

| 药 材 名 | 大苞香简草（药用部位：全草。别名：香薷状霜柱草、香薷状香简草）。

| 形态特征 | 草本。高约 40 cm。茎带紫红色。叶近革质，卵形或卵状长圆形，长 1.5 ~ 15 cm，先端渐尖，基部楔形至近圆形，边缘具圆齿或粗锯齿，上面疏被糙硬毛，下面疏被短柔毛，满布凹陷的腺点。总状花序顶生或腋生；花萼钟形，被硬毛，结果时增大；花冠白色或带紫色，被微柔毛；雄蕊伸出，伸出部分紫色。花期 6 ~ 10 月，果期 10 ~ 12 月。

| 生境分布 | 生于海拔 500 m 左右的丘陵草丛或树丛中。分布于广东乐昌、始兴、

乳源、连州、和平等。

| **资源情况** | 野生资源较少。药材来源于野生。

| **功能主治** | 辛、苦，凉。活血化瘀。

唇形科 Labiaceae 野芝麻属 Lamium

宝盖草

Lamium amplexicaule L.

| 药 材 名 | 宝盖草（药用部位：全草。别名：接骨草、莲台夏枯草、灯笼草）。

| 形态特征 | 一年生或二年生草本。茎高 10 ~ 30 cm。无叶柄；叶片圆形或肾形，长 1 ~ 2 cm，宽 0.7 ~ 1.5 cm，两面均疏被伏毛。轮伞花序；花萼筒状钟形；花冠粉红色或紫红色，花冠筒细长，下唇 3 裂，中裂片倒心形，先端深凹；花药平叉开，被毛。小坚果倒卵状三棱形，表面有大的白色疣突。花期 3 ~ 5 月，果期 7 ~ 8 月。

| 生境分布 | 生于路旁、林缘、沼泽草地及宅旁等。分布于广东和平等。

| 资源情况 | 野生资源丰富。药材来源于野生。

| **采收加工** | 夏季采收，洗净，晒干或鲜用。

| **药材性状** | 本品茎呈方柱形，表面略带紫色，被稀疏的茸毛。完整叶片展平后呈肾形或圆形，基部心形或圆形，边缘具圆齿或浅裂，两面被毛，无叶柄。轮伞花序。小坚果长圆形，褐黑色，表面有白色疣突。质脆。气微，味苦。

| **功能主治** | 辛、苦，微温。活血通络，解毒消肿。用于跌打损伤，筋骨疼痛，四肢麻木，半身不遂，面瘫，黄疸，鼻渊，瘰疬，肿毒，黄水疮。

| **用法用量** | 内服煎汤，10 ~ 15 g；或入丸、散剂。外用适量，捣敷；或研末撒。

益母草

Leonurus japonicus Houtt.

| 药 材 名 | 益母草（药用部位：地上部分。别名：坤草、月母草、红花艾）、茺蔚子（药用部位：成熟果实。别名：益母子、冲玉子、益母草子）、益母草花（药用部位：花。别名：茺蔚花）。

| 形态特征 | 一年生或二年生草本。高 60 ～ 100 cm。茎直立，四棱形。叶对生，基生叶开花时已枯萎，中部叶 3 全裂，裂片近披针形，上部叶不裂，条形，两面均被短柔毛。腋生轮伞花序；花萼钟形，先端有 5 长尖齿；花冠唇形，淡红色或紫红色，外被长绒毛；雄蕊 4，二强。小坚果成熟时黑褐色，三棱形。花期 6 ～ 9 月，果期 9 ～ 10 月。

| 生境分布 | 生于山野、河滩草丛中及溪边湿润处。广东各地均有分布。

| **资源情况** | 野生资源丰富，栽培资源丰富。药材来源于野生和栽培。 |

| **采收加工** | 益母草：春季至初夏采收，除去杂质，洗净，鲜用；或夏季茎叶茂盛、花未开或初开时采收，切段，晒干，除去杂质，洗净，略润，干燥。 |

茺蔚子：秋季果实成熟时采收，晒干，打下果实，除去杂质，洗净，干燥。

益母草花：夏季花开时采收，去净杂质，晒干。

| **药材性状** | 益母草：本品茎呈方形，四面凹下成纵沟，灰绿色或黄绿色，切面中部有白色髓。叶片灰绿色，多皱缩破碎。轮伞花序腋生；花黄棕色；花萼筒状；花冠二唇形。气微，味微苦。 |

茺蔚子：本品呈三棱形，长 2 ～ 3 mm，宽约 1.5 mm。表面灰棕色至灰褐色，有深色斑点，一端稍宽，平截，另一端渐窄。果皮薄，子叶类白色，富油性。气微，味苦。

益母草花：本品花萼及雌蕊大多已脱落，长约 1.3 cm，淡紫色至淡棕色。花冠基部联合成筒，上部二唇形，上唇全缘，背部密被细长白毛，下唇 3 裂，背部具短绒毛；雄蕊 4，二强，连同残存的花柱伸出花冠筒外。气微，味微甜。

| **功能主治** | 益母草：苦、辛，微寒。归肝、心包、膀胱经。活血调经，利尿消肿，清热解毒。用于月经不调，痛经，经闭，恶露不尽，水肿尿少，疮疡肿毒。 |

茺蔚子：辛、苦，微寒。归心包、肝经。活血调经，清肝明目。用于月经不调，经闭，痛经，目赤翳障，头晕胀痛。

益母草花：养血，活血，利水。用于贫血，疮疡肿毒，血滞经闭，痛经，产后瘀阻腹痛，恶露不下。

| **用法用量** | 益母草：内服煎汤，9 ～ 30 g，鲜品 12 ～ 40 g；或熬膏；或入丸、散剂。外用适量，煎汤洗；或鲜品捣敷。 |

茺蔚子：内服煎汤，5 ～ 10 g；或入丸、散剂；或捣汁。

益母草花：内服煎汤，6 ～ 9 g。

| **凭证标本号** | 440281190424043LY、445224190331013LY、441422190317445LY。 |

蜂巢草
Leucas aspera (Willd.) Link

药材名

蜂窝草（药用部位：全草）。

形态特征

一年生草本。高 20 ~ 40 cm。茎直立，四棱形，具沟槽，有刚毛。叶线形或长圆状线形，叶缘具粗圆齿，两面有糙毛，侧脉约 3 对；叶柄极短或无，密被刚毛。轮伞花序生于枝顶，圆球状，密被刚毛；花萼管状；花冠白色，略长于萼筒，上唇直伸，盔状，下唇 3 裂，中裂片长而大；雄蕊 4，花药 2 室，叉开。花果期全年。

生境分布

生于海拔 100 m 左右的田地、空旷潮湿处或沙质草地上。分布于广东西南部等。

资源情况

野生资源丰富。药材来源于野生。

采收加工

夏、秋季采收，晒干。

药材性状

本品茎呈方柱形，多分枝，长 30 ~ 78 cm，表面具纵槽，有毛。叶对生，多皱缩，完整者展平后呈窄卵形或卵状披针形，两面被毛。轮伞花序，花萼筒状钟形。小坚果椭圆状三棱形。气微，味淡。

| **功能主治** | 辛、苦，平。解表，止咳，明目，通经。用于感冒，头痛，哮喘，百日咳，咽喉肿痛，牙痛，消化不良，月经不调，经闭，夜盲，蜂窝织炎。

| **用法用量** | 内服煎汤，9 ~ 15 g。外用适量，捣敷。

| **凭证标本号** | 440825150128020LY。

| **附　注** | 本种同属植物蜂窝草 *Leucas zeylanica* (L.) R. Br. 的全草亦作为蜂窝草入药。

唇形科 Labiaceae 绣球防风属 Leucas

疏毛白绒草

Leucas mollissima Benth. var. *chinensis* Benth.

| **药 材 名** | 节节香（药用部位：全草。别名：野芝麻、引生草、皱面草）。 |

| **形态特征** | 直立草本。高可达 1 m。茎多分枝，四棱形，密被贴伏长柔毛。叶纸质，卵圆形，长 1.5 ~ 4 cm，宽 1 ~ 2.3 cm，自下向上渐小，先端锐尖，基部宽楔形至心形，边缘有圆齿状锯齿，两面均被绒毛。轮伞花序腋生；花萼外面密被柔毛，具 10 脉，萼齿 10，5 长 5 短；花冠白色、淡黄色至粉红色，上唇密被白色长柔毛，下唇较上唇长 1.5 倍，3 裂；雄蕊后对较短。花果期 12 月。 |

| **生境分布** | 生于低海拔的平地及丘陵。分布于广东龙门、惠阳、南澳、海丰、台山、阳春、徐闻、封开及深圳（市区）等。 |

| **资源情况** | 野生资源较丰富。药材来源于野生。 |

| **功能主治** | 微苦，平。润肺止咳。 |

| **用法用量** | 内服适量，研末冲。外用适量，煎汤洗。 |

唇形科 Labiaceae 绣球防风属 Leucas

蜂窝草 *Leucas zeylanica* (L.) R. Br.

| 药 材 名 | 蜂窝草（药用部位：全草。别名：锡兰绣球防风、打毒金、半夜花）。

| 形态特征 | 一年生草本。高 40 ~ 80 cm，全体被绒毛。茎四棱形，具沟槽。叶对生；叶柄密被刚毛；叶片卵状披针形，长 3.5 ~ 5 cm，宽 0.5 ~ 1 cm，先端渐尖，基部楔形而狭长，边缘疏生圆齿状锯齿。轮伞花序腋生；花萼管状钟形；花冠白色，下唇较上唇长 1 倍；雄蕊 4；花落后留下多数残存的花萼，形如蜂窝。花果期全年。

| 生境分布 | 生于海拔 250 m 以下的海滨、田地、路旁以及缓坡的向阳处。分布于广东高州及湛江（市区）等。

| 资源情况 | 野生资源丰富。药材来源于野生。

| 采收加工 | 夏、秋季采收，晒干。

| 药材性状 | 本品茎呈方柱形，多分枝，长 30 ～ 78 cm，表面具纵槽，有毛。叶对生，多皱缩，完整者展平后呈窄卵形或卵状披针形，两面被毛。轮伞花序；花萼筒状钟形。小坚果椭圆状三棱形。气微，味淡。

| 功能主治 | 辛、苦，平。解表，止咳，明目，通经。用于感冒，头痛，哮喘，百日咳，咽喉肿痛，牙痛，消化不良，月经不调，经闭，夜盲，蜂窝织炎。

| 用法用量 | 内服煎汤，9 ～ 15 g。外用适量，捣敷。

| 附　　注 | 本种同属植物蜂巢草 *Leucas aspera* (Willd.) Link 的全草亦作为蜂窝草入药。

唇形科 Labiaceae 地笋属 Lycopus

硬毛地瓜儿苗

Lycopus lucidus Turcz. var. *hirtus* Regel

| 药 材 名 |

泽兰（药用部位：地上部分。别名：毛叶地笋、甘露子、方梗泽兰）、地笋（药用部位：根茎）。

| 形态特征 |

多年生草本。高 40 ～ 100 cm。根茎横走，稍肥厚，肉质。茎四棱形，中空，棱上被向上的短硬毛，节上密被硬毛。叶对生，近无柄；叶片披针形，暗绿色，两端渐尖，上面密被细刚毛状硬毛，下面脉上被刚毛状硬毛，边缘具锐齿。轮伞花序腋生；花萼 5 深裂；花冠二唇形，白色；能育雄蕊 2。小坚果 4。花期 6 ～ 9 月，果期 8 ～ 11 月。

| 生境分布 |

生于海拔 320 ～ 1 900 m 的沼泽、水边的潮湿处。分布于广东乐昌、翁源、宝安、惠阳及湛江（市区）等。

| 资源情况 |

野生资源丰富，栽培资源丰富。药材来源于野生和栽培。

| 采收加工 |

泽兰：夏、秋季茎叶茂盛时采收。

地笋：秋季采挖，除去地上部分，洗净，晒干。

| **药材性状** | 泽兰：本品茎呈方柱形，四面均有浅纵沟；表面黄绿色或带紫色，节处紫色明显，有白色毛茸；切面黄白色，中空。叶多破碎，展平后呈披针形或长圆形，边缘有锯齿。有时可见轮伞花序。气微，味淡。

地笋：本品形似地蚕，长 4 ~ 8 cm，直径约 1 cm，表面黄棕色，有 7 ~ 12 环节。质脆，断面白色。气香，味甘。

| **功能主治** | 泽兰：苦、辛，微温。归肝、脾经。活血调经，祛瘀消痈，利水消肿。用于月经不调，经闭，痛经，产后瘀血腹痛，疮痈肿毒，腹水水肿。

地笋：甘、辛，平。化瘀止血，益气利水。用于衄血，吐血，产后腹痛，黄疸，水肿，带下，气虚乏力。

| **用法用量** | 泽兰：内服煎汤，6 ~ 12 g；或入丸、散剂。外用适量，鲜品捣敷；或煎汤熏洗。

地笋：内服煎汤，4 ~ 9 g；或浸酒。外用适量，捣敷；或浸酒涂。

唇形科 Labiaceae 蜜蜂花属 Melissa

蜜蜂花
Melissa axillaris (Benth.) Bakh. f

| 药 材 名 | 鼻血草（药用部位：全草。别名：小薄荷、土荆芥、滇荆芥）。

| 形态特征 | 多年生草本。高 0.6 ~ 1 m。茎四棱形。叶对生，卵形，长 1.2 ~ 6 cm，宽 9 ~ 30 mm，先端急尖或短渐尖，基部圆形、钝或近心形，边缘具圆齿，上面疏被短柔毛，下面靠近中脉两侧带紫色或全部紫色。轮伞花序腋生；花萼钟形，外被长柔毛；花冠白色或淡红色，外被短柔毛；雄蕊 4，前对较长。小坚果卵圆形。花期 6 ~ 11 月，果期 7 ~ 11 月。

| 生境分布 | 生于海拔 600 ~ 1 900 m 的山地、山坡、谷地或路旁。分布于广东乐昌、和平等。

| **资源情况** | 野生资源较丰富。药材来源于野生。

| **采收加工** | 夏、秋季采收，晒干或鲜用。

| **功能主治** | 苦、涩，平。凉血止血，清热解毒。用于吐血，鼻衄，崩漏，带下，麻风病，皮肤瘙痒，疥疮，蛇虫咬伤，口臭。

| **用法用量** | 内服煎汤，30 ~ 60 g。外用适量，鲜品捣敷；或煎汤洗；或捣绒塞鼻。

唇形科 Labiaceae 薄荷属 Mentha

薄荷 Mentha canadensis L.

| 药 材 名 | 薄荷（药用部位：地上部分。别名：野薄荷、南薄荷）。

| 形态特征 | 多年生草本。高 30 ~ 60 cm。茎方柱形，下部卧地生根，沿棱被微柔毛。叶对生，长圆状披针形、卵状披针形或长圆形，长 3 ~ 5 cm，先端锐尖，基部楔形至近圆形，边缘有锯齿，沿脉上生柔毛。轮伞花序腋生；花萼管状钟形，外面略被短柔毛及腺点；花冠二唇形，淡紫色；雄蕊 4。小坚果卵圆形。花期 7 ~ 9 月，果期 10 ~ 11 月。

| 生境分布 | 生于海拔 1 900 m 以下的田边、沟边、水旁潮湿处。广东各地均有分布。

| 资源情况 | 野生资源丰富，栽培资源丰富。药材来源于野生和栽培。

| **采收加工** | 夏、秋季茎叶茂盛或花开至第 3 轮时，选晴天分次采收，晒干或阴干。

| **药材性状** | 本品茎呈方柱形，表面紫棕色或淡绿色，棱角处具茸毛；质脆，断面髓部中空。叶对生；叶片展平后呈宽披针形、长椭圆形或卵形，长 3 ~ 5 cm，宽 1 ~ 3 cm，下面稀被茸毛，有凹点状腺鳞。轮伞花序腋生，花萼钟状，先端 5 齿裂，花冠淡紫色。揉搓后有特殊香气，味辛。

| **功能主治** | 辛，凉。疏散风热，清利头目，利咽，透疹，疏肝行气。用于风热感冒，头痛，目赤，喉痹，口疮，风疹，麻疹，胸胁胀闷。

| **用法用量** | 内服煎汤，3 ~ 6 g，不可久煎，宜后下；或入丸、散剂。外用适量，煎汤洗；或捣汁涂敷。

| **凭证标本号** | 441825190926040LY、441823200901030LY、441225180730017LY。

| **附　　注** | 本种与同属植物皱叶留兰香 *Mentha crispata* Schrader ex Willd. 的区别在于皱叶留兰香茎无毛；叶无柄或近无柄，上面皱波状，脉纹明显凹陷；轮伞花序在茎及分枝先端密集成穗状花序。

唇形科 Labiaceae 薄荷属 Mentha

留兰香
Mentha spicata L.

周伟提供

| 药 材 名 |

留兰香（药用部位：全草。别名：香花菜、绿薄荷、绿薄荷）。

| 形态特征 |

多年生草本。茎直立，高 40 ~ 130 cm，钝四棱形，具槽及条纹。叶卵状长圆形或长圆状披针形，长 3 ~ 7 cm，宽 1 ~ 2 cm，先端锐尖，基部宽楔形至近圆形，边缘具不规则的锐锯齿，侧脉 6 ~ 7 对。轮伞花序生于茎及分枝先端；花萼钟形，外面无毛，具腺点，萼齿 5；花冠淡紫色，两面无毛；雄蕊 4，伸出，近等长；花柱先端 2 浅裂。花期 7 ~ 9 月。

| 生境分布 |

栽培于路旁或阴湿处。广东各地均有栽培。

| 资源情况 |

栽培资源丰富。药材来源于栽培。

| 采收加工 |

全年均可采收，鲜用或阴干。

| 功能主治 | 辛、甘，微温。祛风散寒，止咳，消肿解毒。用于感冒咳嗽，胃痛，腹胀，神经性头痛；外用于跌打肿痛，结膜炎，疮疖。 |

| 用法用量 | 内服煎汤，15 ～ 30 g。外用适量，捣敷；或绞汁点眼。 |

| 凭证标本号 | 440783200312014LY。 |

周伟提供

唇形科 Labiaceae 凉粉草属 Mesona

凉粉草 *Mesona chinensis* Benth.

| **药 材 名** | 凉粉草（药用部位：地上部分。别名：仙人草、仙人冻、仙草）。

| **形态特征** | 一年生草本。高 15 ～ 45 cm。茎方柱形，上部直立，疏被长毛或细刚毛。叶对生，卵形或卵状矩圆形，长 2.5 ～ 4 cm，宽 2 ～ 2.5 cm，先端稍钝，基部渐窄成柄，边缘具小锯齿，两面疏被长毛。总状轮伞花序柔弱，直立；花萼密被长毛，有脉和横皱纹；花冠淡红色，花冠筒短；雄蕊 4。小坚果椭圆形或卵形。花期 7 ～ 10 月，果期 8 ～ 11 月。

| **生境分布** | 生于坡地、沟谷的杂草丛中或沙地草丛中。分布于广东增城、大埔、翁源、新兴及深圳（市区）等。

| 资源情况 | 野生资源丰富，栽培资源丰富。药材来源于野生和栽培。

| 采收加工 | 春、夏季采收，洗净，切段，鲜用或晒干。

| 药材性状 | 本品茎呈方柱形，被毛；质脆，断面中空。叶对生，黄褐色，展平后呈卵状长圆形，长 3 ~ 5 cm，宽 2 ~ 3 cm，先端钝尖，基部渐窄成柄，边缘有小锯齿，两面均疏被长毛。质稍韧，手捻之不易破碎，水湿后有黏滑感。气微，味甘、淡。

| 功能主治 | 甘、淡，寒。消暑，清热，凉血，解毒。用于中暑，糖尿病，黄疸，泄泻，痢疾，高血压，肌肉疼痛，关节疼痛，急性肾炎，风火牙痛，烫火伤，丹毒，梅毒，油漆过敏。

| 用法用量 | 内服煎汤，15 ~ 30 g，大剂量可用至 60 g。外用适量，研末调敷；或煎汤洗；或鲜品捣敷。

| 凭证标本号 | 445224190511103LY、441422190221439LY、441623181019006LY。

唇形科 Labiaceae 冠唇花属 Microtoena

冠唇花
Microtoena insuavis (Hance) Prain ex Dunn

| **药 材 名** | 冠唇花（药用部位：全草。别名：野藿香）。

| **形态特征** | 直立草本。茎高 1 ～ 2 m，四棱形，被贴伏短柔毛。叶对生，卵圆形或阔卵圆形，长 6 ～ 10 cm，宽 4.5 ～ 7.5 cm，先端急尖，基部截状阔楔形，下延至叶柄而成狭翅，两面均被短柔毛，边缘具圆齿。聚伞花序集成顶生圆锥花序；花萼钟形，外被微柔毛；花冠红色，具紫色盔；雄蕊 4；花柱先端 2 浅裂。花期 10 ～ 12 月，果期 12 月至翌年 1 月。

| **生境分布** | 生于海拔 650 ～ 1 000 m 的林下或林缘。分布于广东翁源、南海等。

| **资源情况** | 野生资源较少。药材来源于野生。

| 采收加工 | 夏、秋季采收，晒干或鲜用。

| 功能主治 | 辛、苦，温。祛风散寒，温中理气。用于风寒感冒，咳喘气急，脘腹胀痛，消化不良，泻痢腹痛，周身麻木，跌打损伤。

| 用法用量 | 内服煎汤，15 ~ 30 g。外用适量，鲜品捣敷。

| 凭证标本号 | 440224181203014LY、441882190617011LY。

唇形科 Labiaceae 石荠苎属 Mosla

小花荠苎

Mosla cavaleriei H. Lév.

| 药 材 名 |

七星剑（药用部位：全草。别名：野香薷、细叶七星剑、小叶荠苎）。

| 形态特征 |

一年生草本。高 25 ~ 100 cm。茎直立，四棱形，被柔毛。叶对生，卵形或卵状披针形，长 2 ~ 5 cm，宽 1 ~ 2.5 cm，先端渐尖，基部楔形，边缘具细锯齿，近基部全缘，上面被柔毛，下面被柔毛及腺点。轮伞花序顶生，排列成假总状花序；花萼外被柔毛；花冠紫色或粉红色，外被短柔毛；雄蕊 4。花期 9 ~ 11 月，果期 10 ~ 12 月。

| 生境分布 |

生于海拔 700 ~ 1 600 m 的山坡草地、疏林下或山谷地带。分布于广东乐昌、阳山、信宜等。

| 资源情况 |

野生资源较少。药材来源于野生。

| 采收加工 |

9 ~ 11 月采收，洗净，鲜用或晒干。

| **药材性状** | 本品茎呈方柱形，具分枝，被柔毛；质脆。叶展平后呈卵形或卵状披针形，上面疏被柔毛，下面满布小窝点，纸质。轮伞花序组成顶生总状花序，多皱缩成团；花小；花冠淡紫色。小坚果类球形，褐色。气香特异，味辛。

| **功能主治** | 辛，微温。归肝、脾经。发汗解暑，利湿解毒。用于感冒，中暑，呕吐，泄泻，水肿，湿疹，疮疡肿毒，带状疱疹，阴疽瘰疬，跌打伤痛，毒蛇咬伤。

| **用法用量** | 内服煎汤，9 ~ 15 g；或鲜品捣汁。外用适量，煎汤洗；或鲜品捣敷。

| **凭证标本号** | 441523190515029LY、441823200902016LY、441622190529026LY。

石香薷
Mosla chinensis Maxim.

| 药 材 名 | 香薷（药用部位：地上部分。别名：青香薷、华荠苎、小叶香薷）。

| 形态特征 | 直立草本。茎高 9 ~ 40 cm，纤细，疏被白色柔毛。叶线状长圆形至线状披针形，长 1.3 ~ 2.8 cm，宽 2 ~ 4 mm，先端渐尖或急尖，基部渐狭或楔形，边缘疏具不明显的浅锯齿，两面均疏被短柔毛及凹陷的棕色腺点。总状花序头状；花萼钟形，被白色绵毛及腺体；花冠紫红色、淡红色至白色，外面被微柔毛。花期 6 ~ 9 月，果期 7 ~ 11 月。

| 生境分布 | 生于海拔 1 400 m 以下的草坡或林下。分布于广东乐昌、乳源、始兴、仁化、和平、平远、蕉岭、兴宁、惠东、博罗、高要、怀集、

鹤山、阳春及清远（市区）、广州（市区）等。

| 资源情况 | 野生资源丰富，栽培资源丰富。药材来源于野生和栽培。

| 采收加工 | 夏季茎叶茂盛、花盛开时，选择晴天采收，除去杂质，阴干。

| 药材性状 | 本品茎细，上部呈方柱形，直径 2 ~ 6 mm；表面灰绿色，老茎紫红色；质脆，易折断，断面纤维性。叶对生，披针形，长 1 ~ 2.5 cm，宽 1 ~ 3 mm，绿色或灰绿色，边缘有锯齿，两面被细柔毛及腺点；皱缩，易破碎。气香，味辛，嚼之微有灼舌感。

| 功能主治 | 辛，微温。归肺、胃经。发汗解表，化湿和中。用于暑湿感冒，恶寒发热，头痛无汗，腹痛吐泻，水肿，小便不利。

| 用法用量 | 内服煎汤，3 ~ 9 g；或入丸、散剂；或煎汤含漱。外用适量，捣敷。

| 凭证标本号 | 441825191002051LY、440281190814016LY、441882180814043LY。

唇形科 Labiaceae 石荠苎属 Mosla

小鱼仙草

Mosla dianthera (Buch.-Ham.) Maxim.

| 药 材 名 |

热痱草（药用部位：全草。别名：痱子草、假鱼香、疏花荠苎）。

| 形态特征 |

一年生草本。高 20 ～ 100 cm。茎四棱形，近无毛。叶对生，卵状披针形或菱状披针形，长 1.2 ～ 3.5 cm，宽 0.5 ～ 1.8 cm，先端渐尖，基部渐狭，边缘具疏齿，近基部全缘，下面无毛，有腺点。轮伞花序排列成顶生假总状花序；花萼钟形，脉上被短硬毛；花冠淡紫色，被微柔毛；雄蕊 4；柱头 2 浅裂。花期 5 ～ 10 月，果期 6 ～ 11 月。

| 生境分布 |

生于海拔 175 ～ 1 900 m 的山坡、路旁或湿润的草地上。分布于广东乐昌、乳源、翁源、阳山、和平、龙门、从化、博罗、大埔、怀集、德庆、高要、封开、郁南、罗定、阳春及深圳（市区）等。

| 资源情况 |

野生资源丰富，栽培资源丰富。药材来源于野生和栽培。

| 采收加工 | 夏、秋季采收，晒干或鲜用。

| 药材性状 | 本品茎呈方柱形，多分枝，近无毛。叶展平后呈卵状披针形，长 1 ~ 3.5 cm，宽 0.5 ~ 1.8 cm，边缘有稀疏的锐尖锯齿，叶面有凹陷的棕黄色腺点。轮伞花序排列成假总状花序；花冠淡棕黄色。小坚果类球形。揉搓后有特异清香，味辛。

| 功能主治 | 辛、苦，微温。归肺、脾、胃经。发表祛暑，利湿和中，消肿止血，散风止痒。用于风寒感冒，阴暑头痛，恶心，胃痛，赤白痢，水肿，衄血，痔疮出血，疮疖，阴痒，湿疹，痱毒，外伤出血，蛇虫咬伤。

| 用法用量 | 内服煎汤，9 ~ 15 g。外用适量，捣敷；或煎汤洗。

| 凭证标本号 | 441825190802017LY、440783190716015LY、441823200709006LY。

唇形科 Labiaceae 石荠苎属 Mosla

石荠苎

Mosla scabra (Thunb.) C. Y. Wu et H. W. Li

药材名

石荠苎（药用部位：全草。别名：鬼香油、沙虫药、蜻蜓花）。

形态特征

一年生草本。高 20 ~ 100 cm。茎四棱形，密被短柔毛。叶对生，卵形或卵状披针形，长 1.5 ~ 3.5 cm，宽 0.9 ~ 1.7 cm，先端急尖或钝，基部宽楔形，边缘具锯齿，近基部全缘，上面被柔毛，下面疏被短柔毛，密布凹陷的腺点。轮伞花序排列成顶生假总状花序；花萼钟形，疏被柔毛；花冠粉红色，被微柔毛；雄蕊 4；柱头 2 浅裂。花期 5 ~ 10 月，果期 6 ~ 11 月。

生境分布

生于海拔 50 ~ 1 150 m 的山坡、路旁、灌丛或沟边潮湿处。广东各地均有分布。

资源情况

野生资源丰富。药材来源于野生。

采收加工

7 ~ 8 月采收，晒干或鲜用。

| **药材性状** | 本品茎呈方柱形，多分枝，表面有下曲的柔毛。叶展平后呈卵形或长椭圆形，长 1.5 ～ 3.5 cm，宽 0.9 ～ 1.7 cm，边缘有浅锯齿，叶面近无毛而具黄褐色腺点。轮伞花序排列成顶生假总状花序，花多脱落，花萼宿存。气清香，味辛。

| **功能主治** | 辛、苦，凉。疏风解表，清暑除湿，解毒止痒。用于感冒头痛，咳嗽，中暑，风疹，肠炎，痢疾，痔疮出血，崩中，痱子，湿疹，足癣，蛇虫咬伤。

| **用法用量** | 内服煎汤，4.5 ～ 15 g。外用适量，煎汤洗；或捣敷；或烧存性，研末调敷。

| **凭证标本号** | 441523191018017LY、441823190928012LY、441825191002041LY。

唇形科 Labiaceae 荆芥属 Nepeta

心叶荆芥 *Nepeta fordii* Hemsl.

| 药 材 名 | 心叶荆芥（药用部位：全草）。

| 形态特征 | 多年生草本。茎纤细，高 30 ~ 60 cm，钝四棱形，有深槽，被短柔
毛。叶近膜质，三角状卵形或心形，长 1.5 ~ 6.4 cm，宽 1 ~ 5.2 cm，

先端短尖或尾状，基部心形，边缘有圆齿或牙齿，两面均被短硬毛或近无毛。小聚伞花序集成顶生圆锥花序；花萼瓶状，疏被刚毛；花冠紫色，长约为花萼的 2 倍，被短柔毛。小坚果卵状三棱形。花果期 4 ～ 10 月。

| **生境分布** | 生于海拔 130 ～ 650 m 的灌丛中、庭院墙边、近村路旁以及屋边等。分布于广东北部、东北部等。

| **资源情况** | 野生资源丰富。药材来源于野生。

| **功能主治** | 辛，凉。疏风清热，活血止血。

| **用法用量** | 内服煎汤，9 ～ 15 g。外用适量，鲜品捣敷。

龙船草

Nosema cochinchinensis (Lour.) Merr.

药材名

金缘萼（药用部位：全草或花。别名：假夏枯草）。

形态特征

草本，高达 80 cm。茎密被平伏或稍开展的长柔毛。叶长圆形、椭圆形或卵状长圆形，长 1.5 ~ 7 cm，先端钝或尖，基部圆形或楔形，边缘具不明显的细锯齿或细圆齿，稀近全缘，两面密被平伏长柔毛。花序头状或穗状，顶生，被长柔毛；花萼密被淡褐色绵毛；花冠蓝色、紫色或淡红色，被长柔毛。小坚果深褐色，长圆形，平滑。花期 10 月至翌年 2 月。

生境分布

生于海拔 100 ~ 1 000 m 的山坡或山谷。分布于广东西南部等。

资源情况

野生资源较少。药材来源于野生。

功能主治

清肝明目，散郁结。用于痈肿疮毒，瘰疬，目赤肿痛。

| **用法用量** | 内服煎汤，10 ～ 15 g。

| **凭证标本号** | 440605210223063LY、440608190815008LY。

唇形科 Labiaceae 罗勒属 Ocimum

罗勒
Ocimum basilicum L.

| 药 材 名 | 罗勒（药用部位：全草。别名：香菜、千层塔、九层塔）、罗勒子（药用部位：果实。别名：兰香子、光明子）、罗勒根（药用部位：根）。

| 形态特征 | 一年生草本。高 20 ～ 80 cm。茎四棱形，上部被倒向微柔毛，常带红色或紫色。叶对生，卵形或卵状披针形，长 2.5 ～ 6 cm，宽 1 ～ 3.5 cm，全缘或具疏锯齿，两面近无毛，下面具腺点。轮伞花序排列成顶生总状花序；花萼钟形，被短柔毛；花冠淡紫色或白色，唇片外被微柔毛；二强雄蕊 4；柱头 2 裂。花期 6 ～ 9 月，果期 7 ～ 10 月。

| 生境分布 | 栽培种。广东各地均有栽培。

| 资源情况 | 栽培资源丰富。药材来源于栽培。

| 采收加工 | 罗勒：花开后采收，鲜用或阴干。

罗勒子：9 月采收成熟果实，晒干。

罗勒根：9 月采挖，除去茎叶，洗净，晒干。

| 药材性状 | 罗勒：本品茎呈方柱形，直径 1 ~ 4 mm，表面紫色或黄紫色，有纵沟纹，具柔毛；质坚硬，断面纤维性。完整叶片展平后呈卵圆形或卵状披针形，长 2.5 ~ 5 cm，宽 1 ~ 2.5 cm，先端钝或尖，基部渐狭，有不规则的牙齿或近全缘，下面有腺点。假总状花序被微毛，花冠脱落，宿萼钟状，外被柔毛，内含小坚果。搓碎后有强烈香气，味辛，有清凉感。

罗勒子：本品呈卵形，长约 2 mm，基部具果柄痕。表面灰棕色至黑色，微带光泽。质坚硬，横切面呈三角形，子叶肥厚，乳白色，富油质。气微，味淡，有黏液感，浸水中膨胀，表面产生白色黏液质层。

| 功能主治 | 罗勒：辛、甘，温。归肺、脾、胃、大肠经。疏风解表，化湿和中，行气活血，解毒消肿。用于感冒头痛，发热咳嗽，中暑，食积不化，不思饮食，脘腹胀痛，呕吐泻痢，风湿痹痛，遗精，月经不调，牙痛口臭，湿疮，瘾疹瘙痒，跌打损伤，蛇虫咬伤。

罗勒子：甘、辛，凉。清热，明目，祛翳。用于目赤肿痛，目翳，走马牙疳。

罗勒根：苦，平。收湿敛疮。用于黄水疮。

| 用法用量 | 罗勒：内服煎汤，5 ~ 15 g，大剂量可用至 30 g；或捣汁；或入丸、散剂。外用适量，捣敷；或烧存性，研末调敷；或煎汤洗；或含漱。

罗勒子：内服煎汤，3 ~ 5 g。外用适量，研末点眼。

罗勒根：外用适量，炒炭存性，研末敷。

| 凭证标本号 | 441422190723438LY、440982141002003LY、441424191026300LY。

| 附　注 | 本种与同属植物丁香罗勒 *Ocimum gratissimum* L. var. Suave (Willd.) Hook. f. 的区别在于丁香罗勒植株高大，高可达 2 m；叶柄较粗长，叶缘具粗齿。

唇形科 Labiaceae 罗勒属 Ocimum

疏柔毛罗勒

Ocimum basilicum L. var. *pilosum* (Willd.) Benth.

| 药 材 名 |

毛罗勒（药用部位：全草。别名：香草、假苏、姜芥）。

| 形态特征 |

一年生草本。高 20 ～ 70 cm。茎被极多疏柔毛。叶对生，长圆形，长不足 2.5 cm，有疏锯齿或全缘，有缘毛，上面疏生白色柔毛，下面散布腺点。轮伞花序排列成顶生假总状花序，被极多疏柔毛；花萼钟形，密被长柔毛；花冠淡粉红色或白色，唇片外面密被长柔毛；二强雄蕊 4；柱头 2 裂。花期 6 ～ 9 月，果期 7 ～ 10 月。

| 生境分布 |

栽培种。广东各地均有栽培。

| 资源情况 |

栽培资源丰富。药材来源于栽培。

| 采收加工 |

7 ～ 8 月采收，除去杂质，切细，晒干或鲜用。

| 药材性状 |

本品茎呈方柱形；表面紫色或黄紫色，有柔

毛；质坚硬，断面纤维性。完整叶片展平后呈矩圆形或卵状披针形，长 1.2 ~ 2 cm，宽 0.5 ~ 1 cm，先端尖，基部楔形，有疏齿或全缘，下面有腺点，略有疏柔毛。顶生假总状花序被柔毛；宿萼筒状，膜质，外被疏柔毛。气芳香，味辛，有清凉感。

| 功能主治 | 辛，温。健脾化湿，祛风活血。用于湿阻脾胃，纳呆腹痛，呕吐腹泻，外感发热，月经不调，跌打损伤，湿疹。

| 用法用量 | 内服煎汤，9 ~ 15 g。外用适量，捣敷；或煎汤熏洗。

| 凭证标本号 | 445224201007011LY、441422190723438LY、440523190730003LY。

唇形科 Labiaceae 罗勒属 Ocimum

丁香罗勒

Ocimum gratissimum L. var. *suave* (Willd.) Hook. f.

| 药 材 名 | 毛叶丁香罗勒（药用部位：全株。别名：毛丁香罗勒、丁香草、青香罗勒）。

| 形态特征 | 直立灌木。高 0.5 ~ 1 m。茎四棱形，被长柔毛。叶对生，卵状长圆形或长圆形，长 5 ~ 12 cm，宽 1.5 ~ 6 cm，先端渐尖，基部楔形，边缘具圆齿，两面密被柔毛状绒毛及腺点。轮伞花序排列成顶生和腋生总状花序；花萼钟形；花冠黄白色或白色，稍长于花萼，唇片外被微柔毛及腺点；雄蕊 4；柱头 2 裂。小坚果近球形。花期 10 月，果期 11 月。

| 生境分布 | 栽培种。广东中部以南各地有栽培。

| **资源情况** | 栽培资源丰富。药材来源于栽培。 |

| **采收加工** | 秋季采收，洗净，鲜用或扎把后晒干。 |

| **药材性状** | 本品茎呈方柱形，表面有纵沟纹，有长柔毛；质坚硬，折断面纤维性，黄白色。叶对生，完整者展平后呈卵状矩圆形或长圆形，长 5 ~ 11 cm，两面密被柔毛。轮伞花序密集排列成顶生圆锥花序，密被柔毛；宿萼钟状，外被柔毛。气芳香，味辛，有清凉感。 |

| **功能主治** | 辛，温。疏风解表，化湿和中，散瘀止痛。用于外感风寒，头痛，脘腹胀痛，消化不良，泄泻，风湿痹痛，湿疹瘙痒，跌打瘀肿，蛇咬伤。 |

| **用法用量** | 内服煎汤，9 ~ 15 g。外用适量，捣敷；或绞汁涂；或煎汤洗。 |

| **凭证标本号** | 440882180430210LY。 |

牛至

Origanum vulgare L.

| **药 材 名** | 牛至（药用部位：全草。别名：白花茵陈、五香草、土茵陈）。

| **形态特征** | 多年生草本。高 20 ~ 60 cm。茎四棱形，基部木质，紫色，光滑，上部有毛。叶对生；叶片宽卵圆形，长 10 ~ 30 mm，宽 6 ~ 15 mm，先端钝，基部圆形或宽楔形，全缘，两面均有腺点和细毛。花密集排列成顶生伞房状聚伞圆锥花序；花两性；花萼圆筒状，具 5 浅齿和 15 脉纹；花冠二唇形，紫红色。小坚果褐色。花期 7 ~ 9 月，果期 9 ~ 12 月。

| **生境分布** | 生于海拔 500 ~ 1 900 m 的山坡、林下、草地或路旁。分布于广东乐昌、连州等。

| **资源情况** | 野生资源丰富，栽培资源丰富。药材来源于野生和栽培。

| **采收加工** | 7 ～ 8 月花开前采收，抖净泥沙，鲜用或扎把后晒干。

| **药材性状** | 本品根较细小，略弯曲。茎呈方柱形，紫棕色至淡棕色，密被细柔毛。叶对生，完整者展开后呈卵形或宽卵形，长 1 ～ 3 cm，宽 0.6 ～ 1.5 cm，先端钝，基部圆形，全缘，两面均有棕黑色腺点及细毛。聚伞花序顶生；花萼钟状，先端 5 裂。气微香，味微苦。

| **功能主治** | 辛、微苦，凉。解表，理气，清暑，利湿。用于感冒发热，中暑，胸膈胀满，腹痛吐泻，痢疾，黄疸，水肿，带下，疳积，麻疹，皮肤瘙痒，疮疡肿痛，跌打损伤。

| **用法用量** | 内服煎汤，3 ～ 9 g，大剂量可用 15 ～ 30 g；或代茶饮。外用适量，煎汤洗；或鲜品捣敷。

唇形科 Labiaceae 假糙苏属 *Paraphlomis*

白毛假糙苏 *Paraphlomis albida* Hand.-Mazz.

| **药 材 名** | 白毛假糙苏（药用部位：茎、叶）。

| **形态特征** | 直立草本。高达 60 cm。茎单生，密被白色倒向柔毛。叶卵形，长
4 ～ 9 cm，先端尖或渐尖，基部圆形或楔状渐窄而下延至叶柄，基
部以上具圆齿，上面疏被白色短柔毛，脉上毛密，下面密被白色倒
向柔毛及黄色腺体；叶柄具窄翅。轮伞花序；花萼倒锥形，密被细
糙伏毛，5 脉明显；花冠白色或稍带紫色，被平伏柔毛及腺点。花
期 7 ～ 10 月。

| **生境分布** | 生于海拔 200 ～ 900 m 的林下、溪边。分布于广东乐昌、仁化、始兴、
连南等。

| **资源情况** | 野生资源较少。药材来源于野生。

| **功能主治** | 辛，温。散寒止咳。

| **用法用量** | 内服煎汤，10 ～ 15 g。

| **凭证标本号** | 441825190708030LY、441823200708019LY。

唇形科 Labiaceae 假糙苏属 Paraphlomis

短齿假糙苏

Paraphlomis albida Hand.-Mazz. var. *brevidens* Hand.-Mazz.

| 药 材 名 | 短齿假糙苏（药用部位：根）。

| 形态特征 | 本种与白毛假糙苏的区别在于本种萼齿呈宽卵圆状三角形，先端短尖。

| **生境分布** | 生于常绿阔叶林或灌丛中。分布于广东北部、东北部等。

| **资源情况** | 野生资源较少。药材来源于野生。

| **功能主治** | 辛、苦，平。祛风湿，清热解毒。

| **用法用量** | 内服煎汤，10 ~ 15 g。

唇形科 Labiaceae 假糙苏属 *Paraphlomis*

小叶假糙苏

Paraphlomis javanica (Bl.) Prain var. *coronate* (Vaniot) C. Y. Wu et H. W. Li

| 药 材 名 | 金槐（药用部位：全草或根。别名：土九楼花、大铁子菜、壶瓶花）。

| 形态特征 | 草本。高 30 ～ 80 cm。茎单生，钝四棱形，被倒向平伏的毛。叶对生；叶片肉质，椭圆状卵形或长圆状卵形，长 3 ～ 9 cm，宽 1.5 ～ 6 cm，先端锐尖或渐尖，基部圆形或近楔形，边缘疏生锯齿或圆齿，下面沿脉上密生平伏毛。轮伞花序呈圆球形；花萼筒状，幼时密被小硬毛；花冠通常黄色或淡黄色，外被短硬毛；雄蕊 4；柱头 2 浅裂。花期 6 ～ 8 月，果期 8 ～ 12 月。

| 生境分布 | 生于海拔 320 ～ 1 350 m 的林荫道。广东各地均有分布。

| 资源情况 | 野生资源丰富。药材来源于野生。

赵万义提供

| **采收加工** | 夏、秋季采收，洗净，晒干。

| **功能主治** | 甘，平。滋阴润燥，止咳，调经。用于阴虚劳嗽，痰中带血，月经不调。

| **用法用量** | 内服煎汤，10 ~ 15 g；或炖肉；或蒸酒。

| **附　　注** | 本种与假糙苏 *Paraphlomis javanica* (Bl.) Prain 的区别在于本种叶较小，通常长 3 ~ 9 cm，肉质，边缘有浅圆齿或齿不明显。

赵万义提供

唇形科 Labiaceae 紫苏属 Perilla

紫苏
Perilla frutescens (L.) Britt.

| 药 材 名 | 紫苏（药用部位：带叶嫩枝。别名：赤苏、红苏、红紫苏）、紫苏叶（药用部位：叶。别名：苏叶、紫菜、苏）、紫苏梗（药用部位：茎。别名：紫苏茎、苏茎、紫苏杆）、紫苏子（药用部位：成熟果实。别名：苏子、黑苏子、铁苏子）、紫苏苞（药用部位：宿萼）、苏头（药用部位：根及近根的老茎。别名：紫苏兜、紫苏头、紫苏根）。

| 形态特征 | 一年生草本。高 30 ～ 100 cm。茎四棱形，紫色或绿紫色，有长柔毛。叶对生；叶片卵形至宽卵形，长 7 ～ 13 cm，宽 4.5 ～ 10 cm，先端突尖或渐尖，基部近圆形，边缘有粗圆齿，两面紫色或仅下面紫色，两面均疏生柔毛。轮伞花序腋生或顶生；花萼钟形，外面下部密生柔毛；花冠二唇形，红色或淡红色；雄蕊 4，二强；柱头 2 裂。花

期 6 ~ 8 月，果期 7 ~ 9 月。

| **生境分布** | 生于村边或路旁。广东各地均有栽培。

| **资源情况** | 野生资源丰富，栽培资源丰富。药材来源于野生和栽培。

| **采收加工** | 紫苏：9 月上旬花序将长出时采收，倒挂于通风处，阴干。

紫苏叶：夏季枝叶茂盛时采收，除去杂质，晒干。

紫苏梗：秋季果实成熟后采收，除去杂质，晒干，或趁鲜切片，晒干。

紫苏子：秋季采收，除去杂质，晒干。

紫苏苞：秋季采收成熟果实，取宿存果萼，晒干。

苏头：秋季采收，除去泥沙，晒干。

| **药材性状** | 紫苏叶：本品多皱缩卷曲、破碎，完整者展平后呈卵圆形，长 4 ~ 11 cm，宽 2.5 ~ 9 cm，先端长尖或急尖，基部圆形或宽楔形，边缘具圆锯齿，两面紫色或仅下面紫色，疏生灰白色毛，下表面有多数腺点。质脆，断面中部有髓。气清香，

味微辛。

紫苏梗：本品呈方柱形，4 棱钝圆，直径 0.5 ~ 1.5 cm。表面紫棕色或暗紫色，四面有纵沟和细纵纹，节部稍膨大，有对生的枝痕及叶痕。体轻，质硬，断面裂片状，切片厚 2 ~ 5 mm，常呈斜长方形，木部黄白色，射线细密，呈放射状，髓部白色，疏松或脱落。气微香，味淡。

紫苏子：本品呈卵圆形或类球形，直径约 1.5 mm，表面灰棕色或灰褐色，有微隆起的暗紫色网纹，基部稍尖，有灰白色的点状果柄痕，果皮薄而脆，易压碎；种子黄白色，种皮膜质，子叶 2，类白色，有油性。压碎后有香气，味微辛。

| 功能主治 | **紫苏**：辛、温。散寒解表，理气宽中。用于风寒感冒，头痛，咳嗽，胸腹胀满。

紫苏叶：辛，温。归肺、脾经。解表散寒，行气和胃。用于风寒感冒，咳嗽呕恶，妊娠呕吐，鱼蟹中毒。

紫苏梗：辛，温。归肺、脾经。理气宽中，止痛，安胎。用于胸膈痞闷，胃脘疼痛，嗳气呕吐，胎动不安。

紫苏子：辛，温。归肺经。降气化痰，止咳平喘，润肠通便。用于痰壅气逆，咳嗽气喘，肠燥便秘。

紫苏苞：微辛，平。归肺经。解表。用于血虚感冒。

苏头：辛，温。归肺、脾经。疏风散寒，降气祛痰，和中安胎。用于头晕，身痛，鼻塞流涕，咳逆上气，胸膈痰饮，胸闷胁痛，腹痛泄泻，妊娠呕吐，胎动不安。

| 用法用量 | 紫苏叶：内服煎汤，5～10 g。外用适量，捣敷；或研末撒；或煎汤洗。
紫苏梗：内服煎汤，5～10 g；或入散剂。
紫苏子：内服煎汤，5～10 g；或入丸、散剂。
紫苏苞：内服煎汤，3～9 g。
苏头：内服煎汤，6～12 g。外用适量，煎汤洗。

| 凭证标本号 | 441825191002033LY、445222190721004LY、440783190811003LY。

| 附　　注 | 本种同属植物回回苏 *Perilla frutescens* (L.) Britt. var. *crispa* (Thunb.) Hand.-Mazz. 的叶亦作为紫苏叶入药，与本种的区别在于回回苏叶皱曲，边缘有狭而深的锯齿，呈流苏状或条状深裂而呈鸡冠状；果萼较小，长约 4 mm；小坚果直径 0.5～1 mm，暗棕色或暗褐色。

唇形科 Labiaceae 紫苏属 Perilla

回回苏

Perilla frutescens (L.) Britt. var. *crispa* (Thunb.) Hand.-Mazz.

| 药 材 名 | 鸡冠紫苏（药用部位：叶）。

| 形态特征 | 一年生草本。紫色或绿紫色。茎四棱形，具有紫色关节的长柔毛。叶对生；叶片皱缩，卵形，先端突尖，边缘有锯齿，两面紫色或上面绿色，两面疏生柔毛，下面有细油点。总状花序顶生或腋生；苞片卵形，全缘；花萼钟形，外面下部密生柔毛，先端唇形。小坚果褐色，卵形。

| 生境分布 | 生于村边、路旁或荒地上。广东各地均有分布。广东各地均有栽培。

| 资源情况 | 野生资源丰富，栽培资源丰富。药材来源于野生和栽培。

| 功能主治 | 辛，温。散寒解表，理气宽中。用于风寒感冒，咳嗽，妊娠呕吐，

鱼蟹中毒。

| **用法用量** | 内服煎汤，5 ~ 10 g。外用适量，捣敷；或研末撒；或煎汤洗。

| **凭证标本号** | 440783200426011LY。

唇形科 Labiaceae 紫苏属 Perilla

白苏

Perilla frutescens (L.) Britt. var. *purpurascens* (Hayata) H. W. Li

| 药 材 名 | 白苏子（药用部位：果实。别名：荏子、玉竹子、玉苏子）、白苏子油（药材来源：果实压榨出的脂肪油）、白苏叶（药用部位：叶。别名：荏叶）、白苏梗（药用部位：茎）、苏头（药用部位：根及近根的老茎。别名：紫苏兜、紫苏头、紫苏根）。

| 形态特征 | 一年生草本。高 50 ~ 150 cm。茎四棱形，基部木质，光滑，上部被白色柔毛。叶对生；叶片卵圆形或圆形，长 3 ~ 10 cm，宽 2 ~ 9 cm，先端急尖或尾状，基部圆形，边缘有粗锯齿，下面有腺点，两面均呈绿色，有毛。轮伞花序排列成偏向一侧的穗状花序；花萼外被粗长密毛；花冠二唇形，白色。小坚果倒卵圆形，表面灰白色。花期 8 ~ 11 月，果期 8 ~ 12 月。

| 生境分布 | 生于村边、路旁、山坡。分布于广东新丰、乐昌、封开、龙门、大埔、阳山、连南及广州（市区）等。

| 资源情况 | 野生资源较少，栽培资源丰富。药材来源于栽培。

| 采收加工 | 白苏子：秋季果实成熟时采收，除去杂质，晒干。
白苏叶：夏、秋季采收，置于通风处阴干，或切段，晾干。
白苏梗：秋季果实成熟时采收，晒干。
苏头：秋季采收，除去泥沙，晒干。

| 药材性状 | 白苏子：本品呈卵圆形或类球形，长 2.5 ~ 3.5 mm，宽 2 ~ 2.5 mm；表面灰白色，有明显的微隆起的网纹。质脆。压碎后有香气，味微辛。
白苏梗：本品呈四方形，四边有槽，表面黄绿色，易折断，断面木部黄白色，中心有白色疏松的髓。气香，味微苦、辛。

| 功能主治 | 白苏子：辛，温。归肺、胃、大肠经。降气祛痰，润肠通便。用于咳逆痰喘，气滞便秘。
白苏子油：辛，温。润肠，乌发。用于肠燥便秘，头发枯燥。
白苏叶：辛，温。归肺、脾经。疏风宣肺，理气消食，解鱼蟹毒。用于风寒感冒，咳嗽气喘，脘腹胀闷，食积不化，吐泻，冷痢，鱼蟹中毒，男子阴肿，蛇虫咬伤。
白苏梗：辛、温。顺气消食，止痛，安胎。用于食滞不化，脘腹胀痛，感冒，胎动不安。
苏头：辛，温。归肺、脾经。疏风散寒，降气祛痰，和中安胎。用于头晕，身痛，鼻塞流涕，咳逆上气，胸膈痰饮，胸闷胁痛，腹痛泄泻，妊娠呕吐，胎动不安。

| 用法用量 | 白苏子：内服煎汤，5 ~ 10 g。
白苏子油：内服煎汤，3 ~ 5 g。外用适量，涂抹。
白苏叶：内服煎汤，5 ~ 10 g；或研末。外用适量，和醋捣敷。
白苏梗：内服煎汤，5 ~ 10 g。
苏头：内服煎汤，6 ~ 12 g。外用适量，煎汤洗。

唇形科 Labiaceae 刺蕊草属 Pogostemon

水珍珠菜 *Pogostemon auricularius* (L.) Hassk.

| 药 材 名 | 水毛射（药用部位：全草。别名：蛇尾草、毛射草、水凉粉草）。

| 形态特征 | 一年生草本。高达 2 m，基部平卧，节上生根，上部上升，多分枝，密被平展的黄色长硬毛。叶长圆形或卵状长圆形，长 2.5 ~ 7 cm，基部圆形或浅心形，稀楔形，具锯齿，两面被黄色糙伏毛，下面疏被腺点，侧脉 5 ~ 6 对；上部叶近无柄。穗状花序；花萼钟形，被黄色腺点；花冠淡紫色或白色，无毛；雄蕊伸出部分被髯毛。花果期 4 ~ 11 月。

| 生境分布 | 生于海拔 300 ~ 1 700 m 的疏林下湿润处或溪边近水潮湿处。分布于广东英德、和平、连平、龙门、从化、平远、大埔、南澳、博罗、

台山、新会、高要、怀集、封开、郁南、罗定、阳春及深圳（市区）、珠海（市区）等。

| **资源情况** | 野生资源丰富。药材来源于野生。

| **采收加工** | 夏、秋季采收，洗净，鲜用或晒干。

| **功能主治** | 微苦、辛，凉。散风清热，祛湿解毒，消肿止痛。用于感冒发热，惊风，风湿疼痛，伤寒，疝气，疮肿湿烂，湿疹，胎毒，毒蛇咬伤。

| **用法用量** | 内服煎汤，10～30 g。外用适量，捣敷；或捣汁涂；或煎汤洗。

| **凭证标本号** | 441523190921052LY、441825190708043LY、440783191102006LY。

唇形科 Labiaceae 刺蕊草属 Pogostemon

广藿香

Pogostemon cablin (Blanco) Benth.

| 药 材 名 |

广藿香（药用部位：地上部分。别名：藿香、海藿香）。

| 形态特征 |

多年生草本。高 30 ~ 100 cm。茎直立，粗壮，上部多分枝，近褐色，密被灰黄色绒毛。叶对生；叶片广卵形或卵形，长 5 ~ 10 cm，宽 2.5 ~ 7 cm，先端钝尖，基部楔形或微心形，边缘有粗钝齿，两面密被灰白色短毛，有腺点。轮伞花序密集，组成顶生和腋生的穗状花序；花萼管状，5 裂；花冠唇形，淡红紫色；雄蕊 4，伸出花冠外，花丝有髯毛。花期 4 月。

| 生境分布 |

生于排水良好、土质肥沃的砂壤土中。分布于广东阳春、增城及茂名（市区）、肇庆（市区）等。

| 资源情况 |

野生资源较少，栽培资源丰富。药材来源于栽培。

| 采收加工 | 枝叶茂盛时采收，日晒夜闷。

| 药材性状 | 本品茎略呈方柱形；表面灰褐色、灰黄色或带红棕色，被柔毛，切面有白色髓。叶破碎或皱缩成团，完整者展平后呈卵形或椭圆形，两面均被灰白色绒毛，基部楔形或钝圆，边缘具不规则的钝齿；叶柄细，被柔毛。气香特异，味微苦。

| 功能主治 | 辛，微温。归脾、胃、肺经。芳香化浊，和中止呕，发表解暑。用于湿浊中阻，脘痞呕吐，暑湿表证，湿温初起，发热倦怠，胸闷不舒，寒湿闭暑，腹痛吐泻，鼻渊头痛。

| 用法用量 | 内服煎汤，5～10 g，鲜品加倍，不宜久煎；或入丸、散剂。外用适量，煎汤含漱；或研末调敷。

| 凭证标本号 | 440224181204040LY。

唇形科 Labiaceae 夏枯草属 Prunella

夏枯草 Prunella vulgaris L.

药材名

夏枯草（药用部位：果穗。别名：棒槌草、麦夏枯、棒柱头花）。

形态特征

多年生草本。高 15 ~ 30 cm，有匍匐根茎。茎上升，钝四棱形，紫红色，被稀疏糙毛或近无毛。叶对生；叶片卵状长圆形或卵圆形，长 1.5 ~ 6 cm，宽 0.7 ~ 2.5 cm，先端钝，基部圆形、截形至宽楔形，下延至叶柄成狭翅。轮伞花序排列成顶生假穗状花序；苞片肾形或横椭圆形；花萼钟状；花冠紫色、蓝紫色或红紫色；雄蕊 4，二强。花期 4 ~ 6 月，果期 6 ~ 8 月。

生境分布

生于荒地、路旁及山坡草丛中。分布于广东乐昌、始兴、乳源、仁化、南雄、连山、蕉岭、平远、大埔、怀集等。

资源情况

野生资源丰富，栽培资源丰富。药材来源于野生和栽培。

| 采收加工 | 夏季果穗呈棕红色时采收，除去杂质，晒干。

| 药材性状 | 本品呈圆柱形，略扁，长 1.5 ~ 8 cm，直径 0.8 ~ 1.5 cm，淡棕色至棕红色。由数轮至 10 余轮宿萼与苞片组成，每轮有对生扇形苞片 2，先端尖尾状，外表面有白毛。宿萼二唇形，内有卵圆形小坚果 4。体轻。气微，味淡。

| 功能主治 | 辛、苦，寒。归肝、胆经。清肝泻火，明目，散结消肿。用于目赤肿痛，目珠夜痛，头痛眩晕，瘰疬，瘿瘤，乳痈，乳癖，乳房胀痛。

| 用法用量 | 内服煎汤，6 ~ 15 g，大剂量可用至 30 g；或熬膏；或入丸、散剂。外用适量，煎汤洗；或捣敷。

| 凭证标本号 | 440281190626056LY、440281200712020LY、441823190613006LY。

南丹参

Salvia bowleyana Dunn

|药材名|

南丹参（药用部位：根。别名：土丹参、七里蕉、赤参）。

|形态特征|

多年生草本，高约 1 m。茎粗壮，呈钝四棱形，具沟槽，被向下长柔毛。根肥厚，呈红色。羽状复叶对生；叶片长 10 ～ 20 cm，有小叶 5 ～ 7，顶生小叶卵圆状披针形，边缘具圆齿状锯齿，侧脉 5 ～ 6 对。轮伞花序排列成顶生总状花序或总状圆锥花序；花萼筒状；花冠淡紫色、紫色至蓝紫色，二唇形；柱头 2 浅裂。花期 3 ～ 7 月。

|生境分布|

生于海拔 30 ～ 960 m 的山地、林间、路旁及水边。分布于广东北部、东北部等。

|资源情况|

野生资源丰富，栽培资源丰富。药材来源于野生和栽培。

|采收加工|

本品呈圆柱形，微卷曲，长 5 ～ 20 cm，直径 2 ～ 8 mm。表面灰棕色或灰红色。质坚硬，易折断，断面不平坦，角质样。气微，味微苦。

| **功能主治** | 苦，微寒。活血化瘀，调经止痛。用于胸痹绞痛，心烦，心悸，脘腹疼痛，月经不调，痛经，经闭，产后瘀滞腹痛，崩漏，肝脾肿大，关节痛，疝气痛，疮肿。

| **用法用量** | 内服煎汤，9 ~ 15 g；或入丸、散剂。

| **凭证标本号** | 441823191002014LY、441882180411034LY。

唇形科 Labiaceae 鼠尾草属 Salvia

贵州鼠尾草 *Salvia cavaleriei H. Lév.*

| 药 材 名 | 血盆草（药用部位：全草。别名：叶下红、红青菜、雪见草）。

| 形态特征 | 一年生草本。高 12 ～ 32 cm。主根粗短，纤维状须根细长。茎四棱形，青紫色，上部略被微柔毛。下部叶为羽状复叶，顶生小叶长卵圆形或披针形，先端钝或钝圆，基部楔形或圆形而偏斜，边缘有疏锯齿，下面紫色，侧生小叶 1 ～ 3 对；上部的叶为单叶或裂为 3 裂片，有时基部裂成 1 对小裂片。轮伞花序排列成顶生总状花序或总状圆锥花序；花萼筒状，外面无毛；花冠蓝紫色或紫色，外被微柔毛；柱头 2 裂。花期 7 ～ 9 月。

| 生境分布 | 生于海拔 530 ～ 1 300 m 的多石山坡上、林下、水沟边。分布于广

东南雄等。

| **资源情况** | 野生资源丰富，栽培资源丰富。药材来源于野生和栽培。

| **采收加工** | 全年均可采收，洗净，鲜用或晒干。

| **药材性状** | 本品茎呈四方形，上部有细柔毛。单叶对生或奇数羽状复叶，叶片长卵圆形，先端渐尖或钝，基部略呈心形，边缘圆齿形，上面暗紫色，下面紫红色；叶脉明显，下面脉上被绒毛。总状花序呈轮状排列。气微，味微苦。

| **功能主治** | 微苦，凉。归肺、肝经。凉血止血，活血消肿，清热利湿。用于咯血，吐血，鼻血，崩漏，创伤出血，跌打伤痛，疮痈疖肿，湿热泻痢，带下。

| **用法用量** | 内服煎汤，15 ～ 30 g。外用适量，研末撒；或捣敷。

| **凭证标本号** | 440224190608010LY。

唇形科 Labiaceae 鼠尾草属 Salvia

华鼠尾草 *Salvia chinensis* Benth.

| 药 材 名 | 石见穿（药用部位：全草。别名：小丹参、田芹菜、乌沙草）。

| 形态特征 | 一年生草本。茎高 20 ~ 60 cm，被柔毛。叶全为单叶或下部的叶为三出复叶；叶柄疏被长柔毛；叶片卵形或卵状椭圆形，长 1.3 ~ 7 cm，两面脉上略被短柔毛。轮伞花序排列成假总状花序或圆锥状花序；花萼钟状，紫色，外面脉上被长柔毛；花冠蓝紫色或紫色；花丝短。小坚果椭圆状卵圆形，平滑。花期 8 ~ 10 月。

| 生境分布 | 生于海拔 120 ~ 500 m 的林下、山坡、路旁及田野草丛中。分布于广东乐昌、连州、仁化、乳源、始兴、英德及深圳（市区）等。

| 资源情况 | 野生资源丰富。药材来源于野生和栽培。

| 采收加工 | 花开时采收，鲜用或晒干。

| 药材性状 | 本品茎呈方柱形，直径 1 ~ 4 mm，表面灰绿色或暗紫色，有白色长柔毛；质脆，折断面髓部白色或褐黄色。叶多破碎，有时复叶脱落，仅见单叶，两面被白色柔毛。轮伞花序成假总状花序，花冠多已脱落，宿萼外面脉上有毛。气微，味微苦、涩。

| 功能主治 | 辛、苦，微寒。归肝、脾经。活血化瘀，清热利湿，散结消肿。用于月经不调，痛经，经闭，崩漏，便血，湿热黄疸，热毒血痢，淋痛，带下，风湿骨痛，瘰疬，疮肿，乳痈，带状疱疹，麻风，跌打肿痛。

| 用法用量 | 内服煎汤，6 ~ 15 g；或绞汁。外用适量，捣敷。

| 凭证标本号 | 441825190808014LY、440281190813009LY、440523190716012LY。

唇形科 Labiaceae 鼠尾草属 Salvia

朱唇
Salvia coccinea L.

| 药 材 名 | 朱唇（药用部位：全草。别名：小红花、三叶青）。

| 形态特征 | 一年生或多年生草本。高达 70 cm。根呈密集纤维状。茎四棱形，被灰白色疏柔毛。叶对生；叶片卵圆形或三角状卵圆形，长 2 ~ 5 cm，宽 1.5 ~ 4 cm，边缘有锯齿，两面有毛。轮伞花序排列成顶生总状花序；花萼长钟状，外被微柔毛，其间混生浅黄色腺点；花冠深红色或绯红色，上唇比下唇短；雄蕊 2，伸出；花柱伸出，先端 2 裂。花期 4 ~ 7 月。

| 生境分布 | 栽培于园圃。广东各地均有栽培。

| 资源情况 | 栽培资源丰富。药材来源于栽培。

| **采收加工** | 夏、秋季采收，晒干。 |

| **功能主治** | 辛、苦、涩，凉。凉血止血，清热利湿。用于崩中，高热，腹痛。 |

| **用法用量** | 内服煎汤，6～9g。 |

鼠尾草
Salvia japonica Thunb.

| 药 材 名 | 鼠尾草（药用部位：全草。别名：坑苏、紫花丹、秋丹参）。

| 形态特征 | 一年生草本。高 40 ～ 60 cm。茎四棱形。下部叶为二回羽状复叶，上部叶为一回羽状复叶；顶生小叶披针形或菱形，长可达 10 cm，宽 3.5 cm，先端渐尖或尾尖，基部长楔形，边缘具钝锯齿，侧生小叶卵圆状披针形。轮伞花序排列成总状花序或总状圆锥花序；花萼筒形；花冠淡红色、淡紫色、淡蓝色至淡白色；花冠筒筒状；雄蕊 2，外伸；花柱先端 2 裂。花期 6 ～ 9 月。

| 生境分布 | 生于海拔 220 ～ 1 100 m 的山间坡地、路旁、草丛、水边及林荫道。分布于广东翁源、乳源、乐昌、怀集、德庆、大埔、丰顺、五华、

阳山、英德等。

| **资源情况** |　野生资源丰富，栽培资源丰富。药材来源于野生和栽培。

| **采收加工** |　夏季采收，洗净，晒干。

| **功能主治** |　苦、辛，平。清热利湿，活血调经，解毒消肿。用于黄疸，赤白痢，湿热带下，月经不调，痛经，疮疡疖肿，跌打损伤。

| **用法用量** |　内服煎汤，15 ～ 30 g。

| **凭证标本号** |　441825190707026LY、441225180728088LY、441224180615032LY。

唇形科 Labiaceae 鼠尾草属 Salvia

荔枝草
Salvia plebeia R. Br.

| 药 材 名 | 荔枝草（药用部位：全草。别名：雪见草、野芝麻、虾蟆草）。

| 形态特征 | 一年生或二年生草本。高 20 ～ 90 cm。主根肥厚，有多数须根。茎粗壮，被倒生疏柔毛。单叶对生；叶片椭圆状卵形至椭圆状披针形，长 2 ～ 6 cm，先端通常钝，基部圆形至阔楔形，边缘有齿缺，两面被毛，下面具黄褐色腺点。总状花序；花萼钟状，被疏柔毛和腺点；花冠紫色或蓝紫色，外面被微柔毛；雄蕊 2，稍伸出。花期 4 ～ 5 月，果期 6 ～ 7 月。

| 生境分布 | 生于路边、山野旷地或田埂上。广东各地均有分布。

| 资源情况 | 野生资源丰富。药材来源于野生和栽培。

| **采收加工** | 6 ~ 7 月采收，除净泥土，扎成小把，晒干或鲜用。 |

药材性状 本品茎呈方柱形，直径 0.2 ~ 1 cm；表面灰绿色至棕褐色，被短柔毛，断面中空。叶对生，灰绿色至灰褐色，展平后呈椭圆形或披针形，长 1.5 ~ 6 cm，宽 1 ~ 3 cm，叶缘具钝齿，两面被短柔毛，叶背具黄褐色腺点。宿萼钟状。气微香，味苦、微辛。

功能主治 苦、辛，凉。归肺、胃经。清热解毒，凉血散瘀，利水消肿。用于感冒发热，咽喉肿痛，肺热咳嗽，咯血，吐血，尿血，崩漏，痔疮出血，肾炎性水肿，白浊，痢疾，痈肿疮毒，湿疹瘙痒，跌打损伤，蛇虫咬伤。

用法用量 内服煎汤，9 ~ 30 g，鲜品 15 ~ 60 g；或捣汁。外用适量，捣敷；或捣汁含漱；或滴耳；或煎汤洗。

凭证标本号 440281190425006LY、440281200712002LY、441823201205003LY。

唇形科 Labiaceae 鼠尾草属 Salvia

红根草 *Salvia prionitis* Hance

| **药 材 名** | 红根草（药用部位：全草。别名：红根子、红地胆、关公须）。

| **形态特征** | 一年生草本。高 20 ～ 43 cm。须根丛生。茎被白色的长硬毛。叶多基生，单叶或三回羽状复叶；单叶长圆形或椭圆形，长 2.5 ～ 7.5 cm，上面被长硬毛，下面沿脉被长硬毛；复叶的顶生小叶最大。轮伞花序；花萼钟状，外被具腺疏柔毛；花冠蓝色或紫色。小坚果椭圆形。花期 6 ～ 8 月。

| **生境分布** | 生于海拔 105 ～ 800 m 的山坡、向阳草丛、林缘或林区路边。分布于广东乐昌、仁化、英德等。

| **资源情况** | 野生资源丰富。药材来源于野生和栽培。

| 采收加工 | 夏、秋季采收，洗净，晒干。

| 功能主治 | 微苦，凉。疏风清热，利湿，止血，安胎。用于感冒发热，肺炎咳喘，咽喉肿痛，肝炎胁痛，腹泻，痢疾，肾炎，吐血，胎漏。

| 用法用量 | 内服煎汤，15 ～ 30 g，大剂量可用 45 ～ 60 g；或研末，6 ～ 9 g，每日 2 次。

| 凭证标本号 | 441623180625006LY。

唇形科 Labiaceae 鼠尾草属 Salvia

地埂鼠尾草 *Salvia scapiformis* Hance

| 药 材 名 | 田芹菜（药用部位：全草。别名：山字止）。

| 形态特征 | 一年生草本。侧根细长，密集。茎高 20 ~ 30 cm，略被倒伏的微柔毛。叶多基生，多为单叶，有时为具 1 ~ 2 小叶的复叶；叶片心状卵形，长 2 ~ 4.3 cm，下面青紫色，脉上被短柔毛。轮伞花序排列成圆锥花序；花萼筒状；花冠紫色或白色。小坚果卵圆形。花期 4 ~ 5 月。

| 生境分布 | 生于海拔 500 ~ 1 200 m 的山谷或林下。分布于广东封开、乐昌、南雄、乳源、英德等。

| 资源情况 | 野生资源一般。药材来源于野生和栽培。

| **功能主治** | 辛，平。补虚益损，强筋壮骨。用于气虚倦怠，头晕目眩，肢体无力，腰膝酸软，肌肉痉挛。 |

| **用法用量** | 内服煎汤，9 ～ 12 g。 |

| **凭证标本号** | 441823210410016LY、440224190313007LY。 |

唇形科 Labiaceae 鼠尾草属 Salvia

硬毛地埂鼠尾草
Salvia scapiformis Hance var. *hirsute* Stib.

| **药材名** | 白补药（药用部位：全草。别名：翻天雷公）。

| **形态特征** | 一年生草本。高 20 ～ 30 cm。茎略被倒伏的微柔毛。基生叶多数，疏被纤细硬毛；茎生叶 2 ～ 4，为单叶或具 1 ～ 2 对小叶的复叶，叶片心形或卵圆状披针形，先端圆形或近锐尖。轮伞花序排列成圆锥花序；花萼筒状；花冠紫色或白色。小坚果卵圆形。花期 4 ～ 5 月。

| **生境分布** | 生于海拔 120 ～ 1 250 m 的山地、路旁、疏林下。分布于广东乐昌、潮安等。

| **资源情况** | 野生资源较少。药材来源于野生。

| **采收加工** | 夏、秋季采收，洗净，晒干。

| **功能主治** | 辛、甘，平。补虚益损，强筋壮骨。用于肺病，虚弱消瘦，头晕目眩，劳伤。

| **用法用量** | 内服煎汤，15 ~ 30 g；或浸酒。

唇形科 Labiaceae 鼠尾草属 Salvia

一串红 *Salvia splendens* Ker.-Gawl.

| 药 材 名 | 西洋红（药用部位：全草。别名：象牙海棠、象牙红）。

| 形态特征 | 半灌木状草本。叶片卵圆形或三角状卵圆形，下面具腺点。轮伞花序排列成顶生假总状花序；花萼钟状，红色，花后增大，外被毛；花冠红色至紫色，稀白色，筒状。小坚果椭圆形，先端有少数不规则的折皱，边缘或棱有厚而狭的翅。花期 3 ～ 10 月。

| 生境分布 | 栽培于园圃。广东各地均有栽培。

| 资源情况 | 栽培资源丰富。药材来源于栽培。

| 功能主治 | 苦、辛，凉。消肿解毒。用于疔疮，蛇咬伤。

| **用法用量** | 外用适量，鲜品捣敷。 |

| **凭证标本号** | 441621181201002LY、441624180627005LY。 |

四棱草 *Schnabelia oligophylla* Hand.-Mazz.

| 药 材 名 | 四楞筋骨草（药用部位：全草。别名：四棱筋骨草、箭羽草、箭羽舒筋草）。

| 形态特征 | 多年生草本。高达 1 m。根茎短且膨大。茎方形，具细束的节，四角有膜质翅。叶对生；叶柄被糙伏毛；叶片纸质，卵形或三角状卵形，长 1 ~ 3 cm，宽 0.8 ~ 1.7 cm，自下向上渐小，两面疏被糙伏毛。花单生于叶腋，淡紫色或紫红色；花萼钟形，外面有毛；花冠外面有毛；雄蕊 4，前对稍长；花柱先端 2 裂。小坚果倒卵珠形。花期 4 ~ 5 月，果期 5 ~ 6 月。

| 生境分布 | 生于海拔 700 m 左右的山谷溪旁、石灰岩上。分布于广东乐昌、乳源、

连州、阳山等。

| **资源情况** | 野生资源丰富，栽培资源丰富。药材来源于野生和栽培。

| **采收加工** | 全年均可采收，鲜用或晒干。

| **药材性状** | 本品根短小，棕红色。茎具4棱，角具膜质翅，节处较细，表面枯绿色或绿褐色；质柔脆，易折断，髓白色。完整叶片展平后呈卵形或卵状披针形，长1～3 cm，宽0.8～1.7 cm，先端尖，基部楔形或圆形，下部叶多3裂，两面均被毛。气微，味淡。

| **功能主治** | 辛、苦，平。祛风除湿，活血通络。用于风湿痹痛，四肢麻木，腰膝酸痛，跌打损伤，经闭。

| **用法用量** | 内服煎汤，9～15 g；或浸酒。外用适量，捣敷。

| **凭证标本号** | 441823200103011LY。

半枝莲 Scutellaria barbata D. Don

| 药 材 名 |

半枝莲（药用部位：全草。别名：狭叶韩信草、并头草、牙刷草）。

| 形态特征 |

一年生或多年生草本。高 15 ~ 40 cm。茎上部直立，四棱形。叶对生，上部叶近无柄；叶片卵形至披针形，长 1 ~ 3 cm，宽 0.5 ~ 1.5 cm，先端钝，基部楔形或近心形，全缘或有不明显的钝齿。轮伞花序顶生，偏向一侧；花萼二唇形；花冠唇形，浅蓝紫色；雄蕊 2 对，不伸出；花柱先端 2 裂。小坚果卵形。花果期 4 ~ 7 月。

| 生境分布 |

生于海拔 1 900 m 以下的溪沟边、田边或湿润草地上。分布于广东乐昌、始兴、翁源、连南、连山、英德、封开、高要、龙门、平远、蕉岭、大埔、丰顺、饶平、博罗、从化、增城、花都、阳春、吴川、徐闻及河源（市区）等。

| 资源情况 |

野生资源丰富，栽培资源丰富。药材来源于野生和栽培。

| 采收加工 | 花期采收，洗净，切段，鲜用或晒干。

| 药材性状 | 本品根纤细。茎四棱形；表面黄绿色至暗紫色。叶对生，展平后呈卵状披针形，长 1.5 ～ 3 cm，宽 0.5 ～ 1 cm，疏被柔毛；叶柄短或近无柄。枝顶有偏于一侧的残存宿萼，有时宿萼内藏有 4 小坚果。质软，易折断。气微，味苦、涩。

| 功能主治 | 辛、苦，寒。归肺、肝、肾经。清热解毒，散瘀止血，利尿消肿。用于热毒痈肿，咽喉肿痛，肺痈，肠痈，瘰疬，毒蛇咬伤，跌打损伤，吐血，衄血，血淋，水肿，腹水，恶性肿瘤。

| 用法用量 | 内服煎汤，15 ～ 30 g，鲜品加倍；或入丸、散剂。外用适量，鲜品捣敷。

| 凭证标本号 | 441523190403019LY、441825190411021LY、440281190630003LY。

唇形科 Labiaceae 黄芩属 Scutellaria

韩信草
Scutellaria indica L.

| 药 材 名 | 韩信草（药用部位：全草。别名：耳挖草、向天盏、顺筋草）。

| 形态特征 | 多年生草本，全体被毛，高 10 ~ 37 cm。叶对生；叶片草质至坚纸质，心状卵圆形至椭圆形，长 1.5 ~ 3 cm，宽 1.2 ~ 3.2 cm，先端钝或圆形，两面密生细毛。轮伞花序排列成偏向一侧的顶生总状花序；花萼钟状，外被柔毛；花冠蓝紫色，二唇形；雄蕊 2 对，不伸出；花柱细长。小坚果横生，卵形。花期 4 ~ 5 月，果期 6 ~ 9 月。

| 生境分布 | 生于海拔 1 500 m 以下的山地、丘陵、疏林下、路旁空地及草地上。广东各地均有分布。

| 资源情况 | 野生资源丰富。药材来源于野生和栽培。

| 采收加工 | 春、夏季采收，洗净，鲜用或晒干。

| 药材性状 | 本品全体被毛。茎方柱形，表面灰绿色。叶对生，叶片展平后呈卵圆形，长1.5 ~ 3 cm，宽 1 ~ 2.5 cm，先端钝圆，基部浅心形或平截，边缘有钝齿。花序顶生，偏向一侧，花冠多已脱落，宿萼钟形，萼筒背部有 1 耳状盾鳞。小坚果圆形。气微，味微苦。

| 功能主治 | 辛、苦，寒。归心、肝、肺经。清热解毒，活血止痛，止血消肿。用于痈肿疔毒，肺痈，肠痈，瘰疬，毒蛇咬伤，肺热咳喘，牙痛，喉痹，咽痛，筋骨疼痛，吐血，咯血，便血，跌打损伤，创伤出血，皮肤瘙痒。

| 用法用量 | 内服煎汤，10 ~ 15 g；或捣汁，鲜品 30 ~ 60 g；或浸酒。外用适量，捣敷；或煎汤洗。

| 凭证标本号 | 441825190412045LY、445224190331002LY、441523190404023LY。

| 附　注 | 小叶韩信草 Scutellaria indica var. parvifolia （Makino） Makino 与本种的区别在于小叶韩信草植株矮小，高 8 ~ 16 cm；叶小，心状卵形，长 0.8 ~ 1.5 cm。缩茎韩信草 Scutellaria indica L. var. subacaulis （Sun ex C. H. Hu） C. Y. Wu et C. Chen 与本种的区别在于缩茎韩信草茎明显缩短；叶聚生于茎顶；花序短而稠密。长毛韩信草 Scutellaria indica L. var. elliptica Sun ex C. H. Hu 与本种的区别在于长毛韩信草茎、叶片两面和叶柄均密被白色平展的具节疏柔毛。

偏花黄芩
Scutellaria tayloriana Dunn

药材名

土黄芩（药用部位：根）。

形态特征

多年生草本。高达 30 cm。茎被白色长柔毛。基生叶常 3 ~ 4 对，初时呈莲座状，椭圆形或卵状椭圆形，长 4.5 ~ 5.5 cm，先端圆形或钝，基部心形或圆形，具浅波状齿，两面密被白色糙伏毛，下面脉上毛密，下面被橙色腺点。总状花序；花萼密被短柔毛；花冠淡紫色或紫蓝色，上唇盔状，先端微凹，下唇中裂片半圆形，侧裂片卵形。花期 3 ~ 5 月。

生境分布

生于林下、灌丛中或旷野。分布于广东仁化、龙门等。

资源情况

野生资源较少。药材来源于野生。

采收加工

夏、秋季采挖，洗净，晒干。

| 功能主治 | 苦，寒。归肺、大肠经。清肺止咳，燥湿止痢。用于肺热咳嗽，咯血，湿热泄泻，痢疾。

| 用法用量 | 内服煎汤，9 ~ 15 g。

唇形科 Labiaceae 水苏属 Stachys

地蚕

Stachys geobombycis C. Y. Wu

| 药 材 名 |

地蚕（药用部位：全草或根茎。别名：草石蚕、土冬虫草、白虫草）。

| 形态特征 |

多年生直立草本。高 25 ~ 50 cm。根茎肥厚，横走。茎方柱状，棱和节上被倒生疏柔毛或刚毛。叶对生；叶片纸质，长圆状卵圆形，长 4 ~ 8 cm，先端钝，基部浅心形至圆形，边缘有圆齿状锯齿，两面被毛。花紫色或淡红色，组成顶生总状花序；花萼倒圆锥状，有 10 明显的纵脉；花冠上唇长圆状卵圆形，直立，下唇伸展；雄蕊 4。花期 4 ~ 5 月。

| 生境分布 |

生于海拔 170 ~ 700 m 的荒地、田地及草丛湿地上。分布于广东乐昌、乳源、始兴、仁化、南雄、曲江、翁源、连州、阳山、英德、龙川、平远、大埔、高要、封开、阳春及广州（市区）等。

| 资源情况 |

野生资源丰富，栽培资源丰富。药材来源于野生和栽培。

| 采收加工 | 秋季采收，洗净，鲜用或晒干。

| 药材性状 | 本品根茎呈纺锤形，长 2 ～ 5 cm，直径 3 ～ 8 mm；表面淡黄色或棕黄色，略
皱缩而扭曲，具环节 4 ～ 15，节上有点状芽痕和须根痕；质脆，易折断，断面
略平坦，类白色，颗粒状，可见棕色环。气微，味甜，有黏性。水浸泡时易膨胀，
结节明显。

| 功能主治 | 甘，平。归肺、肾经。益肾润肺，补血消疳。用于肺痨咳嗽，吐血，盗汗，肺
虚气喘，血虚体弱，疳积。

| 用法用量 | 内服煎汤，9 ～ 15 g。外用适量，研末调敷。

| 凭证标本号 | 440783200312021LY、440281190426023LY、441422190414046LY。

| 附　　注 | 白花地蚕 *Stachys geobombycis* C. Y. Wu var. *alba* C. Y. Wu et H. W. Li 与本种的区
别在于白花地蚕花萼较大，萼齿披针状三角形，先端有刺状尖头。

甘露子

Stachys sieboldii Miq.

| 药 材 名 | 草石蚕（药用部位：全草或块茎。别名：甘露儿、地牯牛草、宝塔菜）。

| 形态特征 | 多年生草本，高达 60 cm，全体被短毛。基部匍匐枝先端有白色肉质根茎。茎四棱形，棱上有倒生的长刺毛。叶对生；叶片卵形或椭圆长卵形，长 3 ~ 10 cm，宽 1.5 ~ 6 cm，先端渐尖或急尖，基部心形或近圆形，边缘有圆锯齿，两面有长柔毛。轮伞花序排列成假穗状花序；花萼外被腺毛；花冠淡红紫色；二强雄蕊；柱头 2 裂。花期 7 ~ 8 月，果期 9 月。

| 生境分布 | 生于海拔 1 900 m 以下的山沟阴湿处或积水处。分布于广东乐昌、连州等。

| **资源情况** | 野生资源丰富，栽培资源丰富。药材来源于野生和栽培。

| **采收加工** | 夏、秋季采收全草，秋季采挖块茎，洗净，鲜用或晒干。

| **药材性状** | 本品块茎多呈纺锤形，有的先端呈螺旋状，两头略尖，长 1.5 ～ 4 cm，直径 3 ～ 7 mm；表面棕黄色，多皱缩扭曲，具 5 ～ 15 环节，节间可见点状芽痕及根痕；质坚脆，易折断，断面平坦，白色。气微，味微甘。水浸泡后易膨胀，结节明显。

| **功能主治** | 甘，平。归肺、肝、脾经。解表清肺，利湿解毒，补虚健脾。用于风热感冒，虚劳咳嗽，黄疸，淋证，疮毒肿痛，毒蛇咬伤。

| **用法用量** | 内服煎汤，全草 15 ～ 30 g，根 30 ～ 60 g；或浸酒；或研末。外用适量，煎汤洗；或捣敷。

| **凭证标本号** | 441322150405692LY。

唇形科 Labiaceae 香科科属 *Teucrium*

庐山香科科 *Teucrium pernyi* Franch.

| 药 材 名 | 庐山香科科（药用部位：全草。别名：双判草、野荏荷）。

| 形态特征 | 多年生直立草本。茎高 0.6 ~ 1 m，密被白色且下弯的短柔毛。叶片卵状披针形，长 3.5 ~ 5.3 cm，两面被微柔毛，下面脉上与叶柄被白色稍弯曲的短柔毛。假穗状花序腋生及顶生；花萼钟状，二唇形；花冠白色或带红色，檐部单唇形，唇片与花冠筒成直角；雄蕊较花冠筒长 1/2 以上。小坚果倒卵形。花期 6 月，果期 8 ~ 10 月。

| 生境分布 | 生于海拔 150 ~ 1 120 m 的山地及旷野。分布于广东乐昌、乳源、台山等。

| 资源情况 | 野生资源较少。药材来源于野生。

| 采收加工 | 夏、秋季采收，洗净，鲜用或晒干。

| 功能主治 | 辛、微苦，凉。清热解毒，凉肝活血。用于肺脓肿，惊风，疮痈，跌打损伤。

| 用法用量 | 内服煎汤，6 ~ 15 g。外用适量，捣敷；或煎汤洗。

| 附　注 | 本种与同属植物二齿香科科 *Teucrium bidentatum* Hemsl. 的区别在于二齿香科科花萼下唇 2 浅裂；花冠唇片的后对侧裂片圆形；枝叶近无毛。

唇形科 Labiaceae 香科科属 Teucrium

铁轴草

Teucrium quadrifarium Buch.-Ham. ex D. Don

| 药 材 名 |

铁轴草（药用部位：全草或根、叶。别名：小裂石蚕、凤凰草、牛尾草）。

| 形态特征 |

半灌木。茎基部常聚结成块状，高 0.3 ～ 1.1 m，密被金黄色、锈棕色或紫色长柔毛。叶具短柄至近无柄；叶片卵圆形或长圆状卵圆形，长 3 ～ 7.5 cm，上面被短柔毛，下面被灰白色绒毛。假穗状花序组成顶生圆锥花序；花萼筒状钟形，二唇形；花冠淡红色，檐部单唇形，唇片与花冠筒成直角；雄蕊伸出。小坚果倒卵状近圆形。花期 7 ～ 9 月。

| 生境分布 |

生于海拔 350 ～ 1 900 m 的山地阴坡、林下及灌丛中。分布于广东乐昌、始兴、乳源、仁化、连州、连南、连山、阳山、英德、和平、惠阳、高要、怀集、封开、德庆、罗定、阳春等。

| 资源情况 |

野生资源丰富。药材来源于野生。

| 采收加工 | 全年均可采收，洗净，鲜用或晒干。

| 药材性状 | 本品茎略呈方柱形，表面棕紫色，密被锈色或金黄色长柔毛；质脆，易折断，断面白色。叶多皱缩，完整叶片展平后呈卵形或长卵形，长 3 ~ 7.5 cm，宽 1.5 ~ 4 cm，先端钝或急尖，基部近心形，上面被锈色柔毛，下面密被灰白色柔毛。气微香，味微苦、涩。

| 功能主治 | 辛、苦，凉。祛风解暑，利湿消肿，凉血解毒。用于风热感冒，中暑无汗，肺热咳喘，肺痈，热毒泻痢，水肿，风湿疼痛，劳伤，吐血，便血，乳痈，无名肿毒，风疹，湿疹，跌打损伤，外伤出血，毒蛇咬伤，蜂螫伤。

| 用法用量 | 内服煎汤，6 ~ 15 g；或浸酒。外用适量，捣敷；或研末撒；或煎汤洗。

| 凭证标本号 | 441825190802019LY、440281200713020LY、441823200831024LY。

唇形科 Labiaceae 香科科属 Teucrium

血见愁

Teucrium viscidum Bl.

| 药 材 名 |

山藿香（药用部位：全草。别名：皱面草、方枝苦草、野石蚕）。

| 形态特征 |

多年生直立草本。茎高 30 ～ 70 cm，上部被混生腺毛的短柔毛。叶片卵状长圆形，长 3 ～ 10 cm，宽 1.5 ～ 4.5 cm，两面近无毛或被极稀疏的微柔毛。假穗状花序顶生及腋生，密被腺毛；花萼筒状钟形；花冠白色、淡红色或淡紫色，檐部单唇形；雄蕊伸出；花柱先端 2 裂。小坚果扁圆形。花期 7 ～ 9 月。

| 生境分布 |

生于海拔 150 ～ 1 500 m 的荒坡、田边、旷野草地、山脚、路旁、村边湿润处或靠近石灰岩的草丛中。广东各地均有分布。

| 资源情况 |

野生资源丰富。药材来源于野生。

| 采收加工 |

7 ～ 8 月采收，洗净，鲜用或晒干。

| **药材性状** | 本品根须状。茎具 4 棱，被短毛，黑褐色或灰褐色；嫩枝密被长毛；茎节处有多数灰白色须状根。叶对生，灰绿色至灰褐色，常卷缩，质脆，易碎，完整叶片展平后呈卵形至矩圆形，长 3 ~ 6 cm，宽 1.5 ~ 3 cm，边缘具粗锯齿，两面有毛，叶脉上有疏毛。有时枝顶或叶腋有淡红色小花；花萼钟形。小坚果圆形，包于宿萼中。以手搓花、叶微有香气，味微辛、苦。 |

| **功能主治** | 辛、苦，凉。归肺、大肠经。凉血止血，解毒消肿。用于咯血，吐血，衄血，肺痈，跌打损伤，痈疽肿毒，痔疮肿痛，漆疮，足癣，狂犬咬伤，毒蛇咬伤。 |

| **用法用量** | 内服煎汤，15 ~ 30 g，鲜品加倍；或捣汁；或研末。外用适量，捣敷；或煎汤熏洗。 |

| **凭证标本号** | 441825190708010LY、440281190814010LY、441823210410034LY。 |